| PREMIUM LABEL op. 010

더 캐슬

A.TEMPO MEDIA Inc

2

더 캐슬
THE CASTLE

진소예 장편소설

PREMIUM
LABEL

CONTENTS

더 캐슬

Romance Fantasy
crescendo

더 캐슬

VOL. 2

The Castle

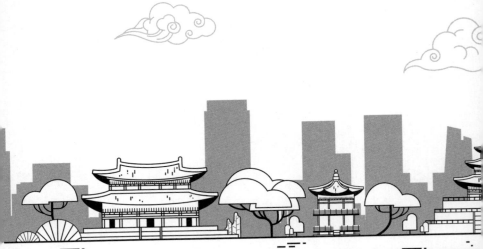

CHAPTER **9**

궐의 주인

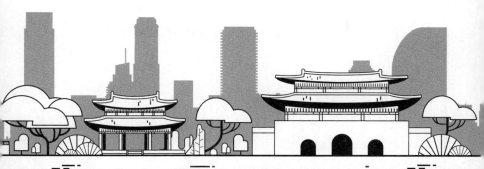

9

궐의 주인

"북유럽과 남부 일대에서 활동하는 익명의 작가단체입니다. 제가 운영하는 에틸의 작가들에게 협업을 제안해올 정도로 진취적인 단체죠. 그런데…… 뒷소문이 좋지 않아서, 작업을 함께한 적은 없습니다."

이태는 작품 사진이 든 도록을 내려놓았다. 빈청에 모인 RSA 실무진들이 각자 소헌군이 준비한 자료를 들여다본다.

"뒷소문이라니."

첫 장에 찍힌 사진 속 작품은, 서량호텔에서 회수한 설야였다. 작자 미상이었던 위조된 그것.

"그게, 예술에 지나치게 심취했다고 할까요."

"심취?"

"예. 그러니까……."

건의 질문에 멋쩍은 표정으로 이태가 대답하려 할 때였다.

쿠궁-.

찰나, 중력의 힘이 1에서 10으로 바뀐 것처럼 몸이 짓눌린다. 그 막대한 기운을 느낀 이들의 눈이 경악으로 커지고, 삽시간에 건의 눈동자 색이 바뀌었다.

"저하!"

벌컥 문을 열고 뛰어 들어온 RSA 박 팀장의 고함. 갑작스러운 힘에 넋이 나간 사람들 사이로, 제일 먼저 이건이 움직였다.

"동궁전이군."

빌어먹을!

건은 빈청을 빠져나와 미친 듯이 뛰기 시작했다. 조금 전 궐 전체를 뒤흔든 힘은 동궁전. 분명 침전에서 터져 나온 힘이었다.

기운을 느낀 나자들이 곳곳에서 튀어나와 건의 뒤를 따른다. 다들 처음 느껴 보는 이질적인 힘에 놀라 새파랗게 질린 채였다.

그가 동궁전에 다다랐을 때는 이미 이숙과 차 내관 및 주상의 호위들이 자선당을 에워싼 상태였다.

"건아!"

이숙은 뛰어 들어온 건을 발견하곤, 힘을 개방했다. 당장에라도 건물을 통째로 날려 버릴 듯 강한 힘이 이숙의 발밑에서 일렁인다.

"제가 해결합니다. 아버지."

저 안에 조유연이 있다. 그런 상황에 주상이 힘을 쓴다면, 안에 있는 그녀가 위험해질 수도 있는 일.

주상을 말린 건이 손에 힘을 풀자, 시퍼런 날을 품은 사인검(四寅劍)이 모습을 드러냈다. 최상급 이매를 상대할 때 외엔 소환하지 않는 보검을 본 이들의 눈빛에 경이로움이 스며든다.

"이, 어찌 된 것이야!"

이숙이 굳은 얼굴로 물었다.

"모릅니다."

"어허!"

"하지만 순식간에 사라진 힘입니다. 분명, 힘을 숨길 수 있는 놈입니다."

"건아."

"걱정 마십시오. 이우혁!"

건의 고함에 거친 숨을 몰아쉬며 뛰어온 우혁이 고개를 조아린다.

"예, 저하!"

"침전 주변으로 개미 새끼 한 마리 다가오지 못하게 해. 아무도, 들이지 마라."

"예!"

명령이 떨어지자마자 오랏줄을 움켜쥔 RSA의 나자들이 침전 주위를 에워싼다. 누구도 들지 못한다는 것은, 누구도 빠져나오지 못한다는 뜻.

"조심하십시오, 저하."

건은 고개를 까딱였다. 서슬 퍼런 기세의 건이 자선당 내부로 걸음을 옮길 때마다 보이지 않는 힘이 요동쳐 땅이 울린다.

'어째서, 동궁전에······.'

감히 궐내에서 환동할 간 큰 이매는 없다. 궐은 강한 양기로 보호받는 곳. 같잖은 사귀가 날뛸 만큼 만만한 곳이 아니었다.

침전 앞에 다다른 그가 검 끝으로 잠금쇠를 툭 건드릴 때였다. 벌컥, 문이 열리더니 사색이 된 내의녀가 소스라치게 놀라 바닥에 주저앉는다.

"저, 저하!"

침전 내부를 훑는 건의 눈빛이 은은하게 빛난다.

"어떻게 된 일입니까."

"가, 갑자기 환자분께서 쓰러지셨습니다."

"뭐?"

"조유연 씨가 기절하셨습니다. 태의 영감을 호출했으니 곧 오실 겁니다."

"그것…… 뿐인가?"

"네?"

내의녀는 힘을 느끼지 못하는 존재였다. 하지만 건은 침전 내에 들끓는 이질적인 기운을 놓치지 않았다.

"나가보십시오. 태의 영감은 필요 없으니 부르지 말고."

"예, 예!"

갑작스러운 기절과 숨 막히는 힘. 건은 침대에 누워 있는 그녀를 발견하곤 성큼성큼 걸음을 내디뎠다. 그녀에게 다가갈수록 짙어지는 기운은 마치 칼끝으로 피부를 베는 것처럼 소름 끼치는 것이었다.

"감히, 내 것을 탐하는가."

건은 서늘하게 뇌까리며 그녀 방향으로 검을 겨누었다. 사인검에 새겨진 경문이 푸르스름한 빛을 낸다.

사인검은 순양의 기운으로 사귀를 베고 재앙을 물리치는 보검이었다. 호랑이가 네 번 겹치는 인년, 인월, 인일, 인시에 만드는 검. 이곳을 장악한 놈이 사귀라면, 사인검에 닿는 순간 필멸의 길을 걸을 터.

−네 것이 아니라, 나의 주인이다.

검은 연기가 형체를 갖추는 것은 눈 깜짝할 새였다. 건의 눈앞에 거대한 흑호 한 마리가 모습을 드러냈다.

"커다란 고양이 새끼가, 감히 누구를 탐하는 것이냐."

건은 힘을 개방해 검을 휘둘렀다. 하지만 허상을 긋듯이 베어지는 것은 없었다. 여유롭게 털을 핥은 범이 뒷발로 목덜미를 긁더니, 유연의 품으로 파고든다.

'하!'

분노한 그가 재차 검을 내리그었지만, 검은 호랑이는 조금의 타격도 받지 않은 것처럼 미동조차 없었다.

"……혹, 이매가 아닌 것이냐?"

건은 화를 억누르며 일그러지려는 눈에 힘을 주었다.

─하찮은 미물의 이름을 오랜만에 듣는구나.

"누구냐, 너."

─아직…… 이름을 받지 못했다.

"뭐?"

─나의 주인, 귀한 눈을 가진 주인의 단잠을 깨우지 말자. 소란하게 굴지 말아라, 귀멸자야.

귀한 눈을 가진 주인이라니.

건은 천천히 범에게 박아 넣었던 검을 회수했다. 그러자 윤기가 흐르는 검은 털을 가진 짐승이 커다란 앞발로 그녀의 몸을 감싼다. 마치 제 것을 지키려는 듯한 태도. 눈이 돈다는 것이 이런 느낌인가?

"하긴…… 이매가 아니라도 상관없지."

짧은 읊조림과 함께 손아귀에 쥐여 있던 검이 사라진다. 이어, 건의 손에서 붉은 열이 일렁였다.

그제야 범의 기세가 바뀌었다. 둘 중 누가 짐승인지 모를 만큼 뒤 엉키는 날것의 기운. 검고 푸른 기운이 닿을 때마다 스파크가 인다.

-건방진 귀멸자로구나. 나는 너의 적이 아니건만.

"닥치고 꺼져."

건은 그대로 범의 아가리 아래를 움켜쥐었다. 파지직 소릴 내며 전류가 튀었지만, 고통은 분노를 이겨내지 못했다.

-카악!

멱살이 잡힌 것처럼 짓눌린 범이 고통에 겨운 듯 입을 쩍 벌린다. 시퍼런 불꽃이 튀어 오르는 순간에도 건은 힘을 풀지 않았다. 그러 자 콧등을 씰룩인 호랑이가 안광을 번뜩이더니, 시커먼 기운을 뿜어 냈다.

-크아악!

그 힘은 이매의 것이 아니었다. 되레 자신의 힘과 흡사한 범의 기 운에 건은 두 눈을 크게 떴다. 대체 언제 손아귀를 빠져나간 건지, 자신의 초상화 앞에서 형체를 만들어낸 범이 두꺼운 꼬리를 아래로 늘어트려 좌우로 흔든다.

'이게 대체……!'

건은 범의 눈이 황금색이 된 것을 보며 헛웃음을 내뱉었다.

-귀멸자야, 이 궐에 더러운 것이 잔뜩 있다.

"너 대체 뭐야……."

-나는…… 궐이다.

범은 그대로 연기가 되어 사라졌다. 일그러진 건의 입술이 비틀리 고, 힘이 들어간 눈은 붉게 충혈되었다.

"궐이라고……?"

범이 사라진 침전은 마치 적요에 잡아먹힌 듯 조용했다.

가늘게 이어지는 여인의 숨소리밖에 들리지 않는 공간. 주먹을 말아 쥔 건은 천천히 그녀가 누워 있는 방향을 돌아보았다. 반듯하게 누워 잠든 순하디순한 얼굴, 느릿하게 들썩이는 가슴팍과 다소곳이 모은 손. 순간 몸 어딘가에 불이 붙은 것처럼 뜨거워졌다.

"그랬군."

건은 땀에 젖은 앞머릴 쓸어넘기며 잠든 그녀를 내려다보았다. 힘이 들어간 손이 떨리고, 잇새로 실소가 새어 나온다.

황금색으로 빛나던 안광이 사그라지더니 평소의 흑암 같은 눈동자가 그녀를 품었다. 한 치의 흐트러짐 없는 눈빛으로 오래도록 유연을 응시하던 그의 입술이 슬그머니 열렸다.

"찾았다, 너……."

물에서 건져진 사람처럼 불시에 눈이 뜨였다. 유연은 멍하니 천장을 바라보며 눈을 깜빡였다. 몇 시인지 몰라도, 사위가 어둡다. 어쩌면 새벽녘일지도 모른다는 생각에 정신이 번쩍 들었다.

'꿈인가……?'

너무 생생하고 끔찍한 꿈이다. 거대한 뱀이 말을 걸더니, 집채만한 호랑이로 변하는 꿈이라니.

헛웃음을 지은 그녀가 물먹은 솜처럼 무거운 몸을 일으키자 덮었던 시트가 사르륵 떨어졌다. 자연스럽게 움직인 시선 끝, 암체어에 몸을 묻은 채 잠든 남자의 실루엣이 보인다. 이건이었다. 그를 보자 이유 없이 지끈한 두통이 밀려들었다.

유연은 양손으로 이마를 짚었다. 여전히 세자의 처소에 있는 것으로 보아, 호랑이를 본 것 외엔 모두 꿈이 아니었나 보다. 하지만 꿈이라기엔 너무도 생생해 기분이 이상했다.

침대 아래로 내려간 그녀는 건에게 다가갔다. 그는 방에서 나갔을 때와 마찬가지로 드레스 셔츠에 정장 바지 차림 그대로였다. 게다가 무릎에는 들여다보던 서류가 올려져 있었고, 작은 테이블엔 마시다 가 만 커피가 두 잔이나 놓여 있다.

유연은 난처한 기분에 사로잡혔다. 어쩐지 크게 민폐를 끼친 것만 같아서, 미안한 마음과 안쓰러움이 그녀를 몰아붙였다.

'왜 이렇게까지……'

제게 잘해 주냐는 말이 차마 나오지 않았다. 거짓말쟁이인 제게 너무 잘해 주지 말라는 말도, 폐를 끼쳐 미안하다는 말도 하지 못했다.

"하……"

한숨을 내쉰 그녀가 그의 무릎에 올려진 서류를 모아 테이블에 올리고, 손가락에 걸린 펜을 조심스레 빼낼 때였다. 어둠이 요동친다. 마치 포식자 앞에 몸을 웅크린 초식 동물이 된 것처럼 몸이 움직여지지 않았다. 숨을 참은 그녀가 천천히 고개를 들자, 푸른 기가 도는 검은 눈동자가 자신을 향해 있는 것이 보였다.

비스듬히 앉아 있던 그가 느릿하게 눈꺼풀을 깜빡인다. 유연은 올가미에 걸린 짐승처럼 옴쭉하지 못한 채 마른침만 꿀꺽 삼켰다.

"……저하."

"응."

"저기, 침대에 가서 쉬세요. 저는 잠이 다 깨서……."

“12시 지났나?”

“아마도 그럴 거예요.”

“그래?”

잠이 묻어 나른한 음성이 유연의 가슴속을 간질인다. 펜을 움켜쥔 그녀의 손목에 커다란 손이 닿더니 팔꿈치 방향으로 어루만지듯 쓰다듬으며 올라왔다. 툭, 떨어져 바닥을 구르는 만년필. 유연은 난생처음으로 이가 다닥다닥 부딪칠 만큼 몸이 떨리는 기분을 느꼈다.

“12시 지났으니, 약속은 안 지켜도 되겠네.”

나직한 읊조림과 함께 셔츠 안으로 들어온 손이 유연의 가느다란 팔을 움켜쥐었다. 거센 힘에 당겨진 그녀는 단단한 허벅지에 털썩 앉으며 그의 어깨를 짚었다.

헛바람을 들이켠 그녀의 입술이 벌어지는 순간 포개진 입술. 유연은 아찔하게 밀려드는 숨결에 두 눈을 질끈 감았다. 아랫입술을 깨물어 벌린 그가 깊숙하게 파고들며 그녀를 몰아붙였다. 귀부터 발끝까지 새빨개졌을지도 모른다.

난폭한 듯 상냥하고, 사나운 듯 다정한 키스였다. 숨이 뒤섞이고, 맞닿은 피부의 열이 오른다.

그녀를 있는 힘껏 끌어안은 그가 벌떡 일어났다. 그 바람에 그에게 매달리듯 안긴 그녀가 가쁜 숨을 몰아쉬며 고개를 젖혔지만, 이내 사로잡혔다.

몸이 기울고, 등 뒤에 비단 침구가 풀썩 닿는다. 그 차가운 감각에 몸서리친 그녀는 자신을 짓누른 그의 팔을 힘주어 잡았다. 흐트러져 내려온 그의 머리카락이 눈가를 간질이고, 입안에 사탕이라도 숨겨 놓은 듯 파고드는 입맞춤엔 욕망이 뒤섞였다.

"하, 저하."

"내 아버지도 귀안이 없는 어머니를 비로 맞으셨어."

고개를 젖히는데, 커다란 손이 그녀의 앞머릴 쓸어 넘겨 이마를 드러나게 했다. 동그란 이마에 남자의 촉촉한 입술이 오래도록 눌린다. 이어 눈가와 코끝을 지나, 다시 윗입술로 내려왔다.

"네가 어떤 사람이건, 무슨 상관이었을까."

다정한 읊조림이 숨이 되어 스며든다. 발끝에서부터 시작된 아찔한 감각에 그녀의 몸이 바르르 떨렸다.

"처음 본 순간부터, 아무것도 눈에 들어오지 않던 것을."

그는 제 팔을 움켜쥔 그녀의 손을 떼어 내 가느다란 손목을 혀로 핥았다. 맥이 뛰는 곳을 찾아 입술로 지그시 짓누른다. 몸에 맞지 않은 셔츠가 말려 올라가 도자처럼 매끄러운 살갗이 그에게 닿았다.

그녀의 새끼손가락을 이로 깨물어 버린 그가 상체를 세우더니 손목시계를 풀어, 침대 옆 협탁에 툭 내려놓았다.

"자, 이제 내 뺨을 후려칠 차례야. 안 그러면, 무례하게 굴겠지. 널 울릴 테고."

뺨을 후려치랬더니 주먹만 꼭 말아 쥔 채 제 아래 누워 있는 그녀는 위험했고, 그만큼 무방비했다.

그는 울 것처럼 붉어진 눈가에 입 맞추고 뺨과 귓바퀴를 따라 자잘한 키스를 이어 나갔다. 입술이 닿을 때마다 화인이 찍힌 듯 발긋해지는 피부. 찡그려지는 눈가가 그를 미치게 한다.

'이러다 진짜 울리겠군.'

속으로 뇌까린 그는 한숨을 내쉬었다.

그녀의 허리를 움켜쥔 손에 힘이 들어간다. 건은 유연이 지금껏 자신을 속였다는 것에 화가 나는 게 아니라, 되레 아드레날린이 치솟았다. 대체 무슨 생각으로, 어떤 이유로 제게 거짓말을 해 온 걸까. 그것도 최설아까지 가담해 제법 그럴싸한 연기까지 해냈다. 하지만 궐은 그녀를 선택했다. 자신의 주인으로.

"왜 안 때려. 내가 농담이라도 한 것 같아?"

건은 비스듬히 웃으며 그녀의 귓불을 잘근 깨물었다.

"아니면 내 무례를 용서하려고?"

허리를 감싼 커다란 손이 겨드랑이 방향으로 올라와 목덜미까지 부드럽게 쓸었다. 그에게 손목을 잡힌 그녀가 간지러움을 참는 건지 바르작거리며 몸을 튼다.

"놀리지 마세요."

"내가?"

반문하며 상체를 세우자 야속하게 노려보는 눈빛이 너울처럼 흔들린다. 그마저도 반짝반짝 빛나는 게, 지독하게 예뻤다.

"궐에 들이기 싫다고 하셨잖아요. 내 거 하고 싶지만, 이곳에 가두고 싶지 않다고 하셨어요. 그런데 왜……."

"이렇게 애가 타 죽을 것처럼 구냐고?"

몸에 힘을 푼 그가 단번에 그녀를 제 위에 앉히더니 침대 위에 풀썩 드러누웠다. 졸지에 세자의 몸 위에 올라앉은 그녀가 급히 가슴팍을 짚는다. 흐트러지며 흘러내린 옅은 갈색의 머리카락이 갸름한 턱을 감싼다.

곧은 시선으로 그녀를 올려다보는 그의 숨결이 미세하게 흔들리기 시작했다.

"그러게. 살면서 뒤돌아본 것도 처음, 결정을 번복한 것도 처음,

누군가와 살을 맞댄 것도 처음……. 나는 모순덩어리였군."

건은 유연의 턱을 잡아 잇새에 말려 들어간 입술을 엄지로 문질러 빼냈다. 그러곤 눈썹을 가볍게 치켜올리며 '아.' 하고 말했다. 그의 손가락이 그녀의 입술을 벌리며 깊숙하게 들어갔다. 이를 더듬는 손가락이 닿은 건 머릴 내민 사랑니.

"아!"

통증을 느낀 건지, 탄식한 그녀의 눈에서 금세 눈물이 뚝 떨어진다.

"진짜 사랑니가 났네?"

"하이 아에요. (하지 마세요.)"

"아파?"

끄덕끄덕, 작은 주먹으로 그의 가슴을 때리며 고개를 젓는다. 젖은 눈가에 맺힌 눈물을 보는 순간, 퓨즈가 나간 것처럼 눈앞이 아득해졌다.

건은 불쑥 상체를 세워 그녀의 목덜미를 베어 물었다. 순간, 이를 세워 그의 손가락을 깨물어 버린 그녀. 그녀를 향해 있는 모든 감각이 생경했다. 마치 본능을 뒤흔드는 열망과 욕망이 이성의 목을 조르는 기분이다.

열에 짓눌리는 감각을 느끼며, 뼈마디가 느껴지는 마른 등을 쓸어내린 그가 말랑한 허벅지를 움켜쥔 채 여린 피부에 자국을 새겼다.

"하, 그만……."

"그래서 뺨을 치랬잖아."

그녀의 허리를 당겨 안아 바짝 맞붙인 그의 두피 사이로 가느다란 손가락이 파고든다. 그 기분 좋은 손길에 탁한 숨을 흘린 그가 고개를 젖혔다. 바들거리던 유연은 그대로 손을 움직여 건의 목덜미를 끌어안았다.

"애타게 하지 말아요."

"애가 타 죽을 것 같은 사람이 누군데."

그녀를 꽉 끌어안은 채 읊조린 그는 조금 웃었다.

"저는 저하를 좋아하지 않아요."

"응."

"진짜예요."

"그래."

"안 믿는구나?"

"아니, 믿어. 믿어야지."

나의 빈이 될 여인의 말인데. 어찌 거짓이라 생각하겠어.

건은 그녀의 목 뒤를 다정하게 감싸며 다시금 입술을 포갰다. 그러자 이번엔 밀어내는 대신 착 들러붙어 온 그녀였다. 점점 여유를 잃어 간다. 고갈되어 가는 인내의 바닥을 제 눈으로 보게 된 그는 들릴 듯 말 듯 한 욕지거리를 흘려보냈다.

"그만⋯⋯. 이러다가 내가 울겠군."

입술을 맞붙인 채 말을 할 때마다 오물거리는 느낌에 손끝에 힘이 들어갔다.

"저하가요?"

"말하지 마. 입술 움직일 때마다, 미치겠으니까."

새카만 눈동자 속에 일렁이는 열망과 욕망이 뚝뚝 떨어질 듯 짙다.

"그럼 입술을 떼시면⋯⋯."

"그건 싫어."

기막혀하는 표정으로 할 말을 또 애써 참아 내는 게 귀여워 결국 웃음을 터트렸다. 정말이지, 피가 마르는 기분을 침실에서 느낄 줄이야.

그는 숨이 펴 발리듯 입술을 붙인 채로 더욱 꼭 끌어안았다.

"조유연……. 오늘은 이만 멈춰 줄 테니까, 도망치지 마. 두 번째에 잡히면, 그땐 머리채를 잡아도 못 멈춰."

동이 튼다. 이태는 마당이 보이는 마루에 앉아 건물 사이로 떠오르는 해를 노려보았다.

'사라졌어.'

이상하다고 여긴 건, 세자가 빈청에 들어섰을 때였다. 그림에 잠신 시켜둔 이매가 무언가에 잡아먹히는 것처럼 자근자근 사라지더니, 순간 다른 힘이 환동했다.

대체 무엇이었을까. 그 힘은 제가 만든 이매의 기운이 아니었다. 감히, 가늠하는 것조차 두려울 만큼 거센 노도 같던 힘. 그 이후, 제가 만든 모든 이매가 소멸하였다.

처음이다. 이토록 소름 끼치게 강한 힘을 몸소 느낀 것은. 만일 동궁전에서 일어난 소란에 모두가 정신이 팔려 있지 않았다면 제게 일어난 변화를 누군가는 눈치챘을 터.

이태는 여전히 화상을 입은 듯한 따끔거림에 몸을 제대로 가누지 못했다. 피부가 쓸릴 때마다 칼로 살점을 떼어 내는 것처럼 고통스러웠다.

"밤새 밖으로는 한 걸음도 안 하셨다?"

빌어먹을.

퀭하게 가라앉은 눈두덩을 누른 이태가 굳은 몸을 일으킬 때였다.

"소헌군 마마, 차 내관입니다."

담장 너머 들려온 목소리에 이태는 순간 표정을 바꾸었다.

"예, 내관님."

대체 이 시간에 왜?

궐의 아침은 다른 곳보다 유난히 이른 편이지만, 이 시간에 거처를 찾아올 정도는 아니었다.

대문을 열고 들어온 차 내관이 꾸벅 고개 숙이고는 종종걸음으로 다가온다. 손에는 작은 소반을 든 채였다. 어정쩡하게 일어났던 이태가 식은땀이 흐르는 걸 숨기며 다시 앉았다.

"무슨 일이십니까? 이렇게 일찍. 잠이 안 오시는 거예요?"

"허허, 나이를 먹을수록 잠이 줄어들긴 하지요. 하면, 마마께서는 어찌 밤을 지새우셨습니까."

"저는 잠이 안 와서요. 전시를 제대로 할 수 있을지 걱정도 되고, 어제 오후 일어난 일도 궁금하고요."

"아, 그러셨군요. 역시……."

마루 위에 내려놓은 소반엔 아기 주먹만 한 도자기 단지가 놓여 있었다.

"이게 뭡니까?"

"연고입니다. 제법 상처를 입으신 듯하여 가져왔습니다."

"예?"

등줄기를 따라 흐르는 땀을 타고 아스스한 소름이 돋는다.

이태는 손에 지그시 힘을 주었다. 이대로 노인의 목을 비틀어 버린다면, 이 당혹스러운 순간을 모면할 수도 있을 것 같았다.

"상선 영감, 무슨 말입니까. 제가 다치다뇨?"

애써 눈매를 휘며 웃는 이태의 팔을 잡아든 상선이 불쑥 소매를 걷는다. 화끈거리는 살갗의 통증에 비명이 나올 것 같았다. 하지만 눈에 보이는 것은 없었다.

"의언군 마마께서도 종종 찾으셨던 연고입니다. 의언군 마마는 항상 오른쪽 팔이 아프다고 하셨지요. 하여, 대비마마께서 태의에게 명하여 만든 연고입니다."

"대비마마께서요?"

"예. 대비마마께서는 정이 많은 분이셨지요. 그리고 연고를 바르면 의언군 마마께서는 씻은 듯 나았다며 기뻐하셨습니다."

거짓말.

마치 대놓고 조롱당하는 것처럼 불쾌함이 치민다. 아버지와 어머니를 죽이지 못해 살려둔 대비가 정이 많다?

이태는 상선에게 잡힌 팔을 빼냈다. 그러곤 상선이 가져온 단지를 소중하게 집어 들곤 수더분하게 미소 지었다.

"고맙습니다, 영감님. 하지만 저는 아무렇지 않습니다. 상처를 입었다뇨, 이상하네요. 그러니 이 물건은 기일에 아버지께 가져다드리고 싶은데, 괜찮을까요?"

이태의 말에 빤한 시선으로 그를 보던 상선이 감격스러운 표정으로 손을 맞잡았다.

"그럼요, 마마. 한데, 소신 청이 하나 있습니다."

"말씀하세요. 귀한 걸 주셨는데, 제가 도울 수 있는 거라면 얼마든 도와야죠."

"소신, 외람되오나 군부인 마마를 한국으로 모시는 것을 간청합니다."

고개 숙인 차 내관을 가만히 보던 이태가 서서히 입꼬릴 비튼다.

이것이 속셈이었던가? 귀안을 가진 어머니를 궐로 불러들여, 소모품처럼 쓰고 버리려고? 게다가 아직 어머니는 제가 입궐한 걸 모르고 계셨다. 전 세계를 돌며 작품 활동을 하느라 연락이 없는 거로 생각하시겠지. 워낙 걱정이 많고 몸이 약한 분이라, 만일 제가 입궐했다는 걸 알게 되신다면 걱정에 잠 못 이루다가 쓰러져 버릴지도 모르는 일.

"미안해요, 영감님. 어머니는 한국에 좋지 않은 기억이 있으신데다 지금의 생활에 만족하고 계십니다. 저도 실은, 전시를 마치면 돌아갈 생각이고요."

"어허, 아니 됩니다. 어찌 왕족이 고향을 떠나간단 말입니까. 부디, 오셔서 편히 지내시는 편이……."

"우리 솔직해집시다. 환영받지 못하는 제가 마음이 편할 거라 생각하십니까? 상선 영감, 형님은 저를 싫어하십니다. 그러니 하루라도 빨리 사라져 드려야죠."

"마마, 어찌 그런 말씀을 하십니까. 그렇지 않습니다."

"어쨌든 연고 고맙습니다. 이제 좀 졸린데, 들어가 봐도 될까요?"

울 듯한 표정으로 애써 미소 지은 상선이 뒷걸음질 쳐 물러나는 걸 본 이태는 자신의 방으로 들어섰다.

손에 움켜쥔 단지의 선득함이 피부에 새겨진다. 대비가 아버지를 위해 만들었다고?

"별 쓸데없는……."

정면 지창을 노려보는 눈빛이 벼려지고, 단지를 움켜쥔 손에 힘이 들어간다. 파삭, 소리를 내며 깨져 버린 단지. 꾸덕꾸덕한 연고가 생채기 난 손에 엉망으로 뭉개진다. 이태는 제 손에서 산산이 부서진 단지를 내려다보며 헛웃음을 흘렸다.

기만이다. 조롱이며, 모욕이었다.

"감히 나를……."

옷 두 벌, 서류 몇 개와 노트북 한 대. 그리고 항상 들고 다니는 서류 가방 하나밖에 남지 않은 유연의 방을 본 준일의 눈빛이 험악해졌다.

"어떻게 된 거예요."

우물쭈물하며 서 있는 아주머니를 돌아본 준일이 이를 갈며 물었다. 그러자 되레 황당한 표정의 사용인이 고개를 절레절레 저었다.

"무슨 일인지……. 유연 씨 야반도주라도 했어요? 아니 왜 짐이 없어?"

"짐 빼는 걸 몰랐어요?"

"아니, 지하에서 지내는 사람은 유연 씨밖에 없으니까. 저희야 출퇴근이고, 베트남 쏨 아줌마는 별채에서 따로 지내니 알 수가 있나."

"유연이 혼자, 여기에 있었다……?"

준일은 창 하나 없는 2평 남짓한 공간을 보며 주먹을 말아 쥐었다. 일부러 지하에 내려와 보지 않은 것이 벌써 몇 년이다. 제가 지하를 찾을 때마다 유연이 곤란해진다는 걸 알게 된 이후로는 걸음하지 않았다. 그런데 사용인의 말대로 야반도주라도 한 것처럼 그녀의 짐이 사라졌다.

"어제도 안 들어왔다는 거네……."

실소한 준일은 지끈거리는 이마를 짚었다. 언제부터 이 집을 나갈 생각을 했던 걸까. 도망치려고 했던 건가? 분노보다는 걱정이 밀려들었다.

제가 병동에 도착했을 때는 이미 세자가 유연을 빼돌린 뒤였다. 간호사들의 말에 따르면, 보호자 이관 문제로 유연이 소란을 일으켰고, 꽤 충격받은 얼굴이었다고 했다. 하지만 세자와 움직였다면, 언론이 과연 가만히 있었을까? 세자의 스캔들에 목을 맨 몇몇 가십 언론사들의 헤드라인을 차지하고도 남았을 일이다. 하지만 언론은 조용했고 유연은 외박을 했다.

문설주를 움켜쥔 채 무서운 표정으로 서 있는 준일의 뒤로, 가벼운 기척이 가까워졌다.

"정말이네."

설아의 중얼거림에 준일이 유연의 방문을 거칠게 닫았다.

"아버지한테는 말하지 마."

"왜?"

"왜냐고?"

짜증스럽게 되물으며 돌아선 준일은 묘하게 싸늘한 설아의 분위기에 이맛살을 찌푸렸다. 평소 철없는 아이 같던 모습은 온데간데없이, 설아의 낯빛은 조금 창백하고 서늘했다.

"너 어디 아파?"

준일이 설아의 이마를 짚으려 하자, 그녀는 고개를 저으며 피하더니 그대로 돌아서서 계단을 오른다.

"최설아."

"유연이 궐에 있어. 세자 저하랑 있대. 걔는……. 왜 약속을 안 지
킬까? 오빠, 유연이 잡을 거면 확실하게 잡아. 파혼하든, 무릎을 꿇
든. 어설프게 구니까 기고만장해서 설치잖아."

"기고만장? 너 그게 무슨 말버릇이야."

준일은 성큼성큼 계단을 올라가 설아의 팔을 잡았다. 차갑다. 찰
나였지만, 얼음장처럼 차가운 체온에 흠칫 놀란 준일이 설아에게서
손을 뗐다.

"너, 진짜 어디 아파?"

입술을 질끈 깨문 채 준일을 올려다본 설아가 보란 듯 휴대 전화
를 꺼내 누군가에게 전화를 걸었다.

"송재익, 차 갖고 집으로 와. 나 지금 병원에 좀 가야 해서. 응, 아
프냐고? 아니. 문병. 그러니까…… 오는 길에 꽃이랑 마실 거? 그런
것 좀 가져와. 지금 당장."

준일은 변해 버린 제 동생의 태도에 기가 차는 걸 느끼며 휴대 전
화를 빼앗았다. 그러자 표독스럽게 두 눈을 치켜뜬 설아가 신경질적
으로 전화기를 회수한다.

"최설아! 너 왜 이래."

"왜긴 왜야. 걔가 약속을 안 지키는데, 내가 왜 약속을 지켜야 해?
어설프게 굴 거면 빠져. 난 세자빈 될 거야."

차라리 술에 취했던 거라면 좋았을 것을.

유연은 베개를 꼭 끌어안은 채 감은 눈을 뜨지 않았다. 잠은 진작 깼지만, 눈을 뜨고 건을 마주할 용기가 없었다. 창피한 건 당연하고, 할 수만 있다면 시간을 되돌리고 싶다. 그의 손을 잡고 차에 오르기 직전으로.

그녀는 등 뒤에 딱 붙은 남자의 무게를 고스란히 느꼈다. 정수리 위로는 차분한 숨이 흩어졌고 종마처럼 긴 다리가 그녀의 하체를 단단히 옭아맨 상태였다.

아침 해가 들이친 방 안의 온도가 조금씩 올라간다. 그래서일까? 피부가 맞닿은 자리마다 땀이 배어 나온다. 이러다가 에어컨이 돌아가기라도 한다면, 한기에 절로 잠에서 깰 거라는 생각이 들었다.

'으, 제발…….'

몸이라도 움직일 수 있었으면 좋겠어.

소란한 머릿속의 상념을 잠재우기 위해 그녀는 지나치게 선명한 꿈을 상기했다. 뱀이 호랑이가 되었던 이상한 꿈을. 아무리 제가 그림 도깨비를 보는 눈을 가졌다지만, 이곳은 궐이다. 그림 도깨비들의 무덤이자, 어쩌면 제일 피하고 싶은 곳.

'그래, 다른 곳도 아니고 궐이잖아. 어젠 너무 화가 나서 그랬겠지. 스트레스가 심해서……. 궐 안에 그런 게 돌아다니는 게 말이 돼?'

피식 웃은 그녀가 말랑한 입술을 잘근잘근 깨물 때였다.

-불렀나, 주인.

믿기 힘든 음성이 머릿속으로 곧장 파고들어 왔다. 등줄기를 타고 흐르는 식은땀. 유연은 굳은 얼굴로 무거운 눈꺼풀을 들었다.

-위험한 기운은 느껴지지 않지만, 원한다면…….

'아니!'

저도 모르게 머릿속 목소리에 반응했다.

-그럼, 나는 좀 더 쉴 터이니 언제든 불러라. 주인. 그리고…… 귀멸자는 성격이 좋지 않다.

'넌 대체 누구……'

-이름은 아직 받지 못했다.

'설마 그 까만 호랑이?'

-그래.

말도 안 돼.

그녀는 입을 틀어막은 채 입술을 달싹였다.

어쩌면 여전히 꿈속일지도 모른다. 원래 꿈을 자주 꾸는 편이니까. 다시 눈을 감았다가 뜨면, 꿈에서 깰 수 있지 않을까?

콩닥거리는 심장을 부여잡는 마음으로 다시 눈을 질끈 감자, 그녀를 끌어안고 있던 남자가 움직였다. 시트가 당겨지고 목 아래를 받쳤던 팔이 천천히 빠져나간다. 베개 아래쪽을 더듬는가 싶더니 긴한숨이 이어졌다. 그제야 유연은 희미하게 들려오는 진동음을 알아챘다.

"왜, 이우혁."

바로 뒤에서 들려온 탁하게 가라앉은 남자의 음성. 상체를 비스듬히 일으킨 그가 수화기 볼륨을 낮추어 통화를 이어 나갔다.

"아침부터, 급하셨군."

심장이 지나치게 빨리 뛰어 웅크린 그녀의 빰에 닿은 손길. 얼굴을 가린 머리카락을 쓸어 넘겨준 그가 불쑥 상체를 숙였다.

"일어난 거 다 알아."

소스라치게 놀란 그녀는 저도 모르게 눈을 번쩍 떴다. 그러곤 귀를 막은 채 슬그머니 일어나 앉았다.

"아, 안녕히 주무셨어요?"

온몸이 빨개진 그녀를 가만히 바라보며, 휴대 전화를 귀에 댄 그가 가볍게 웃는다.

"20분 뒤에 도착해. 아니…… 30분. 어, 씻는 게 오래 걸려. 그러니 능력을 발휘해 봐, 이 실장."

수화기 너머 어렴풋이 잔소리를 늘어놓는 우혁의 목소리가 들렸다. 하지만 그마저도 건은 끝까지 듣지 않은 채 전화를 끊어 버렸다.

"좋은 아침입니다, 조유연 씨."

유연은 귀를 막은 채로 고개를 숙였다. 호랑이의 목소리는 더 이상 들리지 않았지만, 호랑이보다 더 신경 쓰이는 남자의 목소리가 이어졌다.

"잠시 회의에 다녀올 테니, 좀 더 자요."

"회의요?"

"어제 일이 좀 있었거든. 게다가 내가 정체 모를 여인을 동궁전에 들이기도 했고. 아마, 궁금해 돌아 버리기 직전일 겁니다. 모두."

갑자기 호랑이가 했던 말이 불쑥 떠오르는 이유는 뭘까. 귀멸자는 성격이 좋지 않다고 했던가?

"저하, 어제 일은……."

"왜, 없던 일로 해 달라고?"

셔츠를 찾아 손을 뻗던 그의 미간이 구겨졌다.

"아니면, 기억이 안 난다고 할 참인가?"

"그게 아니라……."

실은, 그러고 싶었지만 솔직하게 말했다가는 정말 이 남자를 화나게 할 것 같았다. 게다가 없던 일로 하기엔, 지난밤이 너무도 또렷했다.

"옷이 너무 커서요. 제 옷은 어디에⋯⋯."

유연은 너무 커 어깨가 훤히 드러나는 셔츠를 움켜쥐며 고개를 들었다. 그러자 집어 든 셔츠에 머릴 넣은 그가 피식 웃는다.

"옷은 세탁이 끝나면 갖고 올 테니 걱정 마요. 나무꾼이 될 생각은 없으니."

"나무꾼이요?"

"옷을 빼앗는 거로, 내 옆에 있으라고 협박하지 않겠다는 소립니다."

"옷을 빼앗⋯⋯ 하."

설마, 선녀와 나무꾼 얘기를 한 거야?

능청스러운 건의 답에 유연은 소리 내 웃음을 터트렸다. 환하게 웃는 그녀의 옆얼굴로 말간 햇살이 부드럽게 펴 발린다.

어쩐지 너무 오랜만에 소리를 내 웃어 보는 기분이었다. 지금껏 습관처럼 소리 내 웃지 않으려 노력했고, 그러다 보니 항상 미간에 주름이 져 있었다.

왜 그랬을까, 이토록 별것 아닌데⋯⋯.

"예쁘게 웃네."

"네?"

상체를 기울인 그가 시트를 짚더니, 그녀의 동글동글한 코를 슬쩍 깨문다.

"게다가 내 농담에 웃어 준 사람, 조유연 씨가 처음이야."

부끄러워진 유연은 눈만 크게 뜬 채 상체를 뒤로 뺐다. 하지만 목 뒤를 감싸 쥔 커다란 손이 그녀의 움직임을 막았다. 비스듬히 고개를 기울인 그가 입술이 닿을 듯한 거리에서 탁하게 읊조렸다.

"미치겠네……."

"왜, 자꾸 그런 말을……."

"진짜, 미칠 것 같으니까. 어젯밤은 최고이자 최악의 밤이었거든. 다시는 겪고 싶지 않기도, 절대 잊지 못할 것 같기도 한."

목덜미를 간질이듯 문지르는 손길을 타고 잔소름이 돈다. 전신으로 번진 소름에 숨을 내뱉는 입술이 슬그머니 벌어졌다. 그러자 그녀의 아랫입술을 잘근 깨문 그가 한숨 쉬듯 말을 잇는다.

"기다리고 있어요. 금방 올 테니까."

입술이 아리다. 그와 닿았던 피부 곳곳이 울긋불긋 달아올랐고, 아직도 고열이 들끓는 것처럼 뜨거웠다.

건이 침전을 나서고 10분 정도 지난 뒤 누군가 문을 두드렸다. 건의 초상화 앞에 서 있던 유연은 애써 담담히 문을 열고 들어올 사람을 기다렸다.

그가 나간 뒤부터 그녀는 신경을 곤두세운 채 생각에 집중했다. 최 회장이 저와의 약속을 지키지 않은 일부터, 미란이 했던 경고. 그리고 바로 이 초상화 앞에 나타났던 호랑이를 떠올렸다.

'꿈인 줄 알았는데…….'

꿈이 아니었다면, 대체 왜 나를 주인이라고 부르는 걸까. 왜, 어떤 이유로.

"흠흠."

헛기침하는 소리에 어질러진 퍼즐처럼 생각이 흐트러졌다. 유연은 입구에 서 있는 서 상궁을 발견하곤 커다란 셔츠 끝을 꽉 움켜쥐었다.

"안녕하세요."

"밤이 길었습니다."

밤이 길었다니. 어떤 답을 해야 할까. 어색하게 웃기만 하던 그녀의 앞으로 서 상궁이 성큼성큼 다가선다.

"세탁물을 가져왔습니다. 핏기가 지워지지 않아 자국이 남아 있습니다. 상의원에 사람을 보냈으니, 금방 새 옷을 가져올 겁니다."

유연은 서 상궁이 내민 옷을 받아들곤 허리를 깊게 숙였다.

"고맙습니다. 그런데 새 옷은 필요 없어요. 요런 자국 정도는 괜찮습니다."

"궐에서의 차림은 항시 단정하고 깔끔해야 하는 법입니다."

"부끄럽네요."

"아시니 다행입니다."

냉정한 대꾸에 유연은 멋쩍은 미소를 지으며 드레스룸 방향으로 도망치듯 뛰었다.

그에게 빌려 입은 셔츠를 벗는데, 제 몸에서 그의 체향이 풍겼다. 혹여 밤새 끌어안고 있었기 때문일까? 아니면 같은 클렌저를 사용해서?

살갗에 코를 대고 킁킁 냄새를 맡던 그녀는 불현듯 고개를 들었다. 거울에 비친 얼굴이 새빨갛다. 더운 곳에 들어온 것처럼 두피에서부터 땀이 찬다.

"아직이십니까?"

재촉하는 서 상궁의 목소리에 유연은 서둘러 옷을 갈아입었다. 콕 집어 표현하기 힘든 섬유유연제 향기. 빳빳하게 마른 옷에 몸을 꿰어 넣는데, 서 상궁이 말한 핏자국이 눈에 띈다.

"다 했습니다."

옷을 갈아입고 나온 그녀를 위아래로 훑은 서 상궁이 한숨을 내쉬더니 옆으로 비켜선다.

"가시지요. 내의원에 들러 상처를 소독한 뒤 처소를 옮겨 드릴 겁니다. 이곳은 동궁전입니다. 아무리 저하의 명이 있다고 한들, 내명부의 법도를 어길 수는 없지요. 객은, 객채로 모시겠습니다."

"아……."

"처소를 옮기기 싫으신 겁니까?"

"그게 아니라, 저하께서도 알고 계신 거죠?"

"저희가 직접 말씀드릴 테니, 신경 쓰지 마시지요."

"그럼 다행이고요."

진심으로 안도하는 유연의 표정에 서 상궁은 기가 막혔다. 실소가 나오려는 것을 꾹 참아 낸 서 상궁은 먼저 걸음을 내디뎠다.

서 상궁은 며칠 전, 조유연의 처녀단자를 꼼꼼하게 재확인했다. 특별히 문제가 될 부분은 없었으나, 지나치게 공란이 많은 서류였다. 거짓으로 작성하진 않았을 터. 부러, 답하지 않은 것일지도. 게다가 후보인 최설아와 주소지가 같다는 것이, 서 상궁의 의심에 기름을 부었다.

"나는 아가씨가 참으로 이상합니다."

"제가요?"

"예, 이상합니다. 지금껏 어떻게든 잘 보이려 애쓰는 여인들은 많았으나, 아가씨처럼 부러 피해 가며 어리숙한 척하던 분은 처음입니다. 그런데도 저하께서는 아가씨를 참으로 아끼시지요."

서 상궁은 잠시 말을 멈추었다. 침전 밖에 대기 중이던 나인들이 그녀의 신발을 가지런히 내려놓는다.

"아가씨의 의중은 짐작조차 못 하겠으나, 빈의 자리를 두고 농간하지 마십시오. 결국 궐이 주인을 선택할 겁니다. 거짓이 있다면 화를 입겠지요. 그러니 마음에 거짓이 있다면, 감히 더 나아갈 생각하지 마시기를."

거짓. 그리고 농간. 하지만 거짓 없이는 살아갈 수 없는 인생도 있는 법이다.

유연은 시선을 내리깐 채 신발을 신었다. 결국, 거짓은 드러날 테고 누군가는 눈치를 챌 것이다. 그저 시기의 문제일 뿐. 서 상궁의 냉정한 경고를 듣자 신기하게도 머릿속이 맑아졌다.

'벌을 받으려나.'

착잡한 마음으로 그늘 하나 없는 담장을 따라 걷다 보니 어느덧 내의원 현판이 눈앞에 나타났다.

"저, 상궁 마마님. 처소는 됐습니다. 치료받은 뒤에 돌아가겠다고 저하께 직접 말씀드릴게요."

"돌아가신다고요?"

"재간택이 내일인데, 이 꼴을 하고 참석할 수는 없잖아요. 돌아가야죠. 그리고 충고 감사합니다."

"진심이십니까?"

"네."

생긋 웃어 보인 유연은 지난밤 붕대를 감아준 내의녀를 발견하곤 서둘러 걸음을 내디뎠다. 서 상궁은 더 이상 따라 들어오지 않았다. 어쩌면 안내하는 것까지가 서 상궁의 일이었던 걸지도 모른다.

'틀린 말 하나 없지 뭐.'

거짓말을 하고 있는 건, 사실이니까.

의녀를 따라 안으로 들어간 그녀는 신식으로 꾸며진 내의원의 모습에 내심 놀랐다. 양방과 한방이 조화롭게 갖춰진 내의원은 마치 잘 꾸며진 개인병원에 온 듯한 착각을 일으켰다.

"어? 누나."

막 소파 자리로 안내받은 그녀가 자리에 앉을 때였다. 진료실에서 나온 이태가 유연을 발견하곤 반가운 얼굴로 뛰어왔다.

"안녕하세요."

그날 이후 처음인가?

유연은 반창고를 댄 이태의 손으로 자연스럽게 시선을 내렸다. 화상을 입은 듯 울긋불긋하게 피어난 뱀 비늘 모양의 상처. 이태는 당황한 내의녀에게 생긋 웃어 보인 뒤, 유연과 가장 가까운 자리에 털썩 앉았다.

"와, 정말 누나였네요?"

"계속 누나라고 부르셔야겠어요? 불편한데……."

"우리, 그날 호칭 정한 거 아니었어요? 나는 엄청 반가운데, 누나는 아닌가 봐요."

"죄송해요. 제가 좀 살가운 성격이 아니라서. 그런데……. 상처가 심하시네요?"

"아, 그릇을 깼거든요. 손안에서 깨지는 바람에 상처가 조금 났더라고요. 별거 아닌데, 아시다시피 귈 사람들은 다들 유난스럽잖아요."

내의녀에게 자리를 비켜달라고 부탁한 이태는 보란 듯 손바닥을 내보였다. 정말로 칼에 베인 듯 날카롭고 자잘한 상처들이 눈에 띈다. 하지만 그녀가 말한 상처는 엄연히 다른 것이었다.

"저는 다른 상처를 말한 건데······."

내리떴던 눈을 치켜들자, 생글거리며 웃고 있던 이태의 표정이 순간 굳었다.

"신기하네······ 이거 아무도 못 보는데. 내 눈에도 안 보여요. 그런데 누나 눈에는 보인다고요? 정말? 그럼 다른 건?"

얼굴을 불쑥 들이댄 이태가 그녀의 귓가에 속삭였다. 그 오싹한 어투에 유연은 인상을 찌푸리며 조금 떨어졌다.

"그 뱀, 당신이 만든 거였어?"

편전에 모인 RSA와 궐내각사 주요 임원들의 낯빛이 파랗게 질렸다.

"궐이라니······."

지금껏 건의 보고를 들은 이숙은 믿기 힘들다는 표정으로 옥좌의 팔걸이를 톡톡 두드렸다. 세자가 몸을 일으키자 앉아 있던 이들 모두 의자를 밀어내며 벌떡 일어났다. 그에 건은 망토처럼 걸친 용포를 벗어 팔에 걸며 말했다.

"아직은 어째서 나타났는지, 정말로 정체가 궐인지는 모릅니다. 시간을 주십시오."

"네 말대로 검은 범이 궐이라 했다면, 나타난 이유가 있을 것이야."

"저도 그렇게 생각하고 있습니다."

"걱정이군. 갑자기 너무 많은 것들이 변하고 있어."

이숙은 팔걸이를 움켜쥔 채 깊은 고민에 빠졌다. 삿된 힘이 환동할 수 없는 궐에 나타난 정체 모를 신수. 혹은 정체를 알 수 없는 이매라니.

"걱정하지 마십시오. 피해도 없었고, 금방 사라졌습니다. 나타난 이유가 명확해지는 대로 보고하겠습니다."

그렇게 편전에서 열린 회의는 별 소득을 얻지 못한 채 30분 만에 끝이 났다. 대체로 이숙이 묻고 세자가 대답하는 방식으로 진행된 회의였다.

건은 편전을 나와 우혁과 함께 동궁전 방향으로 걸음을 서둘렀다. 10분 안에 끝낼 수 있었던 회의를 30분씩이나 질질 끌다니.

"저하, 제게도 아무 말씀 안 해 주실 겁니까?"

우혁은 세자와 보폭을 맞춰 걸으며 애가 탄 목소리로 물었다.

"거짓말한 거 없어. 편전에서 말한 것들 모두 사실이야."

"그게 아니라, 조유연 씨 말입니다. 방에 조유연 씨가 있었잖습니까. 그런데 왜 보고하지 않으신 겁니까."

걸음을 멈춘 그가 주위를 물린 뒤 우혁을 돌아보았다. 특유의 삐딱한 눈빛에 나란히 걷던 우혁이 마른침을 꿀꺽 삼킨다.

"우리 이 실장은 눈치는 빠른데, 센스가 가끔 부족해. 내가 왜 알리지 않았을까. 생각해 보면, 금방 답이 나올 텐데 말이야."

"그 답을 모르니까 여쭙는 겁니다. 말씀하신 대로 저 센스 없는 놈이잖습니까. 그리고 주상 전하께서는 저하의 말을 믿어 주시겠지만, 상선 영감은 예외입니다. 조유연 씨가 입궐한 걸, 정말 모르실 것 같습니까?"

지지 않고 쏟아내는 우혁을 빤히 보던 건이 피식 웃었다. 그러더니 나사 빠진 사람처럼 고개를 끄덕이며 다시금 걸음을 내디딘다. 그 태연자약한 태도에 탄식을 흘린 우혁이 건의 뒤를 빠르게 따라 걸었다.

침전과 연결된 문이 열리고 긴 복도가 두 사람을 기다렸다.

"저하, 조유연 씨는 제조상궁 마마님과 내의원으로 가셨습니다."

대기 중이던 김 상궁이 고개를 조아리며 고했다.

"내의원에?"

"예, 내의원에서 상처를 소독해야 한다는 공문이 내려왔다고 합니다."

"아, 그래. 상처……."

"상처를 본 후엔, 처소를 옮겨 드릴 겁니다. 저하께서 허락하여 주십시오."

처소를 옮긴다고? 방문 앞에 멈춰선 건의 입매가 비틀리듯 올라간다.

"불허한다."

"저하, 내명부의 법도가……."

"불허한다고 했을 텐데."

냉랭한 대답에 김 상궁은 더 이상 반문하지 못한 채 물러났다.

우혁은 건을 대신해 방문을 열었다. 건은 문을 열자마자 그녀의 흔적이 남아 있기를 바랐다. 간밤의 흔적이 고스란히 그를 맞기를. 하지만 구김 하나 없이 정리된 침대와 산뜻하게 환기된 공간 어디에도 지난밤을 상기할 만한 흔적은 없었다.

"하여튼 성격 급한 건 왕실 내력이군."

건이 팔에 걸고 있던 용포를 의자 등받이에 툭 걸치자 곧장 그것을 정리한 우혁이 말했다.

"내일이 재간택입니다. 하여, 내일의 일정을 오늘로 앞당겼습니다, 저하. 일정 브리핑은 언제 할까요?"

"지금."

무심하게 욕실로 들어가 손을 닦고 나온 건이 창틀에 기대앉아 태블릿을 받아들 때였다. 어딘가에서 울리기 시작한 희미한 진동 소리. 미간을 찌푸리며 좌우를 살피자, 우혁이 기민하게 움직였다.

"저하의 휴대 전화는 아니지요?"

"아니야."

"그럼 조유연 씨 거 같은데……."

"침대 아래."

건은 직접 바닥에 무릎을 대고, 손을 침대 아래 넣었다. 기겁한 우혁이 건을 일으키려 했지만, 그는 아랑곳없이 울려대는 휴대 전화를 찾아냈다.

역시 조유연의 휴대 전화가 맞다. 화면에 뜬 이름을 본 두 남자의 표정이 딱딱하게 굳는다.

"최설아 씨네요."

코웃음 친 건은 진동이 울리는 휴대 전화를 가까운 테이블 위에 툭 내려놓았다. 하지만 문제는 우혁이 그것을 뒤집기 위해 집어 들며 발생했다.

[통화하기 되게 힘드네. 연예인이야?]

스피커에서 불쑥 튀어나온 최설아의 목소리. 건은 소리 없이 우혁에게 이를 드러냈다. 당황한 우혁이 서둘러 통화를 끝내려 했지만, 이어 들려온 말에 멈칫했다.

[넌 엄마 걱정도 안 되니? 네가 자꾸 이러면, 나도 약속 지키기 싫어지잖아.]

건은 스피커폰으로 통화를 돌렸다. 그러곤 검지를 입술에 대고, 우혁을 보았다.

[조유연, 신중하게 행동해. 나 지금 병원이거든. 산소 호흡기를 뗄지, 치료를 계속할지는 네 행동에 달렸어. 나 욕하지 마. 다······ 네가 자초한 일이니까.]

전화는 최설아 쪽에서 먼저 끊었다. 담담해 보이는 세자와 달리 우혁의 낯빛은 창백하게 질려 있었다. 끊어진 휴대 전화를 노려보는 건의 눈동자에 서서히 들어차는 냉기. 손목에 찬 시계의 표면을 느릿하게 문지르는 손길에 힘이 들어간다.

내리떴던 눈꺼풀을 치켜든 그가 짧게 지시했다.

"움직여, 이우혁."

"나, 뱀 만든 적 없는데. 혹시, 뱀을 본 거였어요?"

유연은 대답하지 않았다. 그저 의심을 걷지 않은 눈빛으로 이태의 얼굴을 뚫어지게 응시했다. 그러자 등받이에 기댄 이태가 멋쩍게 웃으며 앞머릴 쓸어 넘긴다. 나른하게 눈을 내리뜬 모습이 정말이지, 세자와 지독하게 닮았다.

"누나, 우린 처지가 같아요."

경계하는 그녀의 태도에 서운함을 토로하듯, 남자의 한숨이 이어졌다.

"무슨 처지요?"

"원하는 게 같다는 소리예요."

"내가 뭘 원하는데."

"평범한 삶? 남들처럼 뻔한 고민을 하며 아침에 눈 뜨고 저녁에 눈감는, 그런 삶."

입추가 지났다고, 불어오는 바람이 제법 선선하다. 유연은 계속해 보라며 눈을 감았다가 떴다.

"세상에는 아무 이유 없이 기억을 잃은 사람들이 있어요. 또한, 이유 없이 잠들어 깨어나지 못하는 사람들도."

그녀의 눈매가 가늘어지는 걸 본 이태의 얼굴에 미소가 사라진다.

"그게 다 왕실 때문인데, 아무도 왕실의 실수 때문이라는 걸 몰라요."

"왕실의 실수라뇨."

"저는 그 답을 찾는 중이에요."

말려들고 싶지 않았지만, 대답은 듣고 싶었다.

"자세히 말해 봐요, 실수라니."

이태의 시선이 그녀의 갈색 눈동자를 빤히 바라보다가 콧날을 지나 입술로 내려왔다. 단호하게 깨문 입술이 하얗게 질린다.

"누나도 몰라요?"

"모르니까 묻죠."

"형님이 누나한테 아직 말 안 했나 봐요? 좀, 실망인데."

가볍게 내뱉는 말투에 화가 난 그녀가 벌떡 일어났다.

"말장난하지 마시고요!"

"앉아요."

짜증스럽게 혀를 찬 이태가 불쑥 손을 뻗을 때였다. 묵직한 힘이 그녀의 앞을 가로막는 느낌과 함께, 순간 이태의 눈이 커다랗게 뜨였다.

–감히 누구에게 손을 뻗는가.

바람결에 살랑살랑 흔들리는 털의 감촉. 아무것도 보이지 않았으나, 감각만은 예민하게 살아 있었다.

–귀재는 주인에게 손댈 수 없다.

기운의 정체는 호랑이다. 마치 아지랑이 같은 무형의 기운이 이태와 그녀의 사이를 막아선 채 일렁거렸다.

"누나, 재밌는 걸 키우시네요……."

이태의 목소리가 티 나게 흔들린다.

"재미없어요, 나는. 그러니까 빨리 말해요. 실수가 대체 뭔데."

"여기까지만 해야겠어요. 미안해요, 누나. 그리고 그 기운, 없애지 않으면 들킬 겁니다."

그녀를 향해 있던 이태의 눈동자가 어깨너머로 드리운 그림자의 주인을 향했다. 이태는 애써 웃으며 일어났다.

"형님, 좋은 아침입니다."

놀란 그녀가 돌아서자, 정말로 내의원 앞마당엔 굳은 표정의 건이 당도해 있었다. 호랑이 역시 그를 발견했는지 순식간에 흔적을 감추었다.

"이른 아침부터 네가 내의원에는 무슨 일이지?"

저벅저벅 걸어온 건이 대청 위로 올라와 그녀의 옆에 섰다. 건의 질문은 이태를 향한 것이었다. 그에 이태가 생긋 웃으며 치료를 마친 손을 내보였다.

"작업하다가 실수로 손을 좀 다쳤습니다."

"이런. 곧 전시인가?"

"예."

"그렇군. 조유연 씨는 소독 끝났습니까?"

질문이 제게 넘어왔다. 유연은 자연스럽게 자릴 뜨는 이태를 잡고 싶었지만, 그저 보내줄 수밖에 없었다.

"아직이요."

"그럼 소독하고 나와요. 일이 좀 생겨서, 움직이는 김에 바래다줄 테니."

어깨를 움켜쥐었던 그가 고개를 까딱인다. 유연은 문밖으로 사라지는 이태의 뒷모습을 빤히 쳐다보며 어금니를 눌러 물었다.

"밖에 기자들은 이제 없나요?"

"기자들은 날 따라올 겁니다. 조유연 씨는 좌익위와 움직일 거고. 그리고 미안한데, 유연 씨 휴대 전화를 제가 망가트린 것 같은데."

그는 뒷주머니에서 꺼낸 휴대 전화를 내밀었다.

"이거, 조유연 씨 꺼 맞죠?"

액정이 산산조각 난 휴대 전화를 본 그녀의 얼굴이 창백하게 질렸다.

"어? 핸드폰이 왜 이래요?"

"실수로 밟았습니다, 바닥에 떨어져 있는 것을."

"밟는다고 핸드폰이 이렇게 돼요?"

"되던데?"

"하, 어떻게 밟으면 이렇게 되지?"

울상이 된 그녀는 조심히 휴대 전화를 받아들었다. 손수건으로 감싼 휴대 전화는 조금만 건드려도 액정유리가 바스스 떨어졌다.

36개월 할부가 가루가 되다니! 망연자실한 표정으로 휴대 전화를 내려다보는 그녀의 턱 아래, 그의 손이 부드럽게 파고든다.

"그래서 새것을 준비해 났습니다. 어서 치료받고 나와요. 자료 옮기는 것부터 도와줄 테니까."

"새것을요? 벌써?"

"은근히 궐에 협찬이 많이 들어옵니다. 모두 신상이고."

생긋 웃는 걸 올려다보자 어쩐지 범의 말이 또다시 귓전을 맴돌았다.

'귀멸자는 성격이 좋지 않다.'

세상에서 제일 다정하게 구는 이 남자가 성격이 나쁘다고? 어떤 근거로? 그런데 왜 믿고 싶지……?

그녀는 망가진 휴대 전화와 그를 번갈아 보다가, 결국 한숨 쉬며 이마를 짚었다.

"알겠어요. 그렇게 할게요."

찻잔을 내려놓은 설아가 차가운 표정으로 병원장을 노려보며 말했다.

"일반병실로 옮기고, 치료 중단해요."

"저기, 설아 양. 회장님과 상의된 거 맞아요? 나 아무 연락도 못 받았는데. 게다가 왕실에서 주시하고 있는 환자잖아요. 예?"

생각을 재고해 보라는 뜻이었지만, 설아는 단호했다.

"아저씨, 분위기 파악 못 하시는 건 여전하시네요. 내 말이, 우리 아빠 말이잖아요."

"아니, 이건 환자의 목숨이 달린 일이라⋯⋯."

"그러니까 옮기라고. 아니면 내가 직접 호흡기 뗄까요? 그럼 안치실로 옮겨야 할 텐데요?"

"어허! 그건 살인이에요, 살인!"

"살인? 하, 진작 죽었어야 할 환자 억지로 붙들고 있는 거 아니고?"

"그 반대잖아요, 설아 양! 아무것도 모르네?"

인상을 찌푸린 설아는 입술을 잘근잘근 깨물다가 자리에서 벌떡 일어났다. 그러자 따라 일어난 원장이 그녀를 막아선다.

"진정하고, 이유나 좀 들읍시다. 갑자기 왜 이러는 건지 알아야, 나도 대비를 하지."

"아저씨. 내 손, 언제부터 망가지기 시작한 건지 기억해요?"

"그, 그거야⋯⋯."

"나 이제 더 잃을 것도 없어요. 이미 대한민국 사람들은 모두 다 내가 세자빈이 될 줄 알아요. 그런데 지금 그 계집애가 날 엿 먹이려 하잖아! 내가 이렇게 당해야겠어요?"

설아는 우물거리는 원장을 신경질적으로 밀어내곤 원장실 문을 열었다. 밖에 서 있던 재익이 안절부절못하며 설아의 손을 잡는다.

"괜찮아? 큰소리 나던데."

"놔."

설아는 걱정하는 재익의 손을 뿌리친 뒤 곧장 승강기를 타고 박혜란이 입원한 8층을 찾았다.

'나한테 경고를 들어 놓고도 아무 반응이 없어? 거지 같은 게⋯⋯. 먹여 주고 입혀 줬더니!'

분한 마음에 부들부들 떨며 복도를 걷는 그녀에게로 관심의 시선이 쏠린다. 하루 전 벌어진 소란 때문인지 외부인의 등장에 다들 긴장한 눈치였다.

설아는 굳게 닫혀 있는 박혜란의 병실 문을 벌컥 열었다. 당장에라도 혜란의 호흡기를 떼고, 조유연이 오열하며 제 발아래서 비는 꼴을 보고 싶었다. 하지만 그녀를 맞은 건 누워 있는 환자도 아니었고, 간병인 또한 아니었다. 병상 앞에 서 있던 검은 정장 차림의 남자가 굳은 표정으로 고개를 틀더니, 흘러내린 안경을 추어올린다.

이우혁을 알아본 설아의 눈이 커다랗게 뜨였다.

"최설아 씨가 여긴 어쩐 일이십니까? 조유연 씨의 모친께서 입원하신 병실로 알고 있는데…… 이유를 여쭤봐도 될까요?"

"그럼, 저는 이만 돌아가겠습니다. 혹시 모를 상황에 대비해 경호팀 세 명을 두고 갈 겁니다. 그러니 급한 일이 있으시면 창밖으로 소리를 지르세요. 손을 흔드셔도 되고요."

장은호가 싱긋 웃으며 정중하게 예를 갖춘다. 저 때문에 귀찮은 일을 떠맡게 된 것 같아서 미안했다.

"태워다 주셔서 고마워요, 은호 씨. 바쁘실 텐데."

"저하의 명을 따르는 것뿐입니다."

"저하는 일이 있으시다고……."

"예, 공항으로 움직이셨습니다. 저도 합류할 예정이고요."

공항을 가려면 그녀의 집과는 정 반대편으로 움직여야 했다. 그제야 기자들이 한 명도 따라붙지 않은 게 이해됐다.

혹, 일부러 공항으로 간 건 아니겠지?

"차라도 한 잔 드리고 싶은데, 이 집에는 아직 뭐가 없어서요. 죄송해요."

"괜찮습니다. 차에 커피 사 둔 게 있어요."

"그럼, 조심히 가세요. 다음에 꼭 대접할게요."

장은호가 문을 닫고 나간 뒤, 옷을 갈아입은 유연은 새 휴대 전화를 꺼냈다. 다행히 클라우드 서버에 저장된 백업파일 덕분에 사용에는 문제가 없었다. 다만 저장하지 않았던 몇 개의 번호들이 마음에 걸렸다.

콕 집어 이야기하자면, 묘한 고집을 부리며 저장하지 않은 이건의 연락처랄까. 게다가 제가 쓰던 휴대 전화는 4년 가까이 된 구형이었는데, 그가 내어준 휴대 전화는 출시된 지 고작 한 달도 채 되지 않은 새 제품이었다. 어쩐지 누군가 뾰족한 것으로 양심이란 놈을 콕콕 찌르는 것만 같다.

형체 없는 소용돌이에 휘말린 것처럼 그녀의 머릿속이 시끄러웠다. 해야 할 말도, 듣고자 하는 답도 많건만 그 어느 것 하나 쉽지 않았다.

'세상에는 아무 이유 없이 기억을 잃은 사람들이 있어요. 또한, 이유 없이 잠들어서 깨어나지 못하는 사람들도. 그게 다 왕실 때문인데, 아무도 왕실의 실수 때문이라는 걸 몰라요.'

그것은 마치 자신의 처지를 빗대어서 하는 말 같았다. 제가 누구인지 알면서도 궐을 향한 묘한 저의를 숨기지 않는 남자. 그것이 남자의 수라는 걸 알면서도 답이 궁금해질 만큼 탁월한 꾼이다, 이태라는 남자는.

"게다가…… 그 호랑이는 또 뭐고?"

혹시, 그 호랑이도 그림 도깨비 같은 건가?

-아니다, 주인.

무릎을 모으며 생각을 곱씹던 그녀는 생생하게 들려온 목소리에 흠칫 놀라 굳었다. 동그란 눈을 크게 뜬 그녀의 눈앞에 검은 형체가 얼룩처럼 모이더니, 순간 부드러운 털이 피부를 쓴다.

유연은 소파 위에서 벌떡 일어나 구석으로 물러났다. 아무것도 없던 벽 앞에, 성인 남성의 4배만 한 호랑이 한 마리가 기다란 꼬리를 바짝 곤두세운 채 황금색 눈을 깜빡인다. 긴 속눈썹이 깜빡일 때마다 호박처럼 투명한 눈동자에 그녀의 모습이 선명하게 담겼다.

-이름을 지어 주겠나, 주인.

검은 범의 태연한 말투에 울고 싶었다. 두렵기도, 신기하기도, 숨이 막히기도 했다.

"너, 너 뭐야."

-이름을…….

"이름이 아니라! 너 누구냐고!"

-날 두려워하는구나, 주인.

사람처럼 읊조린 호랑이가 고민에 빠진 것처럼 눈썹을 찌푸리더니 꼬리와 귀를 축 늘어트린다.

-무서워 마라. 나는 궐이다. 하지만 주인이 지어 주는 이름을 기다리고 있다.

엉덩이를 바닥에 붙인 호랑이가 뒷발로 목덜미를 긁더니 최대한 몸을 웅크리려 애쓴다.

"이름을 지어 달라는 거야……?"

-호랑이는 싫다.

호랑이가 호랑이란 이름이 싫다니. 구석에 몸을 딱 붙인 채 제 눈치를 보는 호랑이를 보고 있으니, 이상하게도 제가 성질 고약한 사육사가 된 것 같은 기분이 들었다. 게다가 신기하게도 지금 제가 느끼는 건 혼란스러움이지, 두려움은 아니다. 그 사실을 인지한 순간, 불쑥 용기가 생겨났다.

"넌 도깨비가 아니라는 거야……?"

-우린 삿된 것들을 이매라고 부르지. 도깨비와는 다르다.

"그러니까 나쁜 거, 아니라고?"

-나는 주인을 해치지 않는다.

유연은 마른침을 삼키며 입술을 깨물었다. 호랑이는 혹여 제가 두려워할까 봐 눈을 맞추지 못하고 있었다.

"아무거나 괜찮아……?"

끄덕, 윤기 나는 검은색 갈기가 흔들린다.

"그럼, 호…… 돌이?"

친숙한 이름에 유난히 까만 미간 털이 바짝 곤두선다. 게다가 꼬리로 바닥을 탁탁탁탁 때리며 대꾸하지 않는 게 영락없이 마뜩잖은 고양이였다. 덩치만 커다란 검은 고양이.

"호돌이가 싫으면, 호범이?"

-아는 이름이다. 싫다.

"아는 이름도 있구나……. 그럼, 그냥 궐이라고 부르면 안 돼?"

-궐, 좋다.

늘어져 있던 꼬리가 다시 바짝 곤두서고 수염이 앞으로 모인다. 처음부터 본인을 궐이라고 소개해 놓고, 이름을 지어 달라니. 유연은 저도 모르게 헛웃음을 흘렸다. 그러자 은근슬쩍 그녀의 표정을 살피던 궐이 스르륵 옆으로 누워 배의 반을 내보였다.

−이제 질문해라. 주인의 머릿속 생각들이 너무 시끄럽다.

"내 생각도 읽어?"

−그저, 느낌으로 읽는 거다.

"너, 누구야. 이름 말고, 어디서 나온 거야. 그것부터 말해 줘."

−나는 궐이다. 말 그대로, 궐이지. 그리고 날 깨운 건 너다, 주인.

내가?

유연은 의심스러운 눈초리로 궐을 응시했다. 아무리 생각해도 자신은 궐에서 무언가를 한 적이 없다. 그저 치료를 받았고, 건을 기다렸을 뿐.

"난 너를 깨운 적이 없어."

−아니, 깨웠다.

"미치겠네……. 그래서, 언제 돌아갈 거야?"

−돌아가지 않는다. 300년을 잠만 잤다. 그러니 궐은 주인을 지킨다.

"나? 나를 왜?"

−주인, 그대는 아무것도 모르는구나. 게다가…… 이런, 망량주를 마셨군.

순간 궐의 눈이 번쩍이는 듯한 느낌이 들었다.

"망량주?"

구석에 서 있던 유연은 용기를 내 궐에게 다가갔다. 그러자 발톱을 쓱 집어넣은 궐이 상체를 세우더니 되레 엉덩이를 슬금슬금 뒤로 물렸다. 그녀는 거대한 범과 마주 섰다.

"내가 망량주를 마시다니. 그게 뭔데?"

-주인아, 나는 이매망량의 도의를 지켜야 한다. 주인이라도 말해 줄 수 없다.

"그런 게 어디 있어. 내가 주인이라며. 그거 술 같은 거야?"

-······.

입을 꾹 다문 호랑이가 은근슬쩍 고개를 돌리며 시선을 피한다.

"너, 말 안 해 줄 거면 가."

-안 간다.

"가!"

-망량주는 이매에게 고통받은 기억을 지운다.

"······뭐?"

-더는 말 못 한다. 망량이 잊게 한 것을 내가 되살릴 수는 없다. 미안하다, 주인. 바쁜 일이 생겼다.

순간, 궐의 형체가 흐트러졌다. 300년 만에 깼다는 놈이 바쁜 일이 어디 있다고! 유연은 저도 모르게 궐의 갈기를 양손으로 움켜쥐어 버렸다.

"어딜 가려고? 우리 아직 대화가······."

하지만 그녀보다 더 놀란 건 궐이었다. 연기로 화하던 궐은 갈기를 움켜쥔 그녀를 내려다보며 경악했다. 커다란 호박색 눈동자가 흔들린다.

-주인아, 네 힘은 정말로 경이롭구나.

"그런 소리 하지 말고, 질문에 제대로 된 답을 좀 해."

-주인아, 네 눈은 어여쁘고 귀하다. 그러니 숨지 마라. 너는 보통의 귀안을 가진 여인들과는 다르다. 주인은······ 그 자체로 귀하구나.

"그게 무슨······."

멍해진 그녀가 궐의 갈기를 툭 놓자마자 거실을 가득 채웠던 호랑이는 흔적 없이 연기로 화해 사라졌다.

언제 그랬냐는 듯 적막해진 공간. 순식간에 혼자 남게 된 그녀는 기분이 이상했다. 조금 전까지만 해도 이 집 안에 숨을 곳이 없다고 생각했건만, 지금은 쓸데없이 넓게 느껴졌다.

'하, 뭐야······.'

뭐가 어떻게 돌아가는지 몰라도 적어도 자신을 해치려고 나타난 호랑이는 아닌 게 확실했다. 300년을 잤다면 대체 몇 살이라는 거지? 혹시 몰라 뺨을 당겼지만, 진한 통증에 인상이 찌푸려졌다.

'개도 키워 본 적 없는데, 호랑이라니.'

다리에 힘이 풀려 풀썩 주저앉을 때였다. 소파 위에 떨어트린 휴대 전화에서 낯선 벨 소리가 울렸다.

유연은 최준일의 이름을 확인 후, 목소리를 가다듬었다. 아마, 알아채지 않았을까? 첫 외박이나 다름없는 데다가 병원에서 그 난리를 피웠으니. 최 회장의 귀에 어제 일이 보고되지 않았을 리 없다.

"조유연입니다."

유연은 최대한 담담히 전화를 받았다.

[너 어디야. 아니, 그게 중요한 게 아니라······ 설아가 병원에 갔는데, 상태가 이상해. 지금 나도 병원으로 출발할 테니까 너도 병원으로 와.]

표정 없이 싸늘한 얼굴로 승강기에서 내린 설아는 송재익과 함께 병원 로비를 가로질렀다.

생각하면 할수록 손이 떨리고, 울분이 치솟았다.

'박혜란 씨는 왕실의 집중 관리대상입니다. 이 시간부로, 모든 치료 내역이 왕실로 보고될 겁니다. 또한, 왕실에서 지정한 제중원의 의료진이 24시간 상주하며 확인 및 보고할 예정입니다. 이는 박혜란 씨가 특수병증 환자로 분류되었기 때문입니다. 그러므로 이 시간 이후 직계가족 외에는 병실 출입 또한 금지합니다.'

이우혁…… 거지 같은 게 뭐라고? 직계가족? 왕실이 갑자기 왜 끼어들어!

거친 숨을 몰아쉬며 주먹을 말아 쥔 설아가 충혈된 눈을 질끈 감더니 비명 같은 악다구니를 내질렀다.

"아악! 아아아아악! 짜증 나!"

순간, 병원 내의 모든 시선이 설아에게 쏠렸다. 놀란 재익이 설아의 얼굴을 가려 보려 했으나 이미 늦은 일.

"너 왜 그래!"

그래서 서둘러 설아의 손을 잡고 병원을 빠져나가려고 했다. 하지만 설아의 손을 잡아끌고 병동을 나서는 순간, 택시에서 내린 유연이 험한 얼굴로 뛰어와 앞을 막아선다.

"최설아, 너 뭐 하는 짓이야."

유연의 창백한 얼굴이 서서히 일그러진다. 특유의 분을 누르는 싸늘한 그녀의 눈빛. 재익이 나서려 했지만, 유연은 허락하지 않았다.

"말해! 네가 왜 여기서 나와……?"

그러자 입술을 질끈 깨문 설아가 태연히 두 눈을 치켜뜨며 병동을 돌아본다.

"네 엄마 문병. 왜? 난 아줌마 문병 오면 안 돼?"

"문병? 13년 만에 문병을 왜 해? 그것도 네가?"

"너 나한테 자격지심 있니? 친절을 친절로 받아들이지 못하고, 이게 뭐 하는 짓이야?"

"그건 네가 아니라, 내가 할 말인데."

서화제약 비서실의 절대 반지라 불리는 조유연이다. 평소엔 최설아의 비위를 맞춰 주려 노력하는 편이었지만, 지금은 아니었다. 재익은 직원 수십 명을 앞에 두고 서늘하게 호통치던 유연의 모습을 떠올리며 두 여자 사이를 막아섰다.

"유연 씨, 미안해요. 제가 설아한테 잘 말할게요. 죄송합니다."

"나오세요, 매니저님. 지금 저는 최설아 씨와 대화 중입니다."

"유연 씨, 그러지 마시고."

"당신도 내가 호구로 보여? 미안한데 내가 호구 짓 한 사람은 얘네 가족들뿐이거든? 그쪽은 낄 자리 없어. 그러니까 험한 말 나오기 전에 나와."

유연은 재익의 어깨를 밀어낸 뒤, 하얗게 질린 설아의 멱살을 잡았다. 헛바람을 들이켜며 까치발을 든 최설아의 눈시울이 붉어진다. 누군가에게 처음으로 당한 수치에, 당장에라도 눈물을 쏟아낼 듯 글썽거렸다.

"놔, 조유연. 넌 쪽팔리지도 않니? 보는 눈이 많아."

"내가 왜 쪽팔려. 네 걱정이나 해. 애초에 넌…… 아니, 너희는 약속 따윈 지킬 생각도 없었지?"

"약속을 어긴 건 너잖아! 세자빈 만들어 준다며……. 근데 네가 꼬시고 있던데? 그래서 나도 약속 지킬 필요 없다고 생각했어. 네 엄마

호흡기를 떼어 내야, 내 말을 들을 거 아냐!"

"호흡기? 하, 네가 사람이니?"

실소한 유연은 설아의 멱살을 내팽개치듯 놓아 버리고는 흘러내린 머리카락을 쓸어 넘겼다.

"최설아. 간택에서 이길 수 있게 돕는다고 했지, 세자빈이 되는 건 분명 네 역량이라고 했을 텐데?"

"뭐야, 왜 말 바꿔? 너 이러는 거 우리 오빠도 아니? 세자 저하도 알아? 너 사기 치는 거 아냐고!"

"시끄러워, 최설아. 할 수 있으면, 세자빈……. 네가 해. 근데 나는 이제 너 못 도와주겠다, 지긋지긋해서."

유연은 길길이 날뛰는 설아에겐 눈길도 주지 않은 채 성큼성큼 걸음을 내디뎠다. 그러자 병동으로 걸어 들어가는 그녀의 뒤에 대고 최설아가 고래고래 악을 쓴다.

"야! 야, 이 미친년아! 조유연, 네가 아무리 날고 기어도 조유연이야. 기껏해야 조유연이라고!"

그래, 넌 기껏해야 최설아고.

눈물이 나올 것 같았지만, 마음을 다잡고 승강기에 올랐다. 8층을 누르는 손끝이 부들부들 떨린다. 결국, 7층과 8층을 모두 눌러 버린 유연은 양손으로 얼굴을 감쌌다. 하지만 시야가 흐려지기 전에 애써 고개를 저어 눈물을 감췄다.

괜찮아, 괜찮을 거야. 나, 성인이잖아. 이제 스스로 뭐든 할 수 있어.

다행히 눈물을 참아 낸 그녀는 8층에 내려 담담한 표정으로 병실 문을 열었다.

"저 왔어요."

병상 옆에 앉아 있던 간병인 아주머니가 반가워하며 자리에서 일어난다.

"별일 없었죠……?"

"별일 없었어요. 그냥 병문안 온 사람들이 제법 되더라고. 양복 입은 사람들도 많이 왔었고."

"누구였어요?"

"그건 모르겠던데, 안경 쓰고."

"그래요……?"

안경 쓴 남자라면 송재익인가? 아니면 최설아의 경호원들? 엄마는 무사하다. 최설아가 한 호흡기 이야기는 어쩌면 허세였을지도.

애써 웃어 보인 유연은 의자를 당겨 병상 옆에 앉았다. 그러곤 엄마의 손을 꼭 잡았다.

째깍째깍 움직이던 초침이 숫자 12를 지나자, 정각 5시에 맞춘 알람이 울렸다.

건은 무심하게 테이블에 올려 둔 휴대 전화의 알람을 끄고는 지금껏 들여다보던 서류를 내려놓았다. 오랜만에 안경까지 찾아 쓰고 밤새 서류를 들여다보았더니 온몸에 힘이 풀리고 피곤이 몰려든다.

앞머리의 우묵하게 팬 부위를 꾹꾹 누르던 그가 고개를 젖힐 때였다. 비현각의 문을 열고 차가운 물과 영양제를 챙긴 우혁이 들어왔다. 우혁은 세자의 앞에 쌓인 서류들을 발견하곤, 걱정스러운 한숨을 푹푹 내뱉었다.

"밤을 지새우셨습니다, 저하."

"알아. 알람이 울렸거든."

"오늘 일정상 낮잠도 못 주무실 텐데, 걱정입니다."

"하루 이틀인가?"

건이 고개를 젖힌 채 눈을 감자, 우혁은 비현각 내부를 돌며 닫혀 있던 창문을 열었다. 이른 새벽의 축축하면서도 서늘한 바람이 불어들어와 정체된 공기를 휘감는다. 하지만 선선한 바람에도 건의 피로는 쉽게 풀어지지 않았다.

"사대문에 금줄을 둘렀습니다."

"궐 분위기 살벌하겠군."

"예. 금줄을 악의적으로 훼손하는 무리가 있으니, 정신 똑바로 차려야지요."

"사온서는?"

"당연히 쌀을 찌느라 새벽부터 바쁩니다. 그런데 망량주조에 사용되는 영루는 3급이잖습니까. 귀한 영루를 희생해가면서까지 시험해 볼 가치가 있는 일일까요?"

"희생할 가치라……."

낮게 웃으며 우혁의 말을 따라 읊조린 그가 무거운 눈꺼풀을 들었다.

"가치로 따지자면, 나의 장래이자 미래가 달린 값이겠지."

"너무 후하신데요?"

"내 혼인이 달린 문제잖아."

"언제는 혼인하지 않으시겠다면서요."

시큰둥하게 대꾸하며 책상 앞에 선 우혁은 산처럼 쌓인 서류를 분류해 금방 세 개의 묶음으로 나누었다. 그것은 서화의료원에서 가져온 박혜란의 진료 내역과 차트, 서화제약의 신약 및 복제약에 관한 자료였다.

"그거야 조유연이 귀안을 가졌다는 걸 몰랐을 때 얘기고."

"저하의 마음은 갈대랍니까?"

"너도 첫사랑이 눈 돌아가게 예뻐 봐. 내 마음을 이해할걸."

저런 손발 오그라드는 답을 냉혈한이라 불리는 세자에게 들을 줄이야. 혀를 차거나 말거나 건은 우혁이 가져온 물로 목을 축이고는 모아 놓은 서류의 맨 위의 것을 집어 들었다.

"어쨌든 병원에서 가져온 치료 기록이나 차트가 지나치게 부실하고 허술해. 감기 환자 기록도 이보다는 낫겠더군."

"저도 가짜 자료라고 의심하고 있습니다."

"그런데 중간중간 진짜 기록이 섞여 있는 것 같단 말이지……. 가령 서화제약에서 내놓은 향정신성 약물을 사용한 차트 같은 건 진짜일지도 모르겠어."

그의 손에서 얇은 종이 한 장이 펄럭이는 소릴 내며 흔들린다. 그것을 빼앗은 우혁은 가져온 공진단을 대신 쥐여 주었다.

"박혜란 씨가 서화의료원에서 치료받기 시작한 시기는 사고 이후 4개월이 지난 뒤입니다. 만약 박혜란 씨가 사고 당시 제중원에 입원해 있었다는 것만 확인하면 훨씬 수월할 겁니다."

"그런데 수면제나 정신계 약물만으로 사람을 13년씩이나 잠들게 하는 게 가능한가?"

"서화는 제약회사입니다. 또한, 중증외상센터까지 운영 중인 대형 의료시설이고요. 못할 것도 없다고 생각됩니다."

"그럼, 망량주의 부작용이 왜 생기는지는 알아냈고?"

"여러 가지 가설 중 하나인데…… 필요치 않은 이에게 잘못 사용되었을 때 부작용이 발생한다는 설이 가장 유력합니다."

필요치 않은 이. 이매에게 화를 당하지 않았음에도, 망량주를 먹었다?

"답은 당사자에게 들어야 한다, 이거군."

건은 이만 몸을 일으켰다. 오늘은 머리부터 발끝까지 왕세자 이건이어야 한다. 무거운 용포를 입고 관을 쓴 뒤 궐의 법도에 따라 망량주조를 준비해야 했다. 분명 평소보다 바쁘게 움직여야 할 터.

우혁이 열어 놓은 창문 밖으로 날아온 참새 떼가 마당 곳곳을 종종거리며 뛰어다닌다. 평온하고 고즈넉한, 그 여느 때와 다름없는 궐의 모습이었다.

궐은 조유연을 주인으로 선택했다. 그렇다는 건 그녀에게 귀안이 있다는 뜻. 조유연이 13년 전 첫눈에 반한 자신의 첫사랑이자 사고의 피해자라는 뜻이기도 했다. 하지만 최설아 역시 잠신한 이매를 볼 줄 알았다.

'귀안을 가진 건 아닐 테니, 보이는 척했다는 것인데…….'

조유연이 아닌 누군가 최설아의 뒤에 있다는 것인가?

돌아선 그는 시간을 확인 후, 우혁이 쥐여 준 약을 입안에 툭 털어넣었다. 입안 가득 퍼지는 쓴맛에 절로 미간이 구겨진다.

'한동안 장단에 맞춰 놀아 줘야겠군.'

비현각을 나서는 걸음이 무겁다. 자신의 짧은 판단으로 누군가의 삶이 비참하게 변했다. 그것도 처음으로 제 마음을 움켜쥔 여자의 인생을 제가 망쳤다는 것이 건의 걸음을 붙들었다.

"그런데 이 실장, 조유연 집 앞에 누가 있지?"

몸에 닿는 부드러운 감촉에 눈을 뜬 그녀는 매트리스 한쪽이 깊게 눌린 것을 보며 헛웃음을 흘렸다.

궐은 지난 밤 갑자기 나타나 제 옆에 털썩 드러누웠다. 처음엔 조금 놀랐지만, 그저 조용히 곁을 지키는 호랑이에게 금세 마음을 놓았다.

여전히 거대한 덩치의 궐이 호박색 눈을 깜빡이며 그녀의 뺨을 핥는다. 하지만 축축한 느낌 대신 솜털로 간질이는 기분 좋은 감각이 뺨을 스쳤다.

"궐아…… 침대 무너질 것 같은데."

-주인, 밤새 울었다.

"밤새 울진 않았어."

-이제, 내가 안 무서우냐.

"조금……?"

-나는 주인을 해치지 않는다.

"호랑이라서 그래. 호랑이 자체가 무서운 동물이잖아."

-그럼, 다른 모습을 해도 된다.

"정말? 고양이나 강아지, 이런 것도 가능해?"

궐은 말없이 그녀를 보더니 슬그머니 시선을 피했다. 싫으면 싫다고 말을 하지. 전 주인이 거절의 방법을 잘못 가르친 게 분명하다.

"싫으면 됐어. 어차피 아무한테도 안 보일 텐데, 굳이."

-변하면, 보인다.

자리에서 일어나 기지개를 켜던 그녀가 의외란 눈빛으로 궐을 내려다보았다.

"정말? 다른 사람 눈에도 보인다고?"

늘어져 있던 궐이 앞발을 모아 단정하게 앉더니 고개를 끄덕인다. 유연은 불현듯, 처음 보았던 궐의 모습을 떠올렸다. 검은 뱀으로 화해 침실에 들어오던 모습을. 혹시, 다른 모습이란 게 뱀으로 변한다는 걸까? 그녀는 고개를 절레절레 저으며 침대 아래로 내려섰다.

"아니야, 뱀은 싫어. 나 이제 씻을 건데, 넌 계속 있을 거야?"

-빛을 보니 좋다. 궐 밖에 나와 본 건 거의 처음이다. 많은 것이 바뀌었다.

"아…… 300년 만이랬지? 그럼 너는 대체 몇 살이야?"

-모른다.

"은근 아는 게 없어, 너는. 어쨌든 잠깐 거실에 가 있어. 나 옷 갈아입어야 해."

궐은 푹신한 침대가 마음에 드는지 시트에 얼굴을 비비더니 마지못한 듯 아래로 내려왔다. 그러곤 그녀를 지나 어슬렁거리며 거실로 향한다. 호랑이 한 마리의 존재감이 이렇게 클 줄이야. 어쩐지 사람들이 동물을 키우는 이유를 조금은 알 것 같았다.

상처에 물이 들어가지 않도록 조심하며 샤워한 그녀는 창가에 앉아 있는 궐을 흘깃 보곤 침실로 들어갔다.

'오늘 궐에 가면, 최설아와 다시 만나겠지?'

기분이 급격하게 가라앉기 시작했다. 최설아 앞에서 떵떵거리며 큰소리를 쳤지만, 이성을 찾은 뒤엔 참담한 현실이 머리 위로 쏟아졌다. 당장 치료를 중단하지도, 병원을 옮길 수도 없다. 생계를 포기하고 엄마에게 매달려 병원에 붙어 있을 수도 없는 일. 그렇다고 엄마를 이대로 둘 수도 없는 게 그녀의 현실이었다.

'그래도 보호자 명의는 옮겨야지.'

은은한 노란 빛이 도는 블라우스에 발목까지 내려오는 회색 슬랙스를 꺼낸 그녀는 어깨에 닿는 머리를 하나로 묶고 가볍게 메이크업을 마쳤다. 화려하게 치장할 필요는 없지만, 만만해 보이고 싶지도 않았다. 게다가 오늘은 최 회장을 만나게 될지도 모르는 일.

사생결단하는 마음으로 열심히 립스틱 컬러를 비교할 때였다. 짧은 메시지 한 건이 도착했다.

-집입니까?

이건? 대체 언제 저장했지……?

유연은 저장된 이름을 확인하곤 헛웃음을 지으며 그에게 답장을 보냈다.

-네, 집이에요.

-데리러 갈까 하는데.

-차 있어요. 차 끌고 가면 돼요.

-집 앞입니다. 문 열어요.

뭐?

벌떡 일어난 그녀로 인해 스툴이 넘어가고, 립스틱 끄트머리가 어딘가에 콕 찍혔다. 당황한 그녀가 잽싸게 티슈를 뽑아 손에 묻은 립스틱을 닦아 내며 침실을 뛰쳐나갈 때였다.

"주인."

머릿속으로 흘러들던 음성이 아닌, 사람의 육성이 창가에서 들려왔다. 그것도 멀쩡한 남자의 목소리가.

놀라 멈춰 선 유연은 뻣뻣하게 굳은 얼굴로 천천히 돌아섰다.

"사람의 모습은 어떤가."

조금 전 퀼이 앉아 있던 창가에 낯선 남자 한 명이 서서 그녀에게 말을 걸었다.

"하!"

태닝한 듯 까무잡잡한 피부, 검은 머리카락. 넓은 어깨 아래 판판한 대흉근과 조각조각 갈라진 복근이 이어지고, 팔과 다리엔 보기에도 단단한 근육이 꿈틀거렸다. 게다가 호박색 눈동자라니.

'설마, 퀼이야?'

깎아지른 듯한 콧날과 음영이 깊게 진 눈매, 불그스름하면서도 얇은 입술을 가진 남자의 외모는 영락없이 퀼을 연상케 했다. 고민하지 않아도 퀼이 변했다는 것을 그녀는 단번에 알아보았다.

유연은 속옷 차림인 남자를 천천히 훑으며 주춤주춤 물러났다.

"너……."

"밖에서 귀멸자의 냄새가 나는군."

날카로운 눈매를 가늘게 만든 퀼이 다가왔다. 그에 소스라치게 놀란 그녀가 후다닥 물러나며 저도 모르게 비명을 내질렀다.

"으악!"

그러자 그녀의 등 뒤로 누군가 다급히 현관문을 두드린다. '조유연! 무슨 일이야!'라고 외치는 건의 목소리에 그녀의 몸이 휘청였다. 하지만 바닥에 주저앉기 직전, 겨드랑이 사이로 불쑥 파고든 퀼의 손. 퀼은 영문을 모르겠다는 표정으로 그녀를 다시 일으켜 세웠다.

"주인의 마음은 정말이지 모르겠다. 주인아, 너는 내가 그토록 싫은 것이냐."

힘겹게 고개를 저은 유연은 두 눈을 질끈 감은 채 침실을 가리켰다.

"그런 거 아니니까, 침실에 가 있어. 절대로 나오지 마. 아니, 잠깐만 돌아가 줄래?"

쾅쾅!

문 두드리는 소리가 거세질수록 마음은 더욱더 급해졌다. 유연은 결국 어리둥절해하는 궐의 손을 잡아끌어 침실로 밀어 넣었다.

"빨리 호랑이로, 아니. 빨리 연기로 바꿔어 봐. 아, 빨리!"

"귀멸자와 인사를……."

"네가 왜! 안 돼, 절대 안 돼. 이유는 나중에 말해 줄게. 너, 들키면…… 다시 궐로 돌려보낼 거야. 나 주인 안 해."

마치 협박이라도 당한 것처럼 호박색 눈동자가 바르르 떨린다. 키 190이 넘는 남자가 어깨를 축 늘어뜨리더니 슬금슬금 연기로 화하기 시작했다.

유연은 그제야 방문을 닫고 현관으로 뛰어갔다. 잠금쇠를 풀자마자 벌컥 열리는 현관문. 문고리를 잡고 있던 그녀의 몸이 건의 방향으로 확 당겨진다.

"꺅!"

그녀는 순간 입을 막았다. 반쯤 건의 품에 안긴 상태로 고개를 들자, 거실을 노려보던 남자의 형형한 눈빛이 그녀에게로 움직였다.

"무슨 일이야. 안에 누가 있었나? 보안이 취약한 것 같더라니, 좀도둑이라도 들었어?"

"아, 아뇨. 그게 아니라, 미끄러져서……."

"뭐? 다치진 않았고?"

꿈틀거리는 눈썹을 치켜든 그가 그녀의 어깨를 잡고 이리저리 훑

었다. 갑자기 너무 많은 일이 한 번에 일어나, 사고가 따라가질 못했
다. 유연은 애써 침착한 표정으로 그의 품에서 빠져나왔다.

"하나도 안 다쳤어요. 들어오시겠어요?"

그제야 건은 아무 일도 없었다는 것을 확인하고는 그녀를 따라 집
안으로 들어섰다.

"마실 게 하나도 없는데…….'

"차에 커피 있어. 같이 내려가면 돼."

그는 오늘 그녀와 차림이 비슷했다. 드레스 셔츠에 정장 바지. 벨
트와 커프스까지 완벽했지만, 재킷과 넥타이는 없었다.

한쪽 손을 주머니에 꽂아 넣은 그가 거실 중앙에 서서 찬찬히 주
위를 훑는다. 잠을 설친 걸까? 유난히 서늘하게 느껴지는 눈매와 짙
게 들러붙은 피로가 그녀에겐 보였다.

"잠 못 주무셨어요?"

그녀는 식탁 의자에 올려둔 핸드백을 챙겨 그의 앞으로 불쑥 다가
섰다.

"아니면 어디 아프신가?"

습관처럼, 아니. 충동적으로 건의 이마에 손바닥을 댔다. 까치발
을 든 그녀를 물끄러미 내려다보던 그가 피식 웃더니 허리를 감싸
안았다. 그의 얼굴이 지나치게 가까워진 탓에 그녀의 눈이 아연하게
뜨인다.

"피곤해, 밤을 새웠거든. 차에서 어깨 좀 빌려주면 좋겠는데."

"그, 그럼 좀 쉬시지 왜 오셨어요."

"보고 싶어서."

순간 그녀의 귀 끝이 발긋하게 달아올랐다. 건은 그녀의 뒷머리를

부드럽게 감싸 품으로 끌어안았다. 그의 심장 박동 소리가 몹시도 가깝다.

동그란 그녀의 이마에 입술을 누른 그가, 아무도 없는 창가를 서늘하게 훑으며 속삭인다.

"참을 수가 있어야지."

사대문을 비롯하여 궐 곳곳에 금줄이 쳐졌다. 유연은 창밖의 풍경을 담담히 눈에 담았다. 지금 그녀는 건의 차를 타고 경복궁으로 향하는 중이었다.

오늘따라 묘하게 한산한 대로. 재간택이 열린다는 것을 알고 있는 건지, 궐에 가까워질수록 보도 차량 외에 다른 차들은 거의 보이지 않았다. 하지만 그 수가 지나치게 많다. 초간택 날에도 이 정도였던가?

"금줄이 설치된 이유가 뭐예요?"

그러자 차에서조차 태블릿 속 보고서를 놓지 않던 그가 피식 웃더니 고개를 든다. 어깨를 빌려달라던 남자는, 차에 오른 이후 단 한 번도 그녀에게 기대지 않았다.

"망량주조 때문에."

"망량주조?"

"망량주라는 술을 빚는 날입니다. 그리고 망량주는…… 비빈의 자격을 가진 여인이 아니면, 빚지 못하고."

망량주. 궐에게 들었던, 그 술이다. 제가 마셨다고 했던. 이매에게 고통받은 기억을 지운다고 했던가?

심장이 너무나 빨리 뛰어 말실수를 할 것 같다. 그래서 그녀는 엄지손톱을 문지르며 마른침을 삼켰다.

"망량주가 뭔데 그렇게……."

등받이에 비스듬히 기댄 그가 그녀의 얼굴을 가만히 응시한다. 답을 듣고 싶은 마음에 그녀는 건의 시선을 피하지 않았다. 혹시, 알고 있을까? 제가 망량주라는 것을 마셨을지도 모른다는 것을.

"일종의 치료제입니다. 이매에게 고통받은 기억을 지우는. 조유연 씨, 13년 전의 일. 기억 안 난다고 했지?"

"……네."

"사고가 일어난 이유는?"

"자동차 사고라는 것밖에는 몰라요."

그는 고개를 끄덕이며 창밖으로 시선을 돌렸다. 궐 앞은 새카맣게 몰려든 기자들과 구경꾼들로 인해 발 디딜 틈 없이 복잡했다. 하지만 세자의 차는 어떠한 제재 없이 궐문을 통과했다.

유연은 어째서 그가 자신을 데리러 온 건지 조금 알 것 같았다. 그리고 그가, 자신을 의심하고 있다는 것도.

"저하는 제가 그 술을 마셨다고 생각하시는 거예요?"

건이 한쪽 입꼬릴 비스듬히 올리더니 앞머릴 쓸어 넘긴다.

"어쩌면?"

궐의 실수로 기억을 잃은 사람. 그리고 깨어나지 못하는 사람. 치료제라 불릴 만큼 위험한 그것을 궐이 허투루 관리할 리 없다. 그런데도 세자가 확신하지 못한다는 것은, 관리의 부분은 다른 사람 손을 거친다는 뜻. 어쩌면 이태의 말마따나 실수가 있었을 수도 있었다.

"왜요, 이제 좀 호기심이 생기나?"

짓궂게 느껴지는 말투에 유연은 은근슬쩍 시선을 피했다.

"궁금하긴 해요. 정말로 기억을 잃은 이유가 뭔지."

"곧 알게 될 겁니다."

"그리고, 만약 제가 술을 빚지 못하면 어떻게 되는 거예요?"

"음, 그런 일은 없을 텐데."

장담하는 남자의 눈빛이 잠시나마 반짝였다. 분명 확신하는 것 같은데……. 하지만 최 회장과 만나 담판을 짓기 전에는 섣불리 자신의 눈에 대해 말하고 싶지 않았다.

생각에 잠긴 그녀의 어깨에 툭 기대 온 그가 고개를 기울이며 속삭인다.

"내가 조유연 씨를 너무 좋아하는 것 같지 않아?"

순간 그녀는 숨을 참았다. 그러자 매끄러운 입매를 휘어 올린 그가 작은 한숨을 내쉰다.

"13년째 짝사랑인데, 몇 년 더 한다고 해서 바뀌는 건 없겠지. 그래도 한 번쯤은 먼저 입 맞춰 주면 더 좋겠는데."

그녀에게만 들릴 듯한 작은 소리였지만, 확성기를 쓴 것처럼 크게 들리는 목소리에 가슴이 빠르게 두근거렸다.

양 뺨을 붉힌 유연은 양손으로 그의 얼굴을 밀어냈다.

"그런 소리는 제발, 둘이 있을 때 해 주세요."

"흠, 그럼 재간택 끝나고 동궁전으로 와. 갈 곳이 있으니."

"어딜 가는데요?"

"알려 주면 재미없으니, 궁금하면 도망치지 말고. 꼭 와요."

어느덧 예화 앞에 차량이 멈춰 섰다. 미리 보고를 받은 것인지, 대기 중이던 우혁을 비롯해 왕실 호위들이 고개를 꾸벅 숙여 그를 맞는다.

그들을 보며 짧게 혀를 찬 세자가 차에서 내리려는 유연의 손을 불쑥 잡아끌었다. 눈 깜짝할 새 가까워진 얼굴. 놀란 마음에 습관처럼 두 눈을 질끈 감은 그녀의 눈꺼풀 위로 미소가 그려진 입술이 닿는다.

"그럼, 사온서에서 봅시다."

창백한 설아의 등을 다독인 최 회장은 입이 마르고 몸의 피가 거꾸로 솟는 걸 느꼈다.

궐에 도착함과 동시에 설아는 급격하게 컨디션 난조를 보였다. 금줄이 사방에 쳐진 문을 지날 때마다 호흡 곤란을 일으키더니, 결국 화장실을 찾아가 속을 게워냈다. 설아의 몸은 차가운 냉골이나 다름없었다.

"정신 똑바로 차려, 설아야."

"긴장해서 그래, 아빠."

"그래…… 긴장이 안 될 수는 없지. 그래."

근래 들어 아이의 성격이 변했다. 최 회장은 그것이 간택제로 인한 스트레스와 유연이 주는 압박 때문이라고 결론 내렸다. 또한 유연이 경복궁에 드나들기 시작한 때부터 병원으로 세자의 사람들이 찾아왔다.

최 회장은 식은땀이 흐르는 이마를 손수건으로 누르며 사온서 안으로 들어섰다. 이미 주사위는 던져졌고, 되돌아갈 여력도 없다.

"모시겠습니다. 하나, 최설아 씨만 동행하겠습니다."

"예, 그러십시오. 설아야, 괜찮겠어?"

걱정스러운 최 회장의 질문에 가쁜 숨을 내쉬던 설아가 고개를 끄덕인다.

"응, 할 수 있어."

최 회장은 마중 나온 궁인들에게 설아를 부탁한 뒤 자리에 한참이나 서 있었다.

'아버지, 설아가 이상합니다. 정신과 상담을 받아 봐야 할 것 같아요. 게다가 밤마다 매니저도 없이 밖에 나갑니다.'

지난밤 찾아온 준일의 말에 최 회장은 하늘이 무너지는 듯한 충격을 받았다. 설아에게 문제가 생기면 간택에도 문제가 생길 터. 왕실을 우습게 본 벌인가? 호락호락하지 않을 거라 했던 유연의 말에 좀 더 귀 기울여야 했다. 하지만 여기서 물러섰다가는 자신과 회사의 이미지가 완전히 망가지고 말 것이다.

'김 상궁은 대체 어디……'

오늘 큰일을 해 줄 김 상궁을 찾아 두리번거릴 때였다. 사온서 입구로 조유연이 들어선다. 주위를 살피며 들어서던 그녀도 최 회장을 발견하곤, 딱딱하게 굳어 멈춰 섰다.

"너!"

순간, 분이 오른 최우식은 유연에게 성큼성큼 다가갔다. 처음엔 놀란 표정이던 그녀의 얼굴에 냉랭함이 감돈다. 되레 최우식의 방향으로 걸어온 유연이 대뜸 말문을 열었다.

"보호자가 왜 아직도 회장님입니까?"

"뭐?"

"엄마의 보호자가 왜, 아직도 회장님이시냐고요. 왜 약속을 지키지 않으십니까?"

"허! 그게 왜 내 탓이야! 나한테도 보험이 있어야 할 거 아니냐!"

"그래서 엄마 목숨 갖고 장난치시는 거고요?"

"어디, 이게 뚫린 입이라고! 은혜도 모르는……!"

"예, 검은 머리 짐승이 접니다. 설아가 엄마한테 찾아가 무슨 짓을 하려 했는지 정말 모르세요? 회장님이 하신 행동을 고스란히 답습했던데요. 저한테…… 대체 왜 이러세요?"

평소에도 당돌한 편이긴 했으나, 이토록 자신을 몰아붙인 것은 처음이었다. 당황한 최 회장이 입술만 벙긋거리며 주위를 살피자, 더욱 가까이 다가선 유연이 부들부들 떨리는 주먹을 말아 쥔다.

"지금 당장 보호자 저로 바꾸시고, 약물 투여 명세 제게 공개해 주세요. 오늘 술을 빚는답니다. 비빈의 자격이 없는 사람은 술을 빚을 수 없다고 합니다. 저는 간택에서 져 주겠다는 약속, 아직 잊지 않았어요."

"허, 유연아. 왜 이리 날을 세우고 그래. 혹시, 나를 의심이라도 하는 게야? 내가 설마, 네 엄마를 잘못되게 했을까 봐?"

그녀는 대답 대신 입술을 꽉 다물었다. 그러자 느물느물한 표정으로 회유하던 최 회장이 두 눈에 번뜩 힘을 준다.

"네 도움이 아니어도 이 궐에 내 편이 한 명도 없을 듯싶으냐. 날 의심한 건 너야. 그러니 나도 억울해서 더는 네 편의를 봐줄 수 없지. 조 과장, 우리 일은 내일 회사에서 얘기하자."

"회장님, 지금 저는 조 과장으로 말하는 거 아니잖습니까!"

"어허! 여기가 어디라고 언성을 높여!"

멀찍이 대기 중이던 궁인들이 두 사람에게로 다가왔다. 유연은 선

두에 서 있는 서 상궁을 발견하곤, 주먹에 힘을 풀었다.

"좋습니다. 그럼 회사에서 뵙죠. 원하신다면요."

최 회장은 쯧, 하고 혀를 차며 돌아섰다. 유연은 치밀어 오르는 분을 누르며 최우식의 뒷모습을 응시했다. 명확해진 분노와 실망감에 몸이 떨린다.

"이제 들어가시겠습니까?"

조금 전, 최우식과 일어난 일을 다 보아 놓고도 서 상궁은 담담했다. 유연은 서 상궁에게 꾸벅 고개 숙여 인사한 뒤, 애써 웃었다.

"안내해 주셔서 감사합니다."

"괜찮으신 것인지요."

"네, 아무렇지 않습니다."

묘한 표정으로 고개를 주억인 서 상궁이 돌아설 때였다.

-주인아, 잠시 어딜 좀 다녀오마.

궐의 목소리가 머릿속으로 흘러든다. 유연은 소리 없이 웃음을 터트렸다.

'나한테 허락받아야 해?'

-주인이니까.

'근데 어디 가려고?'

-여긴 나의 궐이다. 그리고…… 아니다.

유연은 대수롭지 않게 고개를 끄덕였다.

망량주조. 비빈의 자격이 없는 이는 술을 빚을 수 없다고 했다. 그러니 설아는 술을 빚지 못할 테지. 하지만 최 회장의 당당한 태도가 마음에 걸렸다.

'금방 올 거지?'

-어디에 있든, 나는 주인을 찾을 수 있다.

'다녀와.'

숨을 크게 몰아쉬자, 홍줄이 걸린 문 앞에 서 상궁이 멈춰 선다. 그러곤 깊게 예를 차리며 홍예문을 열었다.

"망량주조장에 드시지요, 아가씨."

'못된 것!'

최 회장은 씩씩거리며 자리에 앉았다가 일어나길 반복했다. 평소에는 비서와 함께 다니느라 제 손으로 해결할 일이 없었다. 하지만 궐에서는 비서를 대동할 수 없었기에 그는 스스로 모든 것을 해결해야 했다.

최 회장은 주상을 알현하기 전, 화장실에 들르기 위해 전각 이곳저곳을 헤매기 시작했다.

"뭐 이리 복잡해?"

게다가 이상하리만치 사람이 없다. 궁인들은 물론이거니와, 흔한 날짐승 한 마리 보이지 않았다.

넥타이 매듭을 느슨하게 만든 최 회장이 전각 모퉁이를 돌 때였다. 키가 크고 까무잡잡한 남자가 소리 없이 그의 눈앞에 나타났다. 검은 머리카락에 기묘한 위압감. 개량 한복 같은 것의 가슴팍을 불량하게 풀어헤친 사내였다.

"흠흠, 지나가겠습니다."

눈 색깔이 다른 걸 보니 외국인인가. 사내를 묘한 눈으로 훑던 최 회장은 몇 걸음 나서다 말고, 또다시 걸음을 멈추었다. 분명 조금 전 지나쳐 온 사내가 다시 또 눈앞에 나타났다. 흠칫 놀란 최 회장은 주위를 두리번거리며 두 눈을 비볐다.

귀신에 홀린 것처럼 발걸음이 떨어지지 않는다. 이제는 줄줄 흐르는 땀이 턱 끝에 대롱대롱 매달렸다.

"누, 누구……."

"내 주인을 모욕하는 것은, 나를 모욕하는 것이다."

"뭐라 했습니까?"

"내 주인을 모욕하지 말라 하였지."

"허, 젊은 놈이 실성을 했나."

코웃음 친 최 회장은 어떻게든 걸음을 떼려 노력했다. 하지만 아교가 들러붙은 듯 바닥에 붙어버린 걸음이 떼어지지 않는다. 우식은 사내의 발에 짓눌린 자신의 그림자를 보며 선득한 생각에 사로잡혔다.

"아둔한 것, 겁 없이 실성한 건 네 놈이구나."

싸늘하게 읊조린 사내가 가까워질 때마다 거대한 포식자를 앞에 둔 것처럼 몸이 떨리기 시작했다. 한입에 삼켜져 갈기갈기 찢길 듯한 두려움. 사시나무처럼 떠는 최 회장의 눈이 커다래질 때였다.

"그 아둔한 자를 놓아주지 그래, 고양아."

들려온 세자의 나직한 음성에, 구세주라도 발견한 얼굴로 최우식이 고개를 틀었다.

"저하!"

하지만 세자는 최 회장에겐 눈길조차 주지 않은 채 눈앞의 사내에게로 저벅저벅 걸어왔다. 그러곤 그림자를 밟은 발을 툭 건드리며 비스듬히 입매를 끌어올린다.

"검은 고양이가 오늘은 사람의 흉내를 내는군. 너구나, 그 집에 있던 기운."

건은 굳어 움직이지 못하는 최 회장을 돌아보며 고개를 까딱였다. 두 남자를 당황한 표정으로 번갈아 보던 최우식이 머뭇거리며 슬금슬금 건의 뒤로 다가왔다.

"저 남자가 누군지 몰라도, 영 이상합니다. 저하, 상대하지 마시고 경호원을 부르시는 것이……."

"최 회장님, 이곳에서 무얼 하고 계셨는지는 묻지 않겠습니다만…… 대비전은 아무나 들어와선 안 되는 곳입니다."

"대, 대비전이요? 어휴, 정말 몰랐습니다. 그런데 저놈은……."

놈이란 말에 궐의 눈빛이 번뜩인다. 본능적으로 두려움을 느낀 최 회장은 쭈뼛거리며 애써 버텨내고 있었으나, 실은 다리가 부들부들 떨렸다.

"귀멸자야, 내 주인을 모욕한 저놈의 주둥이를 갈기갈기 찢을 수 있게 비켜다오."

주먹을 말아 쥔 궐이 성큼 다가가려는 것을 막아선 건은 다시금 최우식을 돌아보았다.

"갈기갈기 찢겠답니다. 그런데도 계속 얼쩡거리실 겁니까?"

"아, 아니 그게 아니라. 저하가 위험……."

"제가요?"

"그것이……."

최 회장은 자신을 죽일 듯이 노려보는 노란 눈의 사내를 흘끔거리며 주춤주춤 물러서기 시작했다.

"그, 그럼 저는 저하만 믿고 주상 전하를 알현하러……!"

두툼한 목울대가 꿀렁이고, 뒷걸음질 치는 발이 꼬인다. 이어 최우식은 뒤도 돌아보지 않고 대비전을 뛰쳐나갔다. 순간 콧잔등을 사납게 구긴 궐이 검은 연기로 화하려 했다.

"어딜."

건은 힘을 개방해 궐의 팔을 잡아챘다. 반쯤 연기로 화했던 궐은 건에게 붙들려 '쳇.' 하며 혀를 찼다.

"나는 왕족을 해할 수 없다. 그런데 귀멸자는 나를 너무 함부로 대하는구나."

"까칠한 고양이로군."

냉소한 건은 붙든 손의 힘을 회수했다. 그제야 잡혔던 팔을 덤덤히 내려다본 궐이 다시금 인간의 모습으로 돌아왔다.

"넌 누구야. 정말…… 궐인가?"

"그래, 주인은 나를 궐이라 부른다. 귀멸자야, 너도 나를 궐이라 불러라. 고양이는 싫다."

뒷짐을 진 궐은 건의 눈을 똑바로 바라보며 제법 우아하게 입매를 끌어올렸다. 앞섶을 느슨하게 푼 개량 한복을 입고, 어울리지 않는 스니커즈 운동화를 신은 호랑이라니. 까무잡잡한 피부에 저와 비슷한 키. 체격으로 보나 외모로 보나 궐은 제 또래의 사내였다. 범이 아니라, 영락없는 사내새끼.

"그럼, 네 주인은 조유연이고."

"당연한 걸 묻는구나, 귀멸자야."

건은 아랫입술을 느릿하게 문지르며 인간이 된 궐을 머리부터 발끝까지 훑어 내리며 되물었다.

"설마, 그 모습을 네 주인에게 보였나?"

언뜻 짜증 섞인 질문에 빤한 눈빛으로 건을 바라보던 궐이 고개를 홱 돌린다.

"생각났다. 주인은 내가 귀멸자와 만나는 걸 좋아하지 않는다. 인사하는 것도 안 된다고 했다. 그러니 이만."

"이곳의 주인은 나야. 그러니 답해."

"싫다."

"어허, 고양이."

"궐이다!"

"그래, 궐. 그 꼴을 보여 주었나 보군……. 조유연에게."

그는 이른 아침 유연의 집 안에서 들려왔던 소리와 잔향처럼 남아 있는 낯선 기운을 떠올렸다.

넘어진 게 아니라, 놀랐던 거였나. 그런데 거짓말까지 해 가며 이 놈을 숨겼다? 저도 모르게 순간 약이 올라 힘을 쓸 뻔했다. 하지만 놈은 궐이다. 경복궁, 혹은 왕실을 지키는 해치의 현신일지도 모를 일. 범이 아닌 인간의 모습으로 다시 만나게 된 것은 유감이었으나, 건은 호랑이에게 묻고 싶은 것이 있었다.

"너는 대체 무엇이냐. 얼마나 오랫동안 궐을 지켰는지, 어떠한 이유로 현신한 것인지. 그리고 어째서 조유연의 곁에 붙어 있는지도 말해 줘야겠어."

고압적으로 느껴지는 질문에, 뒷짐을 진 궐이 애틋함이 일렁이는 눈으로 주위를 둘러본다.

"아마, 600년이 넘었을 것이다. 그리고 내가 주인을 선택하는 것이 아니라, 주인이 나를 부르는 것이야. 이유는 모른다, 귀멸자야. 그대는, 그대의 존재 이유를 알고 있는가."

"글쎄, 내 존재 이유에는 관심 가져본 적이 없어서. 그나저나 600 살이 넘은 영감이었군."

건이 피식 웃자, 궐의 눈매가 가늘어졌다.

"귀멸자야…… 너는 정말로 성격이 좋지 않은 것 같다."

뚱하게 인상을 쓴 궐이 이번엔 성큼성큼 걸음을 내디딘다. 어처구니없는 마음에 건은 궐을 잡으려 했다. 하지만 대체 무슨 수를 쓴 건지 허상처럼 손에 잡히지 않는 궐. 건의 손은 허공을 갈랐고, 뒷짐진 궐은 유유히 대비전을 빠져나가려 했다.

빌어먹을.

욕지거릴 읊조린 건은 궐의 뒤에 대고 한숨 쉬며 질문했다.

"멸첩에 관해 묻고 싶은 게 있어."

정면을 향해 주저 없이 나아가던 궐의 걸음이 멎고, 순간 대비전 전체에 기이한 힘이 막처럼 드리웠다.

돌아서는 궐의 눈동자가 은은한 금빛으로 빛난다.

"어째서 멸첩에 관해 묻는 것이냐, 귀멸자야."

역시, 아는군.

동굴에 들어온 것처럼 목소리가 울리는 현상에, 건은 대비전 전체가 이공간이 되었음을 짐작했다. 마치 이조문 내부에 들어온 듯 어떠한 소리도 새어 나가지 않는다. 이어 순도 높은 힘이 몸 안에 차오르기 시작했다. 노도에 휩쓸리듯 거칠고 순수한 힘이.

"지금, 이 힘……."

"나의 일기에, 감히 누가 손을 댄 것인가. 너는 아느냐, 귀멸자야."

일기?

건의 등줄기를 타고 오싹한 소름이 돋는다. 마치 1급 영루를 손에 쥐었을 때처럼 두피까지 저릿했다.

그랬군……. 답이 너였구나.

미소 띤 건이 차분한 걸음으로 궐에게 다가갔다. 웃음을 참는 탓에 평소의 단정하고 우아한 얼굴 대신, 포악함을 짓누르는 포식자의 표정을 하고선 궐의 어깨를 움켜쥐었다.

"오늘은 망량주를 빚는 날이지. 사온서에 갈까 하는데, 우리 고양이 씨는 술 좋아하나?"

사온서의 주조장 내부는 영화나 방송에서 자주 보았던, 평범한 주방의 모습을 하고 있었다. 한쪽에선 가마솥에 불을 올려 밥을 짓는 중이었고, 한쪽엔 누룩을 비롯해 각종 재료가 가득 쌓인 선반이 있었다. 게다가 문이란 문마다 쳐진 금줄.

주조장에 들어선 유연은 미리 도착해 앉아 있는 설아와 눈을 맞추었다. 눈이 마주치자마자 지난 말다툼이 생각나 확 열이 올랐다. 눈에 열이 몰리는 기분이랄까, 느낌이랄까. 속으로 욕을 하면 좀 풀릴까 싶었지만, 유연은 자신을 뾰족한 눈길로 쳐다보는 설아를 무시한 채 안내받은 자리에 앉았다.

"너…… 세자빈 자리에는 관심도 없다더니. 경합은 포기가 안 되나 봐?"

그렇게 쏘아붙일 줄 알았지.

"너한테 약점 잡힌 게 있어서, 잘 보이려고."

"뭐야, 너."

"반대로 말하면, 내가 이제 너 안 봐준다는 뜻이고."

두 여자의 앞에 따뜻한 감국차가 놓인다. 감국이 화를 가라앉히고, 번뇌를 없앤다고 했던가? 비서실 사원 시절, 유연이 매일같이 한 일이 차 종류와 임원들의 음료 취향을 파악하는 것이었다. 어쩜 다들 입맛도 취향도 다른지. 하지만 정말로 감국이 분노 조절에 효과가 있는가는 그녀도 마셔보지 않아서 모른다.

'지금은 필요한 것 같네.'

유연은 뜨거운 차를 호, 불어 한 모금 삼켰다. 흘끔 고개를 틀자 감국이 담긴 찻잔을 감싼 설아의 손이 떨리고 있다.

'뜨거운 찻잔을 왜 저렇게……'

그제야 그녀는 설아의 낯빛이 묘하게 창백하다는 것을 알아챘다. 화장으로 가렸어도 티 나게 파란 입술, 수족냉증을 앓는 것처럼 덜덜 떨리는 손까지.

"너……."

유연이 설아의 손을 움켜쥐려 할 때였다.

"영감."

두 여자를 지켜보던 서 상궁이 입구에 대고 고개를 숙였다. 그러자 반듯한 자세로 깊게 인사한 상온 영감이 부드러운 미소를 지으며 안으로 들어선다. 묘한 남자였다. 피부는 젊은이처럼 곱고 허리가 꼿꼿하면서도, 머리가 하얗게 세어 버린.

유연은 상온에게 예를 갖추는 나인들을 따라 자리에서 일어났다.

그러자 다가온 영감이 사람 좋게 웃으며 그녀에게도 예를 갖춘다.

"귀한 분들을 모셨습니다."

어쩐지 공기가 무거워진 기분이 들었다. 마지못해 일어난 설아가 순간 휘청거리며 유연의 팔을 잡았다.

"괜찮아?"

설아를 부축한 유연은 얼음장 같은 체온에 놀랐다. 그러자 힘들게 숨을 몰아쉬며 그녀의 손을 뿌리친 설아가 상온에게 고개를 숙였다.

유심히 설아를 보던 상온이 걱정스러운 듯 묻는다.

"괜찮으신지요."

"네, 이 정도는……."

거짓말. 설아는 통증을 참는 것에 익숙하지 않은 편이었다. 좋게 말하면 솔직하고, 나쁘게 말하면 엄살이 심한. 평소였다면 설아의 매니저에게 연락해 병원으로 데려가라 했겠지만, 어쩐지 절박해 보이는 표정에 할 말을 삼켰다.

"두 분, 술 빚어 보신 적 있으십니까."

둘은 당연히 고개를 저었다. 그러자 생긋 미소 지은 상온이 고개를 주억이며 뒤로 물러난다. 그제야 유연은 건물 내부와 어울리지 않는 붉은 문을 발견했다.

"어렵게 생각하지 마십시오. 그저, 순서에 따라 재료를 넣고 정성을 기울이면 술이 되는 것이니. 사온서 나인들이 두 분을 도울 겁니다."

문 방향으로 돌아선 상온이 걸음을 옮긴다. 유연은 돌아오지 않는 궐을, 어딘가에서 자신을 지켜보고 있을 세자를. 그리고 절박하게 걸음을 떼어 내는 설아를 차례로 생각하고 눈에 담았다.

"조유연."

힘없는 최설아의 음성에 마음이 흔들렸다.

"어제는 미안해."

"그래."

"그럼……. 나 계속 도와줄 거야?"

"글쎄. 장담하지 못하겠는데."

"그러지 마. 어차피 네가 져. 그러니까 나도 약속 지킬게. 너도 지켜. 어차피 너, 아줌마 포기 못 하잖아."

힘은 없었지만 묘하게 자신에 찬 말투다. 유연은 최 회장이 말한 도와줄 누군가를 찾아 티 나지 않게 주위를 살폈다.

상온 영감을 따라 조금 전 보았던 붉은 문 안으로 들어간 그녀는 천장에서 빛이 내려오는 동굴 형태의 공간을 마주하며 마른침을 삼켰다. 두꺼운 유리 벽 안에 진열된 두 개의 술병을 발견한 그녀는 본능적으로 그것이 망량주라는 것을 알 수 있었다.

망량주, 이매에게 고통받은 기억을 지우는 술.

'내가, 마신 술이 저건가……?'

유연은 저도 모르게 주먹을 쥐었다. 어디선가 희미한 가야금 소리가 들려왔다. 이어, 물을 담은 놋대야를 가져온 나인들이 두 사람의 앞에 선다.

둘은 깨끗한 물에 손을 닦은 뒤, 진주색의 비단 장의를 걸쳤다. 옷고름을 맨 뒤 신발까지 비단신으로 갈아 신자, 기이한 기운에 휩싸인 느낌이 든다.

걸친 장의에서 세자의 침전에서 맡았던 향기가 났다. 정갈하면서도 마른 볕을 닮은 향기가.

"이제 가져오거라."

상온의 지시에 제법 지위가 높아 보이는 나인이 자개로 장식된 목함을 가져와 내민다.

그 안에 든 것은 투명한 돌 두 개였다. 마치 강자갈처럼 반질반질한 돌을 두 개 꺼낸 상온이 벽에 붙은 족자에 대고 큰절을 올렸다.

유연은 순간, 피부를 긁는 소름 끼치는 감각에 놀라 고개를 들었다. 푸르스름하게 안광을 내뿜는 족자 속 백호. 유연은 궐을 떠올렸다. 궐에게서는 세자와 비슷한 힘이 느껴졌지만, 하얀 범은 이매의 기운이 강했다.

"신, 상온입니다. 이매망량의 예를 갖추어, 영감께 청하오니. 주조를 허락하여 주소서."

서늘하면서도 온후한 기운이 주위를 휘감고, 숨 막히는 위압감에 어금니를 꽉 깨물 때였다. 바로 옆에서 헛바람 들이켜는 소리가 났다. 믿을 수 없게도 족자를 보며 괴로워하는 설아의 가슴이 들썩인다.

"도, 도깨비……. 호랑이 도깨비……."

설아는 끊어질 듯 자그마한 목소리로 중얼거렸다. 그 작은 소릴 들은 건지, 절을 마친 상온이 예리해진 눈빛으로 돌아선다. 나인들의 눈빛도 기대감에 반짝거렸다.

"귀안을 가지셨다더니……."

감격한 듯한 상온의 얼굴에 진중한 미소가 맺히고, 두 개의 돌 중하나를 설아의 손에 올려 주었다. 이어 당황한 유연의 손에도 투명한 돌을 올려 주고는 천천히 뒷걸음질 쳐 물러난다.

"망량 영감께서도 허락하셨으니, 이제 주조를 시작하겠습니다. 쌀과 누룩을 가져오라!"

유연은 아무런 말도 귀에 들어오지 않았다. 족자를 보며 두려워하

는 설아의 상태를 믿을 수 없었다. 최설아가 그림 도깨비를 보고 있
었다.

더 캐슬

VOL. 2   The Castle

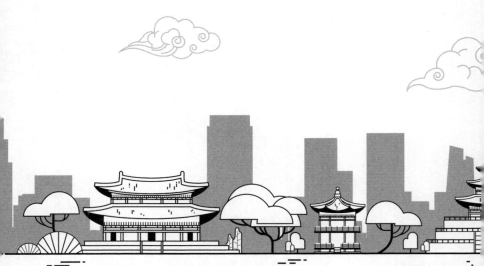

CHAPTER 10

망량주조

10

망량주조

"영감이 눈을 떴다."

궐이 눈을 가늘게 뜬 채 하늘을 올려다본다.

"영감이라면."

"망량 영감이다. 주조를 시작하였다."

건은 욕지거리와 취기를 함께 눌렀다. 분명 숙취도 없고 쉽게 취하지 않는다는 약술이건만…… 멀쩡한 건 눈앞의 호랑이뿐이었고, 건은 저 술독을 엎어 버리고 싶은 충동에 시달렸다.

'말술이군.'

누가 짐승 아니랄까 봐. 궐은 술을 준단 말에 날름 따라와 벌써 술독을 세 개째 비우는 중이었다. 그것도 잔에 따라 마시는 수준이 아닌, 바가지로 퍼마시는 속도로. 술 대신 물을 따른 건은 멀쩡하다 못해 안주도 없이 입맛을 다시는 궐을 보며 혀를 찼다.

"내 질문에 대답을 잘해 주면, 네가 원할 때 언제든 술을 주지."

순간 기대에 찬 눈을 동그랗게 떴던 궐이 급히 고개를 젓는다.

"안 된다. 귀멸자와 대화하는 것을 주인이 싫어한다."

"비밀로 해 줄게. 나와 넌 만난 적이 없는 거로."

회유하는 듯한 나른한 어투에 궐의 표정이 바뀌었다.

"정말이냐?"

"왕세자의 이름을 걸지. 절대 알은체하지 않는 거로. 단, 너도 비밀로 해야 해. 너도 나와는 만난 적이 없는 거야."

술과 건의 얼굴을 번갈아 보며 고민하던 궐이 마른침을 삼키더니 손가락을 가볍게 튕겼다. 그러자 허공으로 솟아오른 술이 붉게 변하더니 선명한 闕(궐)이라는 글자를 만든다.

"귀멸자야, 약조해라."

"별짓을 다 하는군."

"싫으면……."

"하지."

이번엔 건의 손에서 일어난 푸른빛이 글씨를 만들고, 허공에 떠오른 乾(건)이라는 글자가 闕(궐)과 합쳐진다.

두 남자는 달그림자처럼 글자가 비친 술을 한입에 삼켰다. 심장 부근이 뜨끈해지는가 싶더니, 혀끝이 아릿하다.

"나쁘지 않군."

건의 읊조림에 육전을 한입 가득 넣고 우물우물 씹으며 궐이 물었다.

"그런데 나의 주인은 왜 귀한 눈을 숨기고 싶어 하는 것이냐. 궁금하다."

"글쎄. 인간은 복잡한 생명체거든. 그 속을 누가 알아."

"그럼 귀멸자, 너는 왜 모르는 척하는 것이지?"

"그것도 복잡해서 말로 하긴 어려워. 인간들은 단순하질 않아서,

하나의 결정을 내릴 때 몇 배가 넘는 가설을 떠올리거든.”

“음…… 그렇군. 네 말대로 인간들은 정말 복잡하구나.”

“그럼 이제는 내가 질문할 차례야. 멸첩의 6장부터 마지막 장까지의 내용이 궁금해. 그리고 정말 그것이 네 일기인지도.”

순식간에 텅 빈 술독을 내려놓은 퀄이 팔짱을 끼우더니 누마루 기둥에 비스듬히 기댄다. 그러며 긴 눈매를 가늘게 접었다.

“내 일기인 건 맞지만, 어떤 내용을 썼는지는 기억나지 않는다. 귀멸자야, 너는 600년 전에 일어난 일들을 세세히 기억할 수 있겠느냐.”

마치 기세를 잡은 듯 여유로운 말투. 비스듬히 내리깔려 있던 건의 눈꺼풀이 들린다. 그 안에는 참기 힘든 짜증이 너울처럼 일렁거렸다.

“적어도 내 손으로 직접 쓴 글이라면 잊지 않겠지. 나는 멍청하지 않거든.”

“귀멸자야, 나도 멍청하지 않다.”

“그래, 아주 똑똑한 우리 고양이 씨. 그럼 기억을 더듬어 봐. 내가 가진 멸첩의 끝은 화매로 끝났지. 화매가 무엇인지, 그 뒤로는 어떤 것들을 썼는지……. 그리고 모두 사실인지. 그걸 알아야, 네 주인을 지켜.”

역시 호랑이의 약점은 유연이었다. 새 술독을 연 퀄이 주향을 맡으며 ‘흐음.’ 하는 소릴 냈다.

“화매는 이매와 다르다. 내가 처음 화매를 보았던 건 건청궁에서였다. 그림에서 튀어나오는 것이 아닌, 기어들어 가는 놈의 목을 물어뜯었지. 놈은 족제비였어.”

“족제비?”

“허공을 떠도는 업과 과보(果報)가 똘똘 뭉쳐 자연스럽게 그림 속에 잠신하면, 그것이 이매가 되는 것이다. 하지만 화매는 붓끝에서 만들어진다. 인간이 만들어 내는 것이 바로, 화매다."

인간이 이매를 만든다? 건은 술잔 가장자리를 엄지로 문지르며 생각에 잠겼다. 그럼, 잠시나마 제게 귀안이 생겼던 이유는?

"평범한 인간이 귀안을 가질 수는 없나."

"있다."

"있다?"

"잠깐일 뿐이다."

"방법은?"

양평 갤러리에서 직접 뱀 이매의 목숨을 끊었던 일이 선명하게 떠올랐다. 그것도 잠신해 있던 놈을. 하지만 그것도 잠시뿐, 이후로는 잠신한 이매를 다시 볼 수는 없었다.

"방법을 말해."

주먹을 말아 쥔 세자의 얼굴과 손을 번갈아 보던 궐이 슬그머니 고개를 튼다.

"그것은 말해 줄 수 없다."

"어이, 고양이!"

돌연 바뀐 궐의 태도에 결국 짜증을 터트린 건이 상 모서리를 움켜쥘 때였다.

"형님."

건과 궐이 소리의 방향으로 동시에 고개를 돌렸다. 누마루 아래 굳은 표정의 이태가 건을 보더니 고개를 깊게 숙인다. 그 뒤로 우혁과 예화의 직원 몇몇이 넋 나간 얼굴로 궐을 보고 있었다.

"한참을 찾았습니다. 말씀하신 준비를 마쳤습니다."

공손하게 고개 숙인 이태의 머리 위로 궐의 선득한 눈빛이 뚝 떨어진다. 그에 건은 상을 가볍게 탁 두드렸다. 그러나 형형한 눈빛을 한 궐이 쭛, 하고 혀를 차며 작은 술잔을 들었다.

"귀멸자야, 궐에는 더러운 것이 너무도 많다."

"내 아우를 두고 하는 말인가?"

이번에도 대답 대신 고개를 쓱 돌려 버린 궐. 건은 실소를 흘리며 이만 일어났다. 놈이 할 말이 없거나, 대답하기 싫을 때마다 시선을 피한다는 것을 깨달은 이상 이태가 가져온 그림들을 더욱 의심할 수밖에 없었다.

"아무 데도 가지 말고 궐에 있어. 금방 올 테니."

"내가 궐이다, 귀멸자야. 그리고…… 이런, 주조가 끝났다."

하늘을 향해 고개를 든 궐의 입매가 부드럽게 호선을 그린다. 건은 순간, 누마루에 설치된 여닫이문을 당겼다. 경쾌한 소릴 내며 차례대로 닫힌 문. 그러자 기다렸다는 듯 궐의 몸이 검은 연기로 변하기 시작했다.

"설마, 그 꼴을 하고 계속 조유연의 곁에 있을 것인가?"

"나는 주인의 것이다. 그리고 나의 주인이 범은 무섭다고 했다."

"나의 주인이라……. 썩 듣기 좋은 말은 아니군."

"귀멸자야, 친하게 지내자. 좋은 술을 주는 걸 보니, 성격은 나쁘지만 조금 착한 것도 같다."

"이봐."

"영루다."

"뭐라?"

궐의 몸이 반 이상 연기로 변하였다. 술독을 내려놓은 궐의 호박색 눈동자가 자리에서 일어난 건을 향한다.

"누군가 영루를 훔쳤다."

말을 마침과 동시에 궐은 사라졌다. 빌어먹을 고양이.

주먹을 말아 쥔 건은 다시금 손을 뻗어 닫았던 문을 툭 열었다. 여전히 자리에 서 있던 이태와 우혁이 놀란 표정으로 고개를 든다. 조금 전까지만 해도 세자와 술잔을 나누던 사내가 연기처럼 사라져 버렸으니, 놀라지 않을 수 없었다.

"함께 계시던 분은……."

먼저 평정을 찾은 이태가 묻자 건은 남은 술을 입안으로 털어 넣었다. 약술이라기엔 제법 씁쓸한 맛에 건의 미간이 좁혀든다.

"망량주조가 끝났으니 소헌군은 서 과장을 따라 예화로 가. 그리고 이 실장은 올라오도록 해."

세자의 지시에 서 과장이라 불린 여자가 이태에게 다가가 예를 갖춘다. 이태는 조금 전 궐이 앉아 있던 자리를 노려보다가 애써 생긋 웃으며 이건과 시선을 맞추었다.

"그럼, 기다리겠습니다. 형님."

건은 눈썹을 치켜올리며 고개를 가볍게 끄덕였다.

이태가 예화의 서 과장과 전각을 빠져나가고 우혁이 급히 뛰어 올라왔다.

"이게 다 뭡니까? 낮술 하셨습니까? 설마, 저하가 다 드셨어요?"

우혁은 엄청난 수의 빈 술독을 보며 기가 막히단 표정을 지었다.

"아직도 나를 몰라?"

"그럼 이건 다……. 설마 함께 계시던 분이 마신 겁니까? 누구십니까? 대체 어디로 가셨습니까?"

"주인에게 돌아갔지."

건이 술잔을 내려놓더니 한숨을 깊게 내쉰다. 그에게서 짙은 술 냄새가 났다. 우혁은 깃에 달린 이어 마이크에 세자의 숙취 음료를 준비하라 지시했다.

"저하, 설마 만취하신 건 아니시죠?"

"차라리 만취했으면 좋겠군."

"……저하의 주사는 조금 곤란합니다."

"왜."

"몰라서 물으십니까?"

"그러니까 왜."

우혁은 대답 대신 슬그머니 시선을 피하더니 조금 전 건이 앉았던 자리에 털썩 주저앉았다.

"네놈도 고양이 흉내를 내는군."

"예? 자꾸 이상한 소리만 하시는 걸 보니 오늘 일정이 심히 걱정됩니다."

"우혁아, 궐에 삿된 것들이 있다."

"……이매입니까?"

"글쎄."

"그럼 지금이라도 당장……!"

건은 자리를 박차고 일어나려는 우혁의 얼굴을 빤히 쳐다보며 손가락을 까딱였다. 다시 엉거주춤 마주 앉은 우혁의 눈동자가 떨린다.

"누군가 궐을 망가트리려 하는 것 같더군."

"감히, 누가 그런 짓을 한단 말입니까."

"지금부터 그걸 알아내는 것이 너와 내가 할 일이야. 어쩌면 최우식이 궐에 사람을 심어 두었을지도 모르고. 그리고……."

화매는 붓끝에서 만들어진다. 그 말은 이태를 범인으로 지목하는 것이나 다름없었다. 도난당한 영루와 주인을 지키기 위해 헌신한 환수. 그리고 평범한 인간인 최 회장이 보이는 자신감까지.

"소헌군에게 사람을 붙여. 놈을 돕는 자부터, 외부에서 심어 둔 간자까지. 한 명도 빠짐없이 축출한다."

툭, 내려놓은 술잔에 금이 갔다. 그럼에도 불구하고 평소와 다름없는 세자의 단정한 미소에 우혁의 목울대가 꿀렁거렸다.

'취하셨네. 어휴…….'

우혁은 오늘 밤 동궁전 주변으로 개미 새끼 한 마리 다가오지 못하게 해야겠다고 속으로 다짐했다.

"명, 받들겠습니다. 저하."

섬섬옥수 같은 하얀 손끝을 타고 물이 뚝뚝 떨어진다.

'완전히 녹아 버렸어…….'

상온 영감이 쥐여 주었던 영루가 사라졌다.

술을 빚는 방법은 간단했다. 나인들이 건네주는 재료를 차례차례 넣고, 마지막으로 영루라는 것을 담가 부드럽게 휘저어 주면 끝. 게다가 영루는 물이 닿음과 동시에 솜사탕처럼 녹아내리기 시작했다.

언뜻 푸르스름한 빛을 띠는 탁주를 내려다보던 유연의 머릿속으로 궐의 음성이 밀려든다.

-주인아.

'너, 왜 이제 와? 어디 갔었어?'

-저 여인의 몸에 영루가 두 개나 있다.

잔뜩 화가 난 듯한 궐의 음성에 유연은 여전히 술을 휘젓는 설아를 보았다. 시선을 느낀 건지 흠칫 놀라며 고개를 든 설아가 유연을 따라 담갔던 손을 빼냈다.

'영루가 두 개나 있다니. 내가 지금 술에 넣은 거……?'

-훨씬 귀한 영루다.

'혹시, 큰일 나?'

-하나를 취하면 삿된 것을 보고, 두 개를 취하면 냄새를 맡기까지 한다. 세 개를 취하면 이매의 목소릴 듣게 되는데, 네 개째가 되면 결국 이매가 될 거다.

'뭐! 그럼 토하게 해야지! 벼, 병원에 가서 위세척이라도 해야 해? 어떻게 해?'

-그냥 두자. 욕심이 부른 화, 이매가 되어 소멸할 거다.

'죽게 두라고? 얘가 무서운 소릴 하네?'

그럼, 조금 전 그림 도깨비를 보며 놀란 게 영루를 먹었기 때문인가? 대체 누가 설아에게 영루를 먹여? 혹시, 최 회장이? 어려서부터 아무거나 주워 먹고, 모르는 사람이 주는 음식은 받아먹지 말라고 배우는 게 한국인 아니던가?

유연은 안절부절못하며 놋대야의 물로 손을 닦곤 벌떡 일어났다. 그러자 유연의 술을 지그시 내려다보던 상온 영감이 싱긋 웃는다.

"수고하셨습니다."

유연은 멋쩍게 웃으며 고개를 끄덕였다. 이어, 설아의 것도 살핀 영감이 물러서자 다가온 나인들이 술독을 들어 커다란 면포 위로 옮겼다.

'궐아, 어떻게 해야 하는지 빨리 말해. 지금이라도 병원에 가면 되는 거야?'

─주인아, 저 여인은 주인을 슬프게 했다. 나는 그래서 싫다.

'슬프게 한 건 사실인데, 항상 나쁜 애는 아니야. 지금은 상황이 안 좋아서 그래. 그러니까 잘못되게 놔두는 건 싫어. 내가 죄책감 들 것 같아. 목숨을 담보로 사람 갖고 노는 거, 나까지 해야겠니?'

─주인아, 너를 쓰다듬어 주고 싶다.

'너도 좀, 그런 오글거리는 소리 하지 마. 빨리 방법이나 말해 줘.'

─방법은 없다. 시간이 약이다. 더는 영루를 취하지 않도록 하는 수밖에 없다.

시간이라……

궁인들이 커다란 면포에 유연의 술을 먼저 걸러내기 시작한다. 이어 다른 면포 위에도 설아의 술을 쏟은 나인들이 옥으로 만든 막대로 면포 위를 부드럽게 휘저었다.

만약 영루가 녹지 않았다면, 설아의 면포에는 찌꺼기와 함께 영루가 나올 것이다. 그럼 자연스럽게 귀안의 진실이 밝혀지겠지. 머릿속에 비빈의 자격을 가진 여인만이 술을 빚을 수 있다던 건의 말이 떠올랐다. 지금껏 해 온 거짓말을 사과하고, 사정을 설명하면 건은 이해해 줄지도……

"날 왜 그렇게 봐?"

창백한 얼굴로 정면을 노려보고 있던 설아가 고개를 틀어 유연을 본다.

"너…… 아니다. 이따가 얘기해."

그 사이 술을 거른 나인들이 상온을 보며 고개를 젓는다. 다들 놀란 표정으로 두 여자를 번갈아 보았다.

"두 분 모두 영루를 녹이셨군요."

뭐라고? 상온의 말에 정신이 번쩍 들었다. 설마, 설아도 영루를 녹였다는 걸까?

"그것이 아니라면⋯⋯."

말끝을 흐린 상온 영감의 눈빛이 매섭게 벼려지고, 나인들이 다가와 두 사람의 뒤에 선다.

"예복을 돌려주신 뒤, 손을 한번 보여 주시겠습니까?"

상온은 유연을 똑바로 바라보고 서 있었다. 술에서 영루가 나오지 않았다는 것은, 누군가 그것을 녹이지 않고 숨겼다는 뜻이다.

설마, 나를 의심하고 있는 걸까?

유연은 당당히 손을 양옆으로 뻗었다. 그러자 뒤에 서 있던 나인들이 그녀의 장의를 벗긴다. 이어 설아의 장의까지 벗겨 둘둘 말아 상온의 앞에 가져간 나인이 그것을 더듬기 시작했다.

"상온 영감, 나왔습니다!"

마치, 예상했던 답을 들은 것처럼 상온은 담담히 고개를 끄덕였다.

"누구의 것입니까."

상온의 질문에 돌이 나온 장의를 펼친 나인이 유연을 매섭게 노려보며 입술을 비튼다.

"조유연 씨의 소맷단에서 녹이지 않은 영루가 나왔습니다."

"그럴 리 없습니다!"

말도 안 되는 소리에 헛웃음이 났다. 눈에 힘을 준 그녀가 쏘아붙이듯 대꾸하자, 조금 전 영루를 찾아낸 나인이 목청을 드높인다.

"감히, 언성을 높이지 마시게! 이것은 범죄입니다, 영감. 귀한 영루를……!"

범죄? 대체 누가……!

헛웃음을 터트린 유연이 걸음을 내디디려 할 때였다.

-쯧, 아둔한 인간의 말에 휘둘리지 말아라, 주인아. 망량 영감은 바보가 아니다.

코웃음 친 궐이 다정한 어투로 그녀를 말렸다.

유연은 제게 다가오는 상온 영감을 당당히 직시했다. 그러자 유연의 앞에 선 상온이 예를 갖추더니, 조심스레 그녀의 손목을 잡는다. 그러곤 손바닥을 하늘로 향하게 해 유심히 살폈다.

-영루를 녹인 손에는 망량의 인(印)이 새겨진다. 그것은 아무에게나 보이지 않는 것이지만, 망량 영감의 눈에는 보인다.

이어 상온 영감은 긴장한 설아의 손바닥도 확인한 뒤, 다정한 미소를 지으며 돌아섰다.

-그러니 망량 영감의 눈을 빌린 저 인간의 눈에도 보일 것이다. 누가 감히 나의 주인을 능멸하려 한 것인지도. 나, 궐은 그놈의 목을 물어뜯을 준비가 되어 있다.

주둥이가 긴 도자기 병에 조금 전 빚은 술이 담긴다.

상온은 조금 전 주조장에 있던 모든 이들을 내보낸 뒤, 직접 병에 술을 담았다. 이마에 흐른 땀을 손수건으로 꾹꾹 눌러 닦은 그가 굽은 허릴 펴곤 또 다른 병을 꺼냈다.

지금 담는 이것은 망량주가 되지 못한 가짜였다. 기껏해야 맛없는 탁주가 될 것이 뻔한 실패작. 그래도 상온은 술을 담아야 했다.

'정말로, 조유연 씨가 걸쳤던 장의 소매에서 나왔습니다! 영감, 설마 저를 의심하시는 겁니까? 제가 어찌 영감께 거짓을 고하겠습니까.'

강 나인은 30년 가까이 사온서에서 일했다. 손이 야무지고 주조에 대한 열정도 뛰어나, 거의 모든 일을 도맡았다 해도 과언이 아니었다. 그런 이가 거짓말을 했을 리는 없다. 혹여, 거짓말을 했다 한들 합당한 이유가 있었을 테지…….

'그것이 아니면 강 나인도 속았다는 것인데. 사온서 내에 간자가 있다……?'

상온은 착잡한 얼굴로 남은 술을 담은 뒤 병 앞에 두 사람의 이름표를 놓았다. 그러곤 두 개의 병을 나란히 보관고에 넣었다.

지금부터 보름간 이곳은 밀실이 될 것이다. 감시 카메라가 없는 비밀스러운 곳이니만큼, 사온서와 호위부 직원들이 번갈아 가며 24시간을 감시할 터. 하지만 상온은 조금 혼란스러웠다. 망량주에 관한 내용은 금기나 다름없기에, 주조에 참여할 수 있는 조건 또한 몹시도 까다롭다. 비밀을 아는 이가, 과연 그 여인에게 죄를 뒤집어씌우는 것으로 만족할는지. 아니라면 감히 귀한 술에 손을 대는 것은 아닐까?

상온은 깨끗하게 손을 닦은 뒤 백호가 그려진 족자 앞에 큰절을 올렸다.

"망량 영감, 소인이 조급하여 절차를 어겨 가며 주조를 열었습니다. 하여, 이런 번뇌를 겪나 봅니다."

게다가 어찌, 그 여인은 귀안을 가졌다고 거짓말했을꼬…….

마음이 복잡해진 상온은 겉에 둘렀던 두루마기를 벗어 내려놓은 뒤 주조장의 문을 열었다. 밝은 빛이 들이치는 사온서 전경이 한눈에 들어온다. 마당에서는 이미 고사가 시작되는 중이었고, 한쪽에서 상궁과 함께 두 여인이 서 있었다.

"상온, 이제야 나오시는구려."

상온은 가까이에서 들려온 상선의 목소리에 놀라 반가운 얼굴로 돌아섰다.

"상선, 언제 오셨습니까?"

"주조가 끝났다는 소식을 듣자마자 달려왔지요. 고사떡만큼 맛 좋은 것도 없고요."

"허허, 주상 전하께옵서 보내셨습니까."

"에잉, 눈치가 너무 빨라요. 사는 얘기도 좀 하고, 음식도 나누어 먹으며 은근히 묻는 것이 내 목적이었습니다."

상선의 너스레에 가라앉았던 기분이 사르르 풀어진다. 동갑내기 두 노인은 천천히 사온서를 벗어나 가까운 정원을 거닐었다.

"상선, 궐 안에 삿된 무리가 있습니다."

침울한 상온의 말에 상선이 껄껄 웃으며 고개를 끄덕인다.

"언제나 있었지요. 어디든, 어느 때든 궐이 조용했던 적 있습디까?"

"하오나, 내 사람이 나를 속인다고 생각하니 마음이 좋지 않습니다."

"흠, 무슨 일이 있으셨나 보군요."

"예. 아주 골치 아픈 일이 생겼습니다."

흐음, 하며 하늘을 올려다보던 상선이 담담히 질문을 이어 나갔다.

"전하께서는 어느 여인이 망량주를 빚었는지 궁금해하십니다. 한데, 상온의 말을 들어 보니 섣불리 대답해 주지 않으실 생각인지요?"

"그렇습니다. 아직은 장담하기 이릅니다. 그러니 전하께 보름의 시간을 달라 말씀 올려 주십시오.”

멀리 제례의 끝을 알리는 아쟁 소리가 길게 울린다. 두 내관은 향
원정 앞에 멈춰 섰다. 멀리 보이는 예화의 건물을 바라보는 상온의
눈빛이 한층 더 깊어진다.

“내, 세자 저하를 만나 뵈어야 할 듯싶습니다.”

이태는 자신의 작품들이 늘어선 수장고 입구에 초조한 마음으로
서 있었다.

‘하필 오늘……’

망량주조가 열릴 줄이야. 만약 망량주조가 열린다는 것을 조금만
더 빨리 알았다면 최설아에게 영루를 먹이지 않았을 것이다.

‘사방에 걸린 금줄 때문에, 죽을 것처럼 고통스러울 텐데……’

하지만 그런 상황에서도 최설아는 꿋꿋하게 망량주조를 끝마쳤
다. 대체 무엇 때문일까. 무엇이 최설아를 그토록 독하게 만드는 것
일까. 세자빈의 자리가 그토록 탐이 나서? 세자를 진심으로 사랑하
기라도 하는 것인가?

우스웠다. 결국, 세자는 조유연을 세자빈으로 간택할 것이다. 누
가 귀안을 가졌든 상관없겠지. 그토록 앓고 앓았던 첫사랑을 만나게
되었는데, 다른 여자에게 마음이 동할 리 없다.

이태는 두 사람의 마음이 더욱더 굳건해지기를, 끈적해지고 애틋
해지기를 바랐다. 서로를 오롯이 믿고 의지하며 인생의 전부라 여기
게 되었을 때. 그때, 조유연이 세자를 버리게 할 생각이었으니까.

세자는 조유연을 사랑하는 게 아니다. 첫사랑이라는 허울에 눈이 멀어 연민과 죄책감을 사랑이라 착각하는 것일 뿐. 물론 첫눈에 반해 그녀만을 기다려왔다는 설정은 제법 괜찮았다. 사랑에 무지한 사내의 기이한 집착도.

문제는 조유연이 어떤 결정을 내릴 것인가가 관건이었다. 과연 그녀는 아버지를 죽게 만든 세자를 용서할까? 결국 자신의 인생을 망쳐 놓은 장본인이 세자라는 것을 알게 되었을 때…… 조유연은 어떤 독한 말로 형님에게 상처를 줄까.

'그 성격에 절대 그냥 넘어가진 않을 것 같은데…….'

생각만으로도 짜릿했다. 뭐, 그래 봤자 두 사람의 애정 싸움 같은 소소한 해프닝으로 끝나겠지만. 아주 잠시만이라도 세자에게 피가 마르는 고통을 주고 싶었다.

13년 전, 이태는 아버지의 손을 잡고 대비의 눈을 피해 잠시 한국에 들어왔다. 어린 마음에 자신의 사촌이라는 세자가 궁금했다. 정말 사진처럼 근사할지, 목소리는 어떨지. 피가 섞인 가족이니 본능적으로 자신을 알아보진 않을는지.

악의는 없었던 것으로 기억한다. 그래서 궁금증을 이기지 못하고 학교로 찾아갔다. 대비가 살아 있는 한은 궐 근처도 갈 수 없었기에, 멀리서나마 형님의 얼굴을 보고 싶었다. 물론, 아버지에게는 알리지 않았다.

그날, 운명처럼 제 눈앞에서 벌어진 참사. 현신한 이매가 아스팔트 바닥에 큰 균열을 만드는 순간, 차량 두 대가 엄청난 소릴 내며 반파되었다.

이태는 승용차에서 튕겨 나온 두 중년 부부를 똑똑히 기억했다.

그리고 오열하며 두 사람을 끌어안은 또래의 여자아이도. 하지만 아직도 손톱 밑 거스러미처럼 신경 쓰이는 것이 있었다. 그것은 동시에 사고가 난 트럭 한 대. 그것도 기막힌 타이밍에 승용차와 부딪친 트럭 운전기사의 생사는 확인된 바 없다.

이태는 당시 사고수습을 위해 나온 RSA의 직원들과 이숙, 얼빠진 표정으로 파랗게 질려 있던 세자의 모습을 기억하고 있었다.

"내가 늦었나?"

회상에 잠겨 있던 이태는 정면에서 들려온 세자의 목소리에 뻣뻣한 고개를 들었다. 그 뒤로 식은땀을 뻘뻘 흘리는 최설아가 RSA 직원들과 함께 서 있다.

"아닙니다. 작품 생각을 하고 있었습니다."

"그래?"

세자에게서 독한 술 냄새가 풀풀 풍긴다.

"그런데 형님, 술을 많이 드신 것 아닙니까?"

"멀쩡해. 그래도 빨리 쉬고 싶으니, 신속하게 진행하지."

건이 고개를 까딱이자 뒤에 서 있던 최설아가 수장고 앞으로 다가선다. 그제야 한결 나아진 얼굴로, 이태를 보며 눈을 찡그리는 최설아. 이태는 생긋 웃으며 최설아의 곁에 섰다. 오늘 최설아는 자신의 그림 외에, 다른 것들에서 이매를 찾아낼 것이다.

두 번째 영루를 내어주는 조건을 최설아는 선뜻 받아들였다.

'하얀 백구렁이가 든 작품들을 찾아내요. 그럼 됩니다. 나머지 놈들은…… 나를 지키는 경호원 같은 놈들인데, 형님의 눈에 띄었다간 그마저도 다 소멸할 게 뻔해서.'

'나쁜 짓…… 하려는 건 아니죠?'

'형님을 상대로요? 내가 왕이 될 수 있을 거라고 생각합니까? 그저 오래전 잃어버린 아버지의 유품을 찾고 싶은 거예요. 그러니까 내가 그쪽을 도와주는 대신, 그쪽도 날 도와요. 조유연 씨는 내가 알아서 할 테니까, 건드리지 말고.'

아주 멍청하진 않은지, 최설아는 끝끝내 미심쩍은 얼굴을 하고 돌아갔다.

"그 안에 들어가면 소헌군의 작품들이 있지. 이매가 잠신한 그림을 모두 찾아내면, 그대로 봉인할 겁니다. 그럼 개인적인 최설아 씨의 시험은 끝나요. 삼간택 날까지 내가 그쪽을 시험하는 일은 없을 겁니다."

"저하, 개인적인 시험이었나요?"

"그래요. 문제 있습니까?"

"제가 저하를 도우면, 제 부탁도 한 번 들어주실 거예요?"

"그러죠."

세자의 답이 끝나기 무섭게, 두 명의 RSA 직원이 수장고 문을 열었다.

"제대로만 해낸다면."

이취 하나 없이 산뜻하기만 한 내부. 하지만 최설아는 이취를 맡은 듯 괴로운 표정으로 80점이 넘는 그림을 하나씩 살피기 시작한다. 이태는 세자와 함께 최설아의 뒷모습을 시선으로 좇았다.

"아까 그분은 친구분이십니까? 혼혈이신 듯하던데……."

나른하게 목덜미를 문지른 세자가 피식 웃으며 고개를 주억인다.

"그래, 친구일지도."

"형님의 친구라니, 같이 술잔을 나눌 수 있다는 것이 부럽습니다.

저도 언젠가는 꼭 형님과 술잔을 나눠 보고 싶고요."

"전시가 끝나면 그리해. 이왕이면 탁주는 빼고."

"예! '꼭'입니다?"

이태가 환하게 웃으며 보일 듯 말 듯 주먹을 말아 준다. 분명 그놈은 인간이 아니었다. 자신을 내려다보던 호박색 눈의 형형한 눈빛⋯⋯.

최설아가 그림을 고르는 동안 이태는 천천히 주위를 둘러보았다. 멀리 제례 음악이 들려오는 낯설고도 거대한 궐이 압사시킬 것처럼 숨을 막아 온다. 아버지가 계셨던, 핍박받고 목숨을 위협받았던 곳.

얼마 지나지 않아 비스듬히 앉아 눈을 감고 있던 건이 눈꺼풀을 들었다.

"끝났군."

이제 슬슬 다리가 아파지기 시작했다. 비서실 생활을 하며 서 있는 것에 이골이 난 그녀였지만, 오늘은 유난히 피로가 빨리 찾아왔다.

"조유연 씨를 동궁전으로 모시라는 지시입니다."

그렇게 말한 서 상궁이 유연의 손에 떡이 올라간 개다리소반을 건넨다. 얼결에 받아든 유연은 맛깔스러운 떡이 보기 좋게 담긴 그릇을 내려다보며 큰 눈을 깜빡였다.

"식사 전이실 텐데, 요기하고 계세요. 곧, 식사를 올릴 겁니다."

"아, 그럼 재간택은⋯⋯."

"곧 끝납니다. 재간택의 마지막은 저와 대화를 나누는 것인데, 더 물을 것이 없을 것 같군요."

아무것도 안 물으셨는데…….

유연은 멋쩍은 표정으로 멀리 사온서 주간을 응시했다. 저 안에서 자신에게 누명을 씌운 사람을 특정할 수는 없다.

손을 확인하고도 별다른 설명 없이 주조를 마치겠다는 상온의 말에 퀄이 난리를 떨었다. 당장에 현신하여 망량 영감에게 따져야겠다는 퀄을 말리느라 누명을 썼다는 분노도 잊어버렸다. 지금은 또 어딜 간 건지, 금방 오겠다는 말을 남기고 사라져 버린 퀄.

"궁인 중에는 특별한 힘을 가진 이들이 종종 있습니다. 상선께서도 힘을 갖고 계시며, 상온 영감은 물론이고 저 역시 아주 범인(凡人)은 아닙니다. 만약 힘이 없었다면, 이리 오랫동안 퀄을 지키지도 못했을 테고요."

서 상궁은 유연을 빤히 올려다보며 처음으로 지그시 미소 지었다. 주름이 얇게 진 눈이 부드럽게 휜다. 평소 자신을 매섭게만 쳐다보던 서 상궁의 변화에 유연은 가슴이 술렁거렸다.

"조유연 씨에겐 아무런 향취도 맡아지지 않습니다. 그것으로 이제 충분합니다. 물론, 계속 지켜보겠지만요."

묘한 말을 남긴 서 상궁이 동궁전 방향으로 몸을 돌렸다. 유연은 서 상궁의 나인들과 함께 말없이 그 뒤를 따랐다. 퀄이 얼마나 복잡한지 알기에, 더는 길을 잃고 싶지 않은 마음도 한몫했다.

"그럼, 저하의 분부대로 식사는 동궁전으로 올리겠습니다."

그녀를 자선당 앞까지 안내한 궁인들이 하나둘 돌아서고, 이어 어디선가 우혁이 뛰어왔다.

"오셨습니까?"

잔뜩 기가 빨린 듯한 표정의 우혁을 보며, 유연이 안타깝게 말했다.

"이 실장님이 또 시달리셨나 봐요. 괜찮으신 거 맞아요?"

"극한 직업이 따로 없죠. 어쨌든 바로 들어가시죠. 아! 그런데 문제가 조금 있습니다."

우혁은 그녀가 들고 있던 소반을 대신 받아들곤 보폭을 맞춰 걸었다.

"문제라뇨?"

"낮술이 과하셔서요. 방금 예화에서 일 마치고 오시긴 했는데, 좀 취하셨습니다."

"아…… 그럼, 저는 그냥 돌아갈까요? 쉬시는 편이 좋지 않을까 한데."

"어차피 일정은 다 미뤄 버린 탓에 주무시기라도 하면 다행인데, 저하는 취하시면 도통 잠들지 않으십니다. 대신 주사를 조금……."

이건의 주사라니. 유연은 얼굴이 새빨개져 있을 남자를 상상하며 피식 새어 나오려는 웃음을 참았다.

"혹시, 저하의 맨몸을 보신 적이 있으십니까?"

딸꾹, 웃음 사레에 걸린 것처럼 목구멍이 꿀렁인다. 귀 끝까지 빨갛게 붉힌 그녀가 입술을 깨물며 우혁을 올려다보았다.

"농담이시죠?"

"아, 그럼 곤란한데……."

"혹시, 벗으세요?"

"예? 아, 그게 아니라……. 괜찮을 겁니다. 저희 저하는 아무나 막 물고 그런 분은 아닌……."

물어? 우물쭈물하며 시선을 피하는 모습에 유연은 차마 침전문을 열지 못했다.

마치 면접이라도 앞에 둔 사람처럼 긴장한 그녀가 딸꾹질을 멈추려 숨을 참을 때였다. 드르륵 소리를 내며 열린 문 안쪽에서 건이 손을 불쑥 뻗었다. 우혁의 말과 달리 오전에 보았던 멀쩡한 옷차림의 건이 그녀의 손을 잡아당긴다.

"이우혁, 입 다물어."

안으로 끌려 들어가자마자 거칠게 문이 닫혔다. 은은한 빛이 포근하게 깔린 침실. 그녀는 세자에게서 짙은 술 냄새를 맡았다. 그것도 약재 냄새가 은은하게 밴 숨결이 목덜미 가까이 내려왔다.

벽에 짓눌려 고개를 치켜든 그녀를 몽롱한 눈빛으로 내려다보는 이건. 낯빛 하나 변하지 않았지만, 까만 눈동자 안에 든 취기가 그녀의 마음을 흔들었다.

나른한 표정으로 간질이듯 한숨을 내쉰 그가 불현듯 그녀의 손을 잡아 올리더니, 따끈한 손바닥에 입술을 눌렀다.

"아⋯⋯!"

물컹한 혀가 손바닥에 닿는다. 헛바람을 삼킨 그녀는 숨을 참으면서도 그의 얼굴에서 눈을 떼지 못했다.

엄지 아래 도톰한 살을 이로 깨물며 손가락 틈을 벌려 훑은 그가 긴 속눈썹이 드리운 눈을 치켜뜬다. 그러곤 탁하게 갈라진 목소리로 읊조렸다.

"술을 빚었다더니⋯⋯. 주향은커녕, 단내만 나는데?"

아까 이우혁 씨가 뭐라고 했더라? 우리 저하께서는 아무나 막 물고 그러시지 않는다고⋯⋯?

이, 사기꾼!

"저하?"

잡힌 손을 빼려 애타게 그를 부르자 새끼손가락을 깨문 채로 '응?' 하며 싱긋 웃는다. 이건의 비현실적인 외모와 나른한 미소 때문에 미칠 것만 같았다.

그녀의 손가락을 나른한 표정으로 잘근거리던 그가 하얗고 가느다란 목덜미로 타깃을 바꾸었다. 유연은 하얀 치열 사이로 보이는 새빨간 혀와 살짝 벌어지는 입술의 촉촉함. 제 목덜미에 얼굴을 파묻는 숨결을 차례로 느끼며 잡히지 않은 손으로 입을 막았다.

푹신하고 부드러운 입술이 맥박이 뛰는 자리를 지그시 누른다. 움찔 놀라는 그녀의 허릴 강하게 끌어안아 버린 그는 고개를 비틀어 더욱 깊게 파고들었다.

혹시 이곳저곳 닥치는 대로 깨무는 게 주사라면, 이우혁은 어떻게 그걸 알고 있을까? 아니, 아니. 지금은 그게 문제가 아닌가?

이를 세워 피부를 긁는 감각은 참기 힘든 오싹함과 고양감을 만들었다. 목덜미의 여린 살을 잘근대며 턱을 타고 올라온 입술이 귓불에 닿는다.

"왜 온몸이 다 달지?"

고막을 간질이는 나른한 속삭임에 새된 소리가 새어 나왔다.

"취하셔서 그래요……!"

"나, 정말 취해 보입니까?"

"취하셨잖아요."

"아, 조금 알딸딸하긴 해."

"그럼 차라리 침대로 가셔서……. 아니, 세수하세요."

"그럴까?"

긴 한숨을 내쉰 그가 가볍게 고개를 턴다. 그러더니 그녀의 몸을 번쩍 안아 들고는 취한 사람답지 않게 욕실 방향으로 성큼 걸음을 내디뎠다.

"꺅! 저, 걸을 수 있어요!"

"안 돼. 다리 아파서 울상이었던 거 다 봤거든."

유연은 발이 땅에서 떼어 졌다는 것에 기겁하며 본능적으로 그의 목덜미를 끌어안았다. 제 어깨에 턱을 괸 그에게서 듣기 좋은 웃음소리가 울린다. 가슴속을 간질거리게 만드는 소리였다.

술을 마신 건 이 남자인데, 어째서 제가 더 몽롱해지는 기분일까? 마치 늪 한가운데 선 것처럼 몸이 무겁고 나른하다. 그래서 그의 목덜미를 더욱 꽉 끌어안아 버리자, '좋아.'라며 탁하게 뇌까리는 음성 때문에 몸 어딘가가 뜨거워진다.

"저하는 이상해요……."

"그래서 싫어?"

유연은 세차게 고개를 저었다. 그러자 피식피식 웃은 그가 목덜미를 잘근거리며 욕실과 이어진 파우더룸으로 향했다.

두 개의 세면대가 설치된 기다란 대리석 상판 위에 그녀를 앉힌 건이 핸드타월을 꺼내더니 차가운 물에 적신다. 건은 그것을 얼떨떨한 표정의 그녀에게 쥐여 주며 말했다.

"닦아 줘. 술 깰 수 있게."

건은 그녀가 앉은 상판 모서리를 양손으로 움켜쥐고는 눈을 감았다.

"빨리."

어리광을 부리듯 재촉하는 말투에, 수건을 받아든 유연은 그의 얼굴을 꼼꼼하게 닦아 주기 시작했다.

"술 마시니까, 애 같아요. 덩치만 큰 애."

차가운 수건이 열이 오른 남자의 **뺨**을 식힌다. 기분이 좋은지 매끄러운 입꼬리가 보기 좋게 말려 올라갔다.

"애 아니고, 어른인데."

"어른은 뭐든 스스로 잘하거든요? 근데, 저하는 아니야."

그녀의 웃음소리가 잘게 부서진 사탕 가루처럼 반짝인다. 그러자 수건을 움켜쥔 그녀의 손등을 감싼 그가 감았던 눈꺼풀을 들었다. 창문을 열어 놓았을 리도 없는데, 파우더룸의 통로로 한 줄기 바람이 휘감고 지나갔다. 그녀의 머리카락이 살랑살랑 흔들리고 맛있는 냄새가 실려 왔다.

"오늘 나하고 있어 달라 하면, 거절할 거야?"

손등을 어루만지는 다정한 손길과 눈빛. 그리고 뜨거운 숨결.

"어떤 의미인지 모르겠어요⋯⋯."

"그거야 해석하기 나름이지. 네가 원하지 않는다면, 울리지는 않을 테니까."

살결을 어루만지듯 소름 끼치도록 야한 목소리에 얼굴을 붉힌 그녀가 입술을 질끈 깨문다.

"울리지 않으면⋯⋯?"

"비원에 갈 생각이야."

"비원이라면, 창덕궁이요?"

"응. 나하고 소풍 갈까?"

다 큰 남자와 소풍이라니. 긴장이 탁 풀리며 웃음이 나올 것처럼 입술이 간질거렸다. 어울리지 않는다고 해야 할까, 낯설다고 해야 할까. 아니면 너무 이건답다고 해야 할까.

"왜 웃지?"

그녀가 웃는 게 마음에 들지 않았던 건지, 이번엔 고개를 기울인 그가 하얗게 잇새에 말린 아랫입술을 핥았다.

"응? 왜 웃어."

허리를 끌어안은 건의 입술이 뺨이나 입술, 목덜미 같은 곳에 닿을 때마다 쪽, 쪽 소리가 난다. 귀를 막고 싶을 만큼 야하고 간지러운 소리였다.

"저하, 술 취하니까 귀여우신데요?"

"귀엽다고? 내가?"

유연은 고개를 끄덕이며 수건을 내려놓고 그의 목덜미에 팔을 둘렀다.

"응, 너무 귀여워."

그 말에 멍하니 그녀를 응시하던 그가 깊은 한숨을 쉬며 조붓한 어깨에 툭, 하고 이마를 댄다.

"키스하고 싶은데, 술 냄새 날까 봐 못 하겠어."

그는 목덜미를 찾아 얼굴을 묻어 파고들었다. 우아한 문살을 비집고 들어온 은은한 빛이 두 사람의 발치까지 늘어진다.

키스하고 싶다는 남자의 속삭임에 그녀가 떠올린 생각은 단 하나였다.

"그럼, 나한테서도 술 냄새 나면 할 거예요?"

유연은 그의 말랑한 귓불과 잘생긴 귓바퀴를 만지작거리며 뺨을 감쌌다. 그러자 불쑥 고개를 든 그가 그녀의 턱을 잡아 자신을 보게 하곤, 조금 전 깨물어 버린 입술을 엄지로 문질렀다.

단단한 눈빛에 결박된 것처럼 몸에 힘이 들어가지 않는다. 발끝에 간신히 매달려 있던 실내용 슬리퍼가 바닥으로 툭 떨어졌다.

"아마, 너한테서 술 냄새가 나면…… 이 입술을 다 씹어 버릴 텐데……. 그래도 괜찮다면."

천장에서 쏟아지는 밝은 빛의 중심에 검은 연기가 스멀스멀 피어올라 거대한 범의 형태를 만들었다. 윤기 나는 검은 털과 호박색의 빛나는 눈동자. 두툼하고 커다란 앞발을 구르자 동굴 같은 내부에 묵직한 진동이 일어난다.

-망량 영감!

궐은 위협적인 송곳니를 드러내며 망량 영감을 불렀다. 사위가 막힌 주조장 내부, 족자 속 백호의 눈에서 푸른 안광이 일어난다.

-영감은 너무 느려 터졌다!

길고 두툼한 꼬리로 바닥을 쾅쾅 두드리는 궐의 눈앞에 희뿌연 연기가 휘몰아친다. 이어 두 마리의 흑표범이 호기롭게 족자에서 튀어나와 연기 주위를 맴돈다.

카악 거리며 입을 벌린 놈들은 망량 영감이 부리는 이매였다. 제 발톱의 때만큼도 안 되는 놈들의 치기 어린 위협에, 열이 오른 궐의 콧잔등이 씰룩거린다. 이어 거칠고 소름 끼치는 범의 포효가 동굴 안을 쩌렁쩌렁 울렸다.

끼잉끼잉, 하앍!

귀를 접고 꼬리를 내린 흑표범들은 본능적으로 포식자를 알아보곤 하얀 연기 뒤로 몸을 숨겼다. 놈들이 꼬리를 숨기며 납작 엎드린 뒤에야 만족한 궐은 주위를 어슬렁거리며 괜스레 그릇을 엎고 바닥을 탁탁 때렸다.

-궐이 네놈은 하나도 변한 게 없구나.

궐은 소리의 방향으로 고개를 치켜들었다. 높은 재단 위, 흰 도포 자락을 펄럭이며 갓을 쓴 사내가 미려한 입매를 끌어올려 생긋 웃는다.

"300년 만이구나, 아니 더 되었나?"

나이를 가늠하기 힘든 외모. 유난히 붉은 입술과 긴 눈매를 가진 사내는 바로 魍魎(도깨비 망, 도깨비 량)이 아닌 忘量(잊을 망, 헤아릴 량)을 쓰는 주신(酒神) 망량이었다.

망량 영감이 손에 든 곰방대 끝을 입술에 대곤 앵화가 그려진 부채를 탁 편다.

"그래, 오랜만에 나타나선 왜 이리 요란법석을 떠는 게냐."

-300년이든, 400년이든! 영감은 왜 그러냐!

"내 무엇을 어찌하였다고 지랄인고?"

-어이, 영감. 내 주인을 모욕하고 능멸한 놈들을 왜 가만히 두는 거냐!

궐은 씩씩거리며 콧잔등을 씰룩거렸다. 그러자 담배 연기를 흘린 망량 영감이 성큼 재단을 내려왔다.

"오호라, 그랬구나. 그 여인이 네 주인이었구나. 어쩐지…… 묘한 향기를 솔솔 풍기더라니."

망량 영감이 두 눈을 가늘게 뜨더니 허공에 둥둥 떠 다리를 꼬아 앉았다. 한껏 여유로운 품새에 궐은 마음이 급해졌다.

-누구인지 말해 줘라. 놈을 찾아 숨통을 끊어 버릴 것이다.

이를 드러낸 궐이 영감의 주위를 어슬렁거리며 돌았다. 궐이 움직일 때마다 영감의 흑표범들이 움찔거리며 몸을 피한다. 그에 영감은 혀를 차며 놈들을 돌려보냈다.

"궐이 네놈은 성질부터 죽여. 인간의 일이다. 우린 경계 너머의 일을 관장하지. 어떠한 선택을 하든 인간의 일일 뿐. 궐이, 너는 네 의무만 다하면 된다."

-이게 내 의무다. 나는 주인을 지킨다.

"아아, 맞아. 그래……. 네 녀석은 집 지키는 개, 아니. 고양이였나?"

-궐이다!

"하하하, 오냐. 그러고 보니 네 힘이 온전하게 느껴질 정도면, 이번 주인은 보통의 귀안을 가진 것이 아니겠구나."

그제야 흥미가 돋는 것인지 땅으로 내려선 망량 영감의 질문에 궐의 어깨가 으쓱 올라갔다.

-내 주인은 강하다. 아주 귀한 눈을 가졌다. 게다가 선하고 어여쁘다. 그러니 인간들의 아둔한 수에 휘둘려서는 안 된다.

망량 영감은 묘한 표정으로 고개를 끄덕이더니 살랑살랑 부채질하며 걸음을 옮겼다.

망량 영감이 멈춰 선 곳은 두 병의 망량주가 담긴 보관고 앞. 두 사람이 담근 망량주를 지그시 응시하는 망량 영감의 눈동자에 푸른 빛이 어린다.

"인간의 몸에 아주 재미난 짓을 했구나."

영감이 지목한 건 최설아가 만든 술이었다.

-나도 안다. 영루를 두 개나 삼킨 여인이다. 이유는 모른다.

"혹, 그 여인이 이매가 된다면 내가 데려다가 부려야겠군."

-내 주인은 그 여인이 이매가 되는 걸 싫어한다. 그 여인을 지키고 싶어 한다.

"궐아, 검은 뱀이다. 검은 뱀이 이 여인의 몸속에 있구나."

피식 웃으며 상체를 세운 영감이 곰방대를 털더니 허리에 맨 붉은 끈 안으로 쓱 끼워 넣는다.

-영감, 알려 주어라. 나는 알아야겠다. 검은 속을 가진 놈들이 누구인지. 그들이 뱀을 돕고 있다.

"내 놈들이 누구인지 알려 주면 네 주인의 힘을 내게도 빌려주련?"

-영감!

순간 궐은 힘을 분출했다. 번뜩이는 스파크가 일어나 영감의 구름과 부딪쳐 요란한 굉음을 낸다. 등골이 서늘해질 정도로 강한 힘이었다. 간발의 차로 궐의 공격을 피한 망량 영감이 쯧쯧 혀를 찼다.

"놈이다, 놈! 뻗치는 저 힘을 어찌할꼬?"

하지만 궐은 시퍼런 송곳니를 드러내며 적의를 숨기지 않았다.

-영감은 말실수한 거다.

"오냐, 미안하다! 장유유서도 모르는 놈 같으니."

-내 주인의 힘을 탐하지 마라. 영감이라 해도 용서하지 않는다. 알려 주지 않을 거면 가겠다. 조만간 영감의 족자를 솥 받침으로 쓸 것이다.

미련이 남은 투로 경고한 궐이 홱 하고 돌아서더니 서서히 연기로 변해 간다. 그 모습을 보던 영감이 말을 흘렸다.

"궐아, 그거 아느냐?"

미간을 찌푸리며 돌아보자, 다정하게 미소 지은 망량 영감이 부채를 착 펴더니 허공으로 둥실 떠올랐다.

"인간의 평균 수명이 늘어났다. 그만큼 너를 오래 볼 수 있어 아주 좋구나. 그리고…… 어쩌면, 이번에야말로 우리의 업이 끝날지도 모르겠다. 예감이 좋구나."

유연은 졸린 눈을 비비며 단 술을 꼴깍 삼켰다. 눈앞에 차려진 건 진수성찬이요, 손이 가는 건 술이었다.

한 시간 전, 건은 사람을 시켜 침실에 딸린 누마루로 상을 들였다. 사실 술을 더 마실 엄두는 나지 않았다. 지금도 간신히 정신을 붙들고 있을 뿐. 저 손을 잡아채 침대에 몸을 묻고 싶다. 하지만 그 마음을 아는지 모르는지, 유연은 도자기로 된 술병을 흔들어 양을 가늠하곤 빈 잔을 가득 채웠다.

"오늘 설아만 예화로 데려간 이유가 뭐예요?"

술이 오르기 시작했는지 그녀의 발음이 살짝 꼬였다.

"최설아는 시험을 치러야 했거든."

"어떤 시험이었는데요?"

"왜, 궁금해?"

"난 부르지도 않고, 설아만 불렀잖아요. 그러니까 당연히 궁금하죠."

새치름하게 대꾸한 그녀가 두 눈을 치켜뜬다. 혹시 질투라도 한 걸까? 건은 입가를 문지르곤 그녀의 밥 위에 육전을 올려 주었다.

"적어도 보고 싶어서 부른 건 아니니까, 걱정하지 마."

"하아…… 낮술은 위험한데."

"술 마시자고 한 건 너야. 난 이미 한계라고."

"그래도…… 사실 저 오늘 술 마시고 싶었어요."

알아, 무슨 일이 있었는지. 누가 널 힘들게 한 것인지도. 건은 작게 한숨을 내쉬었다.

아직 해가 지려면 멀었다. 오후 다섯 시쯤 되었을까? 아까부터 휴대 전화가 계속해서 울려 댔지만, 유연은 완전히 무음으로 만들어 버리곤 모든 연락을 무시했다.

'돌아 버리겠군.'

건은 자신을 취하게 만든 검은 고양이에게 소리 없는 저주를 퍼부었다. 단순한 놈을 살살 달래서 원하는 답을 얻고자 했건만, 되레 취해 버린 건 자신이다. 그런 상태로 예화에 들러 이태와 최설아를 상대했다.

최설아가 고른 작품들은 두 점. 잠신한 이매를 봉인할 때 풍기는 특유의 이취를 증거로 최설아의 능력이 증명되었다. 하지만 귀안을 가진 것이 아니다. 분명, 다른 무언가가 있다. 그러한 생각에 머리가 깨질 듯한 두통을 느끼면서도, 곧장 동궁으로 가 유연을 만나고 싶었다. 보들보들한 온몸을 깨물고 입 맞춘 뒤 파묻혀 잠들면, 천국이 따로 없겠지.

'짐승은 나인가?'

찡그리듯 웃으며 술잔을 내려놓은 그는 마주 앉은 그녀의 얼굴을 빤히 응시하다가, 답답한 셔츠 단추를 하나씩 풀었다. 술 때문이다. 술 때문에 몸이 뜨겁고 열이 오르는 것이다. 와중에도 유연은 뭐가 그리 할 말이 많은지 재잘거림을 멈추지 않았다.

작은 새의 지저귐 같은 목소리를 계속해 듣고 있던 그가 불쑥 몸을 일으켰다. 고개를 든 그녀가 입을 꾹 다물더니 커다란 눈을 깜박인다. 더는 참아줄 수도, 참을 수도, 버틸 수도 없다. 더는.

동그랗게 뜬 눈, 살짝 벌어진 입술. 해갈되지 않는 미칠 듯한 갈증을 느끼며, 그는 손을 내밀었다.

"조유연…… 나랑 잘까."

아무리 취했다 한들, 청각에 문제가 있는 건 아닌 터라 유연은 건이 한 말을 똑같이 되물었다.

"자자고요……?"

상체를 숙인 그가 단호하게 고개를 끄덕이곤 그녀의 팔을 잡았다.

"응, 나하고 자자."

그가 힘을 더하자 그녀의 몸이 살짝 일으켜졌다. 술잔을 내려놓고 몸을 일으키자 생긋 웃은 그가 그녀의 손등에 입술을 누른다. 존중의 의미가 담긴 키스였다.

손을 놓아준 건은 침실과 연결된 미닫이문을 열었다. 고작 문이 열렸을 뿐이건만, 방 곳곳에 배어 있던 그의 향기가 부드럽게 밀려든다. 건은 그 앞에 서서 그녀를 기다렸다. 빨갛게 달아오른 뺨을 손등으로 누르며 머뭇거리는 그녀를 가만히 응시하다가, 먼저 문 너머로 걸음을 내디디는 그.

"내가 너무 뻔뻔해?"

고작해야 몇 걸음. 하지만 이 선을 넘으면 관계의 형태가 바뀌고 말 것이다. 모호했던 색이 선명해지고, 어쩌면 돌아설 수 없는 관계가 될지도.

그녀는 궁금했다. 이 남자에게 13년 전의 제가 어떤 모습이었기에, 어떤 얼굴로 웃었기에, 아니면 찡그렸기에……. 대체, 어떠한 감정의 결을 간직하고 있는 것이기에 이토록 맹목적인 구애를 펼칠 수 있는지.

말 없는 그녀를 가만히 보던 그가 짧은 한숨을 내쉬더니, 흐트러진 머리카락을 쓸어 넘겼다.

"미안하지만, 뻔뻔해 보여도 어쩔 수 없어. 탐나는 걸 취하기 위해선 어떤 부끄러운 짓도 마다하지 않을 생각이라."

정정한다. 남자는 술에 취하지 않았다. 내리깔린 그의 눈빛은 사냥을 나서기 직전의 맹수 같은 선득함을 담고 있었다.

유연은 만지작거리던 손끝에 힘을 풀고 한 걸음씩 걸음을 내디뎠다. 그녀가 걸음을 내디딜 때마다 그의 눈빛이 집요하게 따라붙는다.

어느덧 그녀는 문지방 앞에 서서 그와 마주 보았다. 매끄러운 턱선을 타고 오른 눈동자에 긴 속눈썹에 갇힌 흑암 같은 눈빛이 그녀를 향해 파고든다.

"한 걸음이야."

"알아요."

"네게서도 술 냄새가 나는데……."

"그럼, 이제 키스해도 되나요?"

피식 웃은 그가 그녀의 턱을 감싸 살짝 들게 했다. 그의 손가락을 간질이듯 사르륵 넘어간 머리카락. 한 손에 가득 차는 그녀의 뺨을 어루만지며 목덜미 방향으로 쓸어내린 그가 눈을 감으며 상체를 숙인다.

"진짠데."

나른함이 묻은 남자의 속삭임에 그녀의 피부에 아스스, 소름이 돈다.

"뭐가요……?"

"네 입술, 씹어 버리겠다고 한 거."

그의 손끝이 목깃 안으로 들어와 살갗을 스칠 때, 그녀는 어깨를 움츠렸다. 단단한 손톱이 피부를 긁적이다, 목덜미를 강하게 포박했다. 삽시간에 포개진 숨. 말랑거리는 입술과 옅은 술 냄새가 미약처럼 전신으로 번진다.

그의 몸에 착 달라붙게 된 유연은 깊숙하게 파고드는 말캉함에 까치발을 들어야 했다. 발끝부터 머리 꼭대기까지 순식간에 솟아오른 소름. 숨 쉬는 법을 잊은 사람처럼 가쁘게 호흡하던 그녀의 몸이 번쩍 들리는가 싶더니, 푹신한 침대 시트가 등에 닿는다.

손목을 잡아 눌러 무릎 사이에 가두고, 애태우듯 키스해 오는 그로 인해 몸이 뜨거워졌다. 입술에 한 번, 뺨에 한 번, 콧볼을 깨물고 눈꺼풀에 입술을 누른 그가 탄식하듯 읊조린다.

"이러다 죽겠군……."

손목을 잡았던 손을 풀어 준 그가, 갑작스럽게 그녀의 눈을 가린다. 커다란 손이 만들어낸 어둠.

"자, 잠시만요. 손 좀……."

"싫어."

단호하게 거절한 그가 그녀의 목덜미를 덥석 베어 문다. 그녀는 손가락 발가락을 파르르 떨었다.

"네 머리카락 한 올, 표정 하나 놓치고 싶지 않은데……. 내가 지난밤을 꼬박 지새웠거든."

새끼손톱만 한 그녀의 블라우스 단추가 톡톡 풀어졌다. 피부가 얼마나 약한지, 일자로 쭉 뻗은 빗장뼈를 훑고 이를 박아 넣자 금방 자국이 생겨났다.

"그래서 실은 기절하기 일보 직전이야."

"가, 간지러워요."

"응."

그녀는 고개를 도리질하며 손을 떼어 내려 했지만, 블라우스 단추가 모두 풀릴 때까지 어둠에 갇혀 있었다.

부드러운 피부를 마음껏 핥고 깨물었던 건은 심장이 뛰는 왼쪽 가슴에 입술을 누른 채 한참 동안이나 침묵했다. 그러더니 그녀의 눈을 가렸던 손을 떼어 내곤, 불시에 다시 입술을 포개왔다.

유연은 달뜬 숨을 몰아쉬며 그의 품에 안겼다. 허리를 둘러 안은 강한 힘에 옴쭉할 수 없다.

"그러니까 나랑 자자."

입술을 붙인 채 속삭인 그가 피식 웃었다.

"이렇게 꽉 끌어안고, 내일 오전까지."

떨리는 눈꺼풀을 든 그녀가 입술을 달싹이며 말했다.

"가능해요?"

몸 전체에 들어찬 힘과 열, 팽팽하게 솟구치는 욕망 같은 것들이 고스란히 느껴진다. 그녀의 얄궂은 질문에 건의 한숨이 짙어졌다.

"네가 하기 달렸지."

"난 아무 짓도 안 했어요."

"알아. 그러니 오늘도 아무 짓 하지 마. 혹시라도 필름이 끊어질지도 모른다고 생각하면, 끔찍하거든."

얼굴을 붉힌 유연은 슬쩍 몸을 떼어 냈다. 그러자 순순히 그녀를 놓아준 그의 눈가를 가리듯 머리카락이 쏟아졌다. 그 무방비한 얼굴을 가만히 보던 그녀가 머리카락을 쓸어 넘겨 주며 물었다.

"내가 싫다면요……?"

순간 그의 눈동자에 불같은 열망이 피어올랐다.

"그만해. 쥐어뜯고 싶은 걸 참고 있는 거니까."

탁하게 갈라진 음성에 유연은 피식 웃으며 시선을 내리깔았다.

"알겠어요. 그런데 오늘 제가 만든 술이요. 그게 망량주라고 했잖아요."

그의 눈시울이 살짝 떨린다. 하지만 지그시 미소 지은 건 고개를 끄덕였다.

"응."

"이매에게 당한 고통을 지운다고도 하셨고요……."

"응."

"그럼, 혹시 이매 때문에 그날 사고가 난 걸까요?"

서로를 마주 보며 누운 두 사람은 잠시 아무 말도 하지 않았다. 그녀는 그의 머리카락을, 그는 그녀의 살결을 어루만지며 서로의 생각에 잠겨 들었다.

"네 어머니 일은 내가 직접 알아보는 중이야. 어째서 잠들어 계신지, 보호자가 왜 최우식인지. 회복할 수 있는 방도는 없는지……."

유연은 놀란 마음에 마른침을 삼키며 천천히 손가락을 말아 쥐었다. 해가 저무는지 침대 끝에 걸쳐져 있던 빛이 서서히 물러난다.

"저한테 왜 그렇게까지 하세요……."

"네 어머니이기 이전에, 나의 백성이니까. 그리고 어쩌면……."

어쩌면?

그녀는 이어질 말을 기다렸지만, 그는 입을 닫아 버렸다. 그러더니 천장을 향해 돌아누우며 헛헛한 웃음을 흘린다.

"미쳤군……."

이해하기 힘든 그의 혼잣말. 건은 양손으로 마른세수하며 한숨을 내쉬었다.

흐트러진 블라우스 단추를 몇 개 잠가 움켜쥔 그녀가 상체를 일으켰다. 그러곤 침대 아래로 발을 내리자, 벌떡 일어난 그가 그녀의 뒤로 붙어온다. 팔을 벌려 꽉 끌어안고, 당황한 소릴 냈다.

"어디 가려고."

그저 세수를 하고 싶었을 뿐이다. 그런데 혹시, 제가 돌아가기라도 할 줄 알았던 걸까?

"욕실 좀 쓰려고요. 저, 어디 안 가요."

"욕실?"

"세수만 할 거예요."

"아."

그는 나직한 욕지거릴 내뱉으며 그녀를 놓아주었다. 유연은 고개를 돌려 그의 뺨에 입 맞췄다. 가까이에서 마주한 그의 눈빛이 검은 물결처럼 흔들린다.

"저도 말 못 하는 일이 있는 것처럼, 저도 그런 게 있다고 생각해요. 그러니까…… 기다릴 수 있어요."

멍하니 그녀를 내려다보던 그는 주먹을 몇 번 쥐락펴락하더니 침대 위로 다시 풀썩 누웠다.

"놈이랑 술을 마시는 게 아니었어. 빌어먹을."

놈이 누군지 몰라도, 그녀는 차라리 속이 후련했다. 저만 비밀을 가진 것이 아니었다. 아직 해야 할 대화가 많다는 것은, 그만큼 쉽게 정리될 관계가 아니라는 뜻.

그간 이토록 무방비하게. 또는 마음 놓고 누군가에게 기대어 본 적이 있던가? 술에서 깨어나면 어디까지 기억할지 장담할 수는 없지만, 지금 기분으로는 조금도 취한 것 같지 않았다. 하지만 바닥에 발을 디디는 순간, 눈앞이 핑 돈다. 눈을 떴을 땐 욕실이었고, 차가운 물에 얼굴이 젖어 있었다. 그리고 다시 눈을 감았다가 떴을 때는 자신을 꽉 끌어안고 잠든 남자의 얼굴이 보였다.

또 얼마나 흘렀을까. 새벽녘의 찬바람에 눈이 뜨였다. 등 뒤로 그의 숨결이 느껴진다. 복부를 꼭 끌어안은 손과 밀착한 몸. 창호지 너머 은은하게 비쳐드는 달빛에 유연은 다시 눈을 감았다.

취하지 않은 줄 알았는데…… 취하지 않을 수 없었다.

밝아.

목이 탈 듯이 마르고 머리가 아팠다. 게다가 손발이 퉁퉁 부은 느낌이 든다. 속은 괜찮았지만, 조금만 움직여도 머리가 울려 죽을 것 같았다.

탁탁탁.

익숙하면서도 낯선 소리가 그녀를 현실로 끌어내렸다.

탁탁탁탁.

이번엔 더 빠른 속도로 들려온 바닥을 때리는 소리. 무거운 눈꺼풀을 힘겹게 뜨자, 그녀의 뺨에 부들부들한 털이 스친다. 궐이다.

'궐아.'

거대한 호랑이의 모습을 한 궐이 그녀의 옆에 엎드려 두툼한 꼬리로 시트 위를 탁탁탁 때렸다.

-주인.

뚱한 말투로 대답한 궐이 배시시 웃는 그녀의 뺨을 핥기 시작했다. 유연은 잠결에 궐을 끌어안으려 팔을 뻗었다. 하지만 제 뒤에 딱 붙어서 잠든 남자를 떠올린 순간, 머리털이 쭈뼛 서는 기분을 느꼈다. 건의 숨소리가 목덜미쯤에서 들려온다. 여전히 배와 가슴팍을 꽉 끌어안아 몸을 붙인 채 잠들어 있는 그였다.

마른침을 삼킨 유연은 제 앞에 있는 궐과 목덜미에 입술을 댄 건을 번갈아 떠올리며 샌드위치처럼 끼어 버린 제 모습을 상상했다.

'궈, 궐아. 너…… 잠깐만 돌아가 줄래?'

-싫다. 주인 데리러 왔다.

'그러니까, 잠깐만. 응?'

-……주인 얼굴이 빨갛다. 술 냄새 난다. 귀멸자랑 같은 냄새다.

마음에 들지 않는 거다.

점점 꼬랑지로 바닥을 때리는 소리와 박자가 빨라지고 있었다. 건은 보통의 사람이 아니었고, 아직 제가 귀안을 가졌다는 것을 확신하진 못했다. 그런 그가 지금 눈을 떴을 때, 혹시라도 궐을 보게 된다면…….

찬물을 뒤집어쓴 것처럼 정신이 번쩍 들었다.

'궐, 너 빨리 가!'

-주인 데려갈 거다. 아직 귀멸자는 주인의 부(夫)가 아니다. 그러니 이건 옳지 않다, 주인아.

'있잖아. 궐아, 네가 300년 만이라 잘 모르나 본데…… 일단, 아무

일도 없었고 나는 성인이니까 뭘 하든 내 의지대로 할 수 있어. 그러니까…… 아, 빨리 좀!'

울상이 된 그녀의 애원조에도 궐은 앞 발가락을 쫙 펴고는 혀로 핥으며 딴청을 부렸다. 유연은 그나마 움직여지는 발로 궐의 보들보들한 배를 꾹꾹 찔렀다.

'너 이러다가 들키면, 내가 곤란하다고! 응? 궐아아.'

그녀를 꼭 끌어안은 채 잠든 건의 얼굴을 무시무시한 눈빛으로 훑은 궐은 불쑥 앞발로 건의 팔을 툭 건드렸다.

―귀멸자야, 일어나라. 네가 팔을 풀어주어야, 내 주인을 데려갈 것 아니냐.

애가, 애가! 미쳤네, 미쳤어.

'야! 너, 저하 깨우지 마. 진짜 깨우지 마. 너 들키기만 해 봐?'

그녀의 타박에 흥, 하고 코웃음 친 궐이 반듯하게 앉아 고개를 돌릴 때였다.

"으음…… 일어났습니까?"

조금 전까지만 해도 잠들어 있던 건이 눈을 뜨더니 그녀의 하얀 어깨에 입술을 눌렀다. 이어 키스하려는 그. 흠칫 놀란 그녀가 어색하게 웃으며 입을 막고 고개를 저었다.

"아침엔 참아 주실래요?"

"아침이 제일 힘든데."

그 나른한 말에 정말로 울고 싶어졌다.

"저하. 저, 씻고 싶어요……."

궐은 침대에서 풀쩍 뛰어 내려가서는 곳곳의 냄새를 맡더니, 건의 초상화 아래 풀썩 주저앉았다. 그러곤 시큰둥한 얼굴로 침대를 노려보며 엎드렸다.

"내가 씻겨 줄게. 다친 손으로 무리하지 마."

"아뇨!"

몸이 자유로워지자마자 그녀는 벌떡 일어났다. 그러자 눈살을 찌푸린 그가 헝클어진 머리카락을 쓸어 넘겼다.

"방수 테이프 붙여 놔서 괜찮아요. 그러니까…… 제가 직접 씻을게요."

유연은 애써 씩씩하게 웃으며 침대 아래로 내려섰다. 여전히 두통 때문에 머리가 지끈거렸지만, 당당히 배를 깔고 누운 궐이 때문에 정신이 하나도 없었다.

"그래, 그럼."

그가 포기한 순간, 유연은 욕실로 부리나케 뛰어 들어가 문을 닫았다. 정말로 샤워를 하는 건지 물만 틀어 놓은 건지 몰라도 바닥을 때리는 물소리가 침실까지 번져 온다.

한쪽 무릎을 세워 팔을 걸친 건은 자신의 초상화 앞에 배를 깔고 누워 있는 궐을 보며 싸늘하게 코웃음 쳤다.

"설마, 밤새 여기 있었나?"

-귀멸자야, 번식 행위는 혼례를 치른 다음에 해도 늦지 않…….

"어이!"

다급히 외친 건은 혹시라도 소리가 들렸을까 급히 욕실을 돌아보았다. 하지만 다행히 유연에게선 별다른 반응이 없었다. 안도의 숨을 내쉰 건이 자신의 목덜미를 툭툭 두드리며, 얼굴에서 미소를 지웠다.

"약조의 인장을 새겼다는 걸 잊지 마. 조심하란 말이다, 고양아.

그리고…… 핥지 마. 한 번만 더 네 주인을 핥다가 걸리면, 그땐 이 판사판이야. 알았나?"

❀

뒤통수가 뜨겁다. 이른 새벽에 일어난 덕분에 출근 시간 한참 전에 집에 도착할 수 있었다. 얼마나 정신이 없었으면 오늘이 평일인 것도 잊고 술을 마신 걸까?

유연은 슬그머니 비밀번호 패드를 가렸다. 그러자 뒤로 딱 붙어선 건이 웃음을 꾹 참으며 그녀의 어깨에 턱을 괸다.

"안 바꿨네, 비밀번호."

"딱히 생각나는 게 없단 말이에요."

"흠, 나만 아는 거 맞습니까?"

어, 음…… 실은 민주도 알고 있었지만, 남자는 아니니까 뭐.

어색하게 웃어 버린 그녀는 자신을 바래다주러 온 그를 돌아보며 입술을 깨물었다.

"저, 이제 출근해야 해요. 바래다주셔서 감사해요."

"나 안 들여보내려고?"

"어, 음…… 그게 들어가자마자 샤워할 거라."

"그러게 내 침실에서 샤워하고 가라니까."

"그건 좀……."

여벌 옷이 없기도 했지만, 차에 오르기 전 권은 먼저 집에 가 있겠다는 말만 남긴 채 사라졌다. 그러니 이 문을 열면, 검은 호랑이 한 마리가 불쑥 튀어나올지도 모르는 일. 어쩌면 어제 아침에 보았던 키 큰 남자가 창가에 서 있을 수도 있었다.

"하긴, 궐에는 보는 눈이 너무 많지. 나도 알아."

모자를 눌러쓴 그가 유연을 돌려세우더니 피식 웃으며 그녀의 머리카락을 귓바퀴에 걸어 넘겨 주었다. 귀 뒤를 손톱으로 긁듯이 쓸어내리는 야릇한 손길에 그녀의 입술이 잇새에 말려든다. 참으로 간지러웠다.

"나는 어제 일, 하나도 빠짐없이 기억해. 그러니까 너도 잊지 마. 내가 어제 네게 먹인 건 망량주가 아니거든."

"과장님, 손은 왜 다치셨어요?"

"과장님, 어제 달리셨나 봐요."

"조 과장, 회장님 호출. 아, 그 전에 최 전무님도 뵙고 와요."

오늘따라 유난히 잦게 이름이 불렸다. 유연은 쓰린 명치를 문지르며 걸음을 재촉했다. 아침부터 너무 바쁘게 움직이느라 해장은커녕, 물 한잔도 마시지 못한 상태였다. 그뿐인가? 정말로 궐이 사내의 모습으로 변했다. 토끼도, 고양이도, 하물며 개도 아닌 사람으로.

'하, 뭐가 뭔지⋯⋯.'

유연은 침대 위에 앉아 호랑이 꼬리를 털럭거리던 남자를 떠올리며 이마를 짚었다. 동글동글한 호랑이 귀에 호랑이 꼬리를 단 남자라니. 사람도, 호랑이도 아닌 그 모습은 정말이지 위험했다.

유연은 이왕이면 호랑이의 모습으로 있어 달라고 부탁한 뒤, 소파 위에 늘어진 궐을 뒤로하고 집을 나섰다.

'아직도 술이 덜 깬 기분이야.'

그녀가 깊게 한숨 쉬며 자료를 챙겨 일어설 때였다.

"근데 손은 정말 왜 다치신 거예요? 상처가 깊어 보이는데요?"

주말 동안 어떤 심경의 변화를 겪은 건지, 길었던 머리를 단발로 똑 자른 윤 대리가 다가와 물었다.

"가윗날에 좀 베였어요."

"어머, 정말요? 괜찮으신 거예요?"

"치료받았어요, 괜찮아요. 그런데 머리는 왜 잘랐어요? 긴 머리 아깝다."

"헤어졌거든요. 아니, 헤어져서 자른 건 아니고 기분전환 하려고 잘라 봤어요. 이상해요?"

"아니, 완전 잘 어울려요."

소연은 씩씩하게 웃으며 엄지를 치켜든 유연의 팔짱을 꼈다. 회사 공기를 맡으니 이제 좀 현실로 돌아온 기분이 든다. 앨리스의 이상한 나라에서 막 빠져나오면, 이런 느낌이 들려나? 밤새도록 끌어안고 잠들었던 남자의 품이나 향기. 속삭임 같은 것들이 비현실처럼 느껴진다.

"저도 위에 올라가야 해요. 같이 가요."

유연은 윤 대리와 함께 승강기를 기다리며 오늘도 주머니에 챙겨 넣은 사직서를 꽉 움켜쥐었다. 그러면서도 머릿속으로는 며칠 앞으로 다가온 민주의 결혼식 날짜와 임원들의 주요 해외 출장 일정. 그리고 창립기념일 행사의 준비 일정 같은 것을 머릿속에 나열했다.

'그만. 아, 한심해.'

이것도 오지랖이지. 그만하자, 조유연. 정신 차려.

이르게 눈을 떠서인지, 하루가 길 것 같은 예감이 들었다. 어쩌면, 정말로 평소보다 시간이 더 느리게 흐르는 걸지도.

"설아가 이상해. 아는 거 없어?"

준일의 책상에 내려놓은 건 울산 공장에 방문해 노조원들 앞에서 읊게 될 일종의 스피치 원고였다. 물론 그 내용은 긍정적인 연설이 아닌 노조의 요구에 중립으로 답하기 위해 치밀하게 만들어진 회피문이다.

단어 하나, 쉼표 하나까지 계산된 문장들을 무심하게 훑은 준일이 재차 질문을 이어 나간다.

"아는 거 없냐고."

"모릅니다."

다른 생각에 빠져 있던 유연은 습관처럼 부정의 답을 했다. 그러자 한숨을 쉰 준일이 두 눈을 지그시 감았다가 뜬다.

요즘 들어 점점 준일을 의식하지 못하는 날들이 늘어간다. 의도하지 않았음에도 최준일을 생각하지 않았고 자연스럽게 멀어졌다. 그러다 보니 준일이 옆에 있어도 알아보지 못하거나, 모르고 스쳐 가는 일까지 생겨났다. 비서직까지 내려놓아서일까? 유연은 그런 변화가 나쁘지 않았다.

"유연아, 지난번 설아가 한 일은 내가 대신 사과할게. 그러니까 다시 집으로 들어와. 짐, 아직 다 안 뺐잖아. 그거 다시 돌아올 여지 남겨 놓은 거 아닌가?"

이건 또 무슨 헛소리야? 황당한 표정의 그녀가 가볍게 주먹을 말아 쥐며 대꾸했다.

"여지를 남겨 둔 게 아니라, 제 차가 너무 작아서 한 번에 못 옮긴 겁니다. 그리고 설아가 이상해지는 것 같으면 좀 더 신경 써서 지켜보세요. 저는 남이잖아요. 저한테 말하셔 봤자, 제가 할 수 있는 건 없습니다."

"그래도 넌 이상한 능……."

이상한 능력이라고 말하려 했던 건지, 준일이 어금니를 꾹 눌러 문다.

"그게 아니라, 유연아."

"설아가 이상해지는 건 저도 느끼고 있지만, 아는 건 없습니다. 그러니 뭐라도 알게 되시면 알려 주세요. 그럼, 스피치 원고 확인하시고 강훈 씨에게 말해 주시면 수정하겠습니다."

"너, 이제 정말 업무에서 손 뗀 거야?"

"전부터 말씀 드렸을 텐데요. 이제 전무님은 제 소관이 아닙니다. 그럼, 수고하십시오."

사무적인 투로 인사한 그녀는 얼빠진 표정의 준일을 뒤로하고 집무실을 나섰다.

기분이 묘하다. 속이 시원한 것도 께름칙한 기분이 남은 것도 아니었다. 너무, 아무렇지 않다고 해야 할까. 이제 최준일은 제 인생에 어떠한 가치도 지니지 못한 인물이었다. 하지만 그를 좋아했던 과거 자체를 부정하고 싶진 않다. 자신은 그날의 최준일을 좋아했고, 달든 쓰든 그 또한 제게는 양분이 된 추억이고 기억이었다.

"안녕하세요, 윤 실장님. 회장님 호출 받았습니다."

가벼운 마음으로 최 회장의 집무실을 찾아간 그녀에게 앞을 지키던 윤 실장이 아쉽다는 얼굴로 말했다.

"회장님, 지금 막 나가셨는데. 나도 합류하려던 차고. 갑자기 중국 쪽 첸리홍 사장이 찾아왔거든. 어쩌지?"

"괜찮습니다. 그럼 따로 찾아뵐게요."

"그래요. 근데, 조 과장 독립했어요?"

"티 나나요?"

"요즘 뭐 하는지 우리끼리는 알고 있잖아요. 어쨌든 여자 혼자 사는 거 쉽지 않을 텐데. 조심하고, 무슨 일 있으면 말해요. 도와줄 테니까."

"넵."

유연은 생긋 웃으며 일어난 윤 실장을 배웅했다.

벌써 오후 3시. 자리로 돌아온 그녀는 주머니에 넣어 둔 사직서를 꺼내 반듯하게 펴고, 그 위에 휴대 전화를 올렸다.

비서실엔 그녀 혼자였다. 뜨거운 커피를 내린 유연은 창가로 가 창문을 조금 열었다. 의식하지 못하던 사이, 여름이 등을 돌렸다. 껑충 높아진 하늘과 유난히 많은 구름. 한층 서늘해진 바람을 맞으며 커피를 삼켰다. 그러곤 다시 책상에 올려 둔 사직서로 시선을 옮겼다.

커피가 쓰다.

[지금 공항에 가는 중입니다. 조유연 씨는?]

건의 전화를 받은 건, 성북동 최 회장의 집 앞에 도착했을 때였다.

"저는 짐을 좀 찾으러 왔어요. 성북동이에요."

[혼자?]

"네. 그런데 공항엔 왜요? 어디 가세요?"

[흠, 파리에. 파리 개인 수집가가 70년 전 도굴당한 우리 문화재를 갖고 있다는 연락을 받았거든.]

"아! TV에서 봤던, 그 책이요?"

[응.]

멋있다. 순간이나마 그가 부러웠다. 능력 있고 당당하며, 어디서든 포식자의 자리에서 군림하는 그가.

[비행기에서도 통화할 수 있으니까, 집에 도착하면 연락해. 그리고 함부로 아무나 문 열어 주지 말고. 개도 안 되고 고양이도 안 돼. 사람은 더더욱 안 되고.]

"동물이 문을 두드려요?"

[글쎄. 영화에서 보니 고양이들은 소리 없이 집안에 드나들던데. 아닌가?]

"그건…… 영화니까 그렇죠."

유연은 웃음을 터트리며 대문 안으로 들어섰다. 그녀를 알아본 사용인들이 너도나도 뛰어와 할 말이 많다는 듯 쳐다보았다.

[어쨌든 집에 이상한 거 나오면 꼭 전화해. 어떻게든 갈 테니.]

"네네, 알겠어요. 그럼 언제 오세요?"

[일주일 뒤.]

"조심히 다녀오세요."

유연은 서둘러 세자와의 통화를 끝냈다. 그럴 수밖에 없었다. 듣는 귀도, 보는 눈도. 말하고자 하는 입도 너무나 많았다.

"무슨 일 있어요?"

멋쩍게 웃어 버린 그녀가 묻자, 몰려든 사용인들이 '으이구, 으이구.'거리며 그녀의 팔을 찰싹찰싹 때렸다.

"어쩌자고 집을 나갔어. 응? 아주 뒤집어졌잖아."

"대체 언제 짐을 뺐어? 유연 씨 그렇게 안 봤는데 너무하네. 말도 없이."

"적어도 우리한테는 말을 했어야지. 갑자기 자기 어디 갔냐면서 길길이 날뛰는데, 어머나. 나 그날 심장 아파서 약 먹었잖아?"

유연은 끊임없이 질문하는 사람들에게 에워싸여 집 안으로 들어갔다.

"저 이제 아주 독립한 거예요. 그동안 감사했습니다."

"어머, 정말? 아니 왜? 무슨 일 있었어?"

"무슨 일이 아니라, 언제까지 저 지하에 살 수는 없잖아요."

"아니, 왜 못 살아? 집도 밥도 공짜인데. 집 나가면 고생이야, 그냥 들어와."

"고생 좀 해 볼게요."

얼마나 시달린 건지 아주머니들은 지하로 내려가려는 그녀를 보며 탄식을 내뱉었다. 그래서 마음은 썩 좋지 않았다. 예상한 일이지만, 독립을 응원해 주는 사람이 한 명도 없을 줄이야.

쓴웃음을 지으며 지하실 계단 앞에 섰을 때였다. 기이한 냄새와 함께 기분 나쁜 소름이 훅 끼쳤다.

"아아악! 꺄악!"

2층에서 들려온 날카로운 비명. 놀란 사용인들이 어쩔 줄 모르겠다는 듯 발을 구르며 쯧쯧 혀를 찼다.

"무슨 일이에요? 설아 맞죠?"

놀란 그녀가 묻자, 연우 아주머니가 턱 끝으로 2층을 가리키며 탄식했다.

"요 며칠째 계속 그래. 울고, 비명 지르고. 방에 들어가 봐도 아무것도 안 보이는데, 자꾸 뭐가 있다고 하고. 숨도 못 쉴 때가 있어."

뭐가 있다고?

-주인아!

순간, 퀼이 다급히 소리쳤다. 유연은 본능적으로 설아를 괴롭히는 것이 무엇인지 알 것 같았다.

"아주머니, 제가 가 볼게요."

그녀는 말리는 아주머니의 손을 떼어 놓은 뒤 2층 계단을 뛰어 올라갔다.

'퀼아, 설아 왜 그래?'

-검은 뱀이다.

'뱀?'

-비린내가 진동한다, 더럽게.

숨이 가빠 오도록 온 힘을 다해 뛰어 올라간 유연은 굳게 잠겨 있는 설아의 방문을 두드렸다.

"최설아! 설아야, 문 열어!"

"꺄악! 저리 가! 가라고! 아악!"

"최설아!"

"가!"

대체 누구더러 가라고 소리치는 건지. 유연이 열쇠를 찾기 위해 2층 창고로 뛰어갈 때였다. 순간 오싹한 기운이 쑤욱 빨려들더니, 검은 연기 속에서 퀄이 튀어나왔다.

-비켜라, 주인!

유연은 본능적으로 귀를 틀어막았다. 포효한 퀄이 아가리를 쩍 벌린 채 설아의 방문을 들이받았다.

쾅!

엄청난 소리와 함께 육중한 나무 문이 쩍 하고 갈라진다. 언제나 하얗고 아기자기하게 꾸며져 있던 설아의 방은 만신창이였다. 바닥엔 깨진 물건들이 뒹굴었고, 방의 주인은 구석에 몸을 웅크린 채 울고 있었다. 그리고 그 주위를 에워싼, 시커먼 구렁이 다섯 마리.

-이 버러지 같은 놈들!

-쉬이익! 카악!

퀄은 단번에 힘을 키웠다. 그러곤 전광석화 같은 속도로 구렁이들에게 달려들어 그 목을 물어뜯어 버렸다. 물어뜯긴 구렁이의 목에서 붉은 연기가 스멀스멀 새어 나온다.

퀄은 앞발로 두 마리의 구렁이를 압사시킨 뒤, 나머지 놈들의 숨통을 단번에 끊어 놓았다. 붉은 눈을 빛내던 흑구렁이들이 짐승의 제왕이라 불리는 범의 기세에 힘 한번 써 보지 못한 채 축 늘어져 연기로 화한다. 지독한 냄새를 풍기며 붉은 연기가 피어오르는 실내. 여전히 잔재하는 퀄의 압도적인 힘이 피부를 찌른다.

유연은 위풍당당하게 구렁이의 목을 앞발로 짓누른 퀄을 보며 헛웃음을 지었다. 자신을 응시하는 호박색의 빛나는 눈동자. 어둠이라곤 티끌만큼도 느껴지지 않는 순도 높은 힘 앞에 오싹한 전율이 흐른다.

어슬렁거리며 돌아온 퀄이 헛웃음을 흘리는 유연의 허리춤에 머리를 비비며 거대한 몸으로 그녀를 부드럽게 휘감았다.

–나 잘했냐, 주인아.

뿌듯하게 올려다보며 목을 울리는 궐의 머릴 쓰다듬은 유연은 시선을 옮겼다. 구석에 축 늘어져 가쁜 숨을 몰아쉬던 설아가 귀를 막았던 손을 떼더니, 유연을 발견하고는 허겁지겁 뛰어왔다.

"흐윽, 너 왜 이제 와!"

막무가내로 안겨 온 설아가 눈물 콧물을 쏟아가며 운다. 얼마나 무서웠는지 알 것도 같았다.

유연은 들러붙은 설아를 떼어 내 침대에 앉혔다. 하지만 허리춤을 꽉 끌어안은 채 달달 떨며 놓지 않는 최설아. 유연은 2층으로 뛰어 올라온 사용인들에게 물을 부탁한 뒤 설아의 등을 다독였다. 미워도 다시 한 번이라고 하던가, 미운 놈 떡 하나 더 준다고 하던가.

"설아야, 나 좀 봐."

"흐으윽…… 무서워, 나 이상해지고 있어. 흑……"

"너 요즘 누굴 만나고 다니는지 몰라도, 더는 안 돼. 그 사람이 주는 거, 더는 먹지 마."

그녀의 말에 설아가 눈물범벅이 된 얼굴을 든다. 놀란 기색이 가득한 눈동자가 떨렸다.

"너 알고 있었어……?"

"응."

"혹시, 그거 먹으면 죽는 거야……?"

지금 이 질문으로 알 수 있는 건, 최설아는 알면서도 영루를 먹었다는 뜻이다. 강제가 아닌, 본인의 의지로.

서서히 화가 나기 시작했다.

"얼마나 위험한 건지도 모르고 먹었어?"

"그것밖에는 할 수 있는 게 없잖아."

"이해가 안 돼. 네가 왜 그렇게까지 하는지. 이게 정말 네가 원하는 거야? 회장님이 원하는 거 아니고?"

덜덜 떨리는 눈으로 그녀를 올려다보던 설아가 주먹을 말아 쥐더니 벌떡 일어났다.

"너 같은 애는 몰라. 내가 갖고 싶은 거, 넌 다 가졌으니까. 사람들은 다 너 좋아하잖아. 똑같은 말을 해도 너는 박수 받고 나는 손가락질 받아. 너야말로 이해가 안 돼. 너희 엄마 어차피 가망 없다며. 그런데 왜 집착해? 내가 세자빈이 되는 것보다 훨씬 비현실적이잖아! 네가 말하는 행복."

비현실적인 행복? 허탈함과 함께 뒤통수를 한 대 맞은 기분이 들었다.

널브러진 바닥에 설아가 보고 있던 노트북 화면이 창백한 빛을 낸다. 그 안에는 설아의 지난번 연주회를 혹독하게 비평한 언론 기사가 떠 있었다. 그리고 그 아래 새끼줄처럼 매달린 비난 댓글마다 비공감을 누른 흔적도 함께.

입술을 깨문 유연은 서랍을 열어 신경안정제를 꺼내 협탁 위에 올렸다.

"네가 먹은 것 때문에, 그 뱀들을 보는 거야. 선택은 네가 해. 그리고 행복은…… 원래 비현실적인 게 정상이고."

돌아선 그녀가 삐거덕거리는 문을 열자, 물을 가져와 서 있던 박 여사님이 걱정스러운 표정을 한다.

"유연 씨."

"사람 불러서 문 고쳐야겠네요."

"유연 씨, 괜찮아?"

"제가 왜요?"

"아니, 뭐…… 이런저런 것들."

"네. 뭐, 이런저런 것들 다 괜찮아요."

쓸쓸하게 웃어 보인 유연이 계단을 내려갔다. 당장에 이 집을 나가고 싶었다. 끈적하고 기분 나쁜 늪에 발을 담근 것처럼 더러운 기분이 들었다. 그런데 얘는 또 어딜 간 거야? 조금 전 연기처럼 사라져 버린 궐을 찾아 주위를 두리번거리며 지하에 다다른 그녀가 방문을 열었다.

"궐아."

궐은 자신의 방에 서 있었다. 그것도 사람의 모습을 하곤, 좁은 방을 천천히 둘러본다.

"주인아, 여긴 감옥이냐."

"야, 내 방이었거든? 감옥이라니, 너무하잖아."

"마음에 들지 않는 곳이다. 이곳에는 볕도 향기도 없다."

처음 집에 데려간 날, 궐은 오래도록 창가에 서서 따뜻한 볕을 쬐었다. 아주 오랜만에 볕을 쬐는 거란 말에 기분이 어땠더라…….

"이제 다시 올 일 없어, 가자."

그렇게 말하며 박스 하나를 집어 들었다. 그러자 다가온 궐이 그녀가 든 박스를 빼앗더니, 남은 짐들을 무심하게 탁탁 올렸다.

"안 무거워?"

웃음 섞인 그녀의 질문에 코웃음 친 궐이 어깨를 편다.

"힘세다."

"안 도와줘도 돼?"

"이보다 만 배는 더 무거운 것도 들 수 있다. 주인아, 앞장서라."

어쩐지 도움만 받는 것 같아서 미안한 마음이 들었지만, 그녀는 한시라도 빨리 이 집을 나가고 싶었다. 그래서 당당히 문을 열고 계단을 오르자 식당에 모여 있던 여사님들의 시선이 궐에게로 쏠렸다. 다들 2층에 있을 줄 알았던 유연은 당황한 마음에 궐의 앞을 막아섰지만, 저보다 머리 하나는 더 큰 남자를 가리는 건 무리수였다.

"어머, 이 총각 누구야?"

"언제 같이 왔어? 못 봤는데?"

"어휴, 우리 유연 씨 애인인가? 너무 잘생겼다."

조금 전까지만 해도 심각했던 분위기가 순식간에 환기된다. 생활 한복을 입은 궐을 신기하게 훑으며 다가온 여사님들로 인해 그녀는 오랜만에 당황한 소릴 냈다.

"애인 아니고, 친구예요. 아주머니, 저 이만 가 볼게요."

"잠깐잠깐! 이거 가져가."

"뭔데요?"

연우 아주머니가 식탁 옆에 놓아둔 커다란 쇼핑백을 두 개나 쥐여 주며 그녀의 손을 꼭 잡았다.

"반찬이야. 할 시간은 없어서 아침에 해 둔 거랑 김치. 그리고 평소에 유연 씨 좋아하는 거로 조금 쌌어."

"안 그러셔도 되는데……."

"어휴, 마음이 좋지 않아서 그래. 도와주고 싶은데 도와줄 길도 없고. 우리가 너무 미안해. 그러니까 종종 반찬 가지러 와. 이 집 사람들 없을 때, 알았지?"

꽉 잡은 아주머니의 손이 떨렸다. 그에 눈물이 나올 것 같았다.

눈이 시큰해지는 기분에 고개를 푹 숙여 인사하고는 애써 환하게 웃었다.

"고맙습니다, 잘 먹을게요."

몇 번이고 인사한 뒤, 부러 사람들과 눈 맞추지 않고 집을 나섰다.

"주인아."

제법 어둑해진 시각, 정원 곳곳에 불이 들어오고 먼 도심에도 불빛이 만개한다. 유연은 궐이 부르는 소리에 정원을 가로지르다 말고 멈췄다.

"응?"

코맹맹이 소릴 내며 돌아선 그녀의 눈앞으로 불쑥 가까워진 궐의 얼굴. 궐은 눈물이 뚝뚝 떨어져 얼룩진 뺨을 슥 핥았다. 젖어 버린 속눈썹에 꾹 입술을 누른 궐의 무뚝뚝한 표정에 유연은 할 말을 잃었다.

"머리를 쓰다듬어 주고 싶다. 그런데 손이 없다. 울지 마라, 주인아. 먹을 거 주는 사람은 좋은 사람이다. 나쁘게 한 거 아니다."

그러더니 짐을 가득 든 채 성큼성큼 걸음을 내디딘다. 굳게 닫힌 대문 앞에 선 궐이 '이리 오너라!'라고 말하자, 밖을 지키던 관리인들이 황당한 표정으로 대문을 열었다.

"이리…… 오너라?"

풉…….

유연은 터져 버린 웃음을 참지 못하고 얼굴을 감쌌다. 신기하게도 웃음과 함께 눈물이 멈추지 않았다. 이 집에 조금의 미련도 남아 있지 않은 줄 알았는데, 아니었나 보다.

"같이 가!"

그녀는 고개를 숙인 채 뛰었다. 불어온 바람에 어쩐지 건의 목소
리가 실려 있는 것만 같다. 아무나 문 열어 주지 말라던 그 말이.

'개도 안 되고 고양이도 안 돼. 사람은 더더욱 안 되고.'

무언가 가슴을 콕콕 찌르고, 사르르 간질인다. 고작, 반나절 만에
그가 보고 싶었다.

"나라면 정말 안 참을 거예요. 어휴, 혜란 씨한테 들어가는 약 내
가 다 체크하고 있으니까 걱정 마요."

간병인 아주머니가 목소릴 낮추며 곱게 깎은 사과를 포크로 찍어
내민다. 유연은 아주머니에게 받은 사과를 궐에게 주었다.

아주머니는 유연의 뒤에 서 있는 묘령의 남자를 흘끔대며 궁금한
표정을 숨기지 못했다.

"그런데 처음 보는 얼굴인데……. 애인?"

"아뇨, 친한 친구요."

"아아, 친구. 어휴, 엄청 훤칠하네. 외국인인가?"

"혼혈이에요. 저…… 그런데 아주머니. 체크한 약품 목록 저 볼 수
있어요?"

"으응, 그럼요. 잠깐만 기다려 봐요."

궐은 이제 호랑이로 돌아갈 생각조차 없는지 당당히 사람의 모습
을 하고 그녀와 함께 다녔다. 게다가 생활 한복을 입고 스니커즈를
신은 궐은 어디서든 눈에 띄었다. 혼혈 모델이 아니냐며 수군거리는

이도 있었고, 은근슬쩍 사진을 찍으려는 사람도 있었다.

'이게 은근 시선을 즐기는 것 같단 말이지.'

–신기하다, 주인아. 예전엔 나를 보고 사람들은 괴물이라며 돌을 던졌다. 그런데 지금 사람들은 내 눈이 무섭지 않은 것 같다.

'궐아, 너 아무 때나 내 생각 읽지 마.'

사과를 오물거리며, 고개를 튼 그녀와 눈이 마주치자, 한입에 사과를 넣은 궐이 슬그머니 시선을 피한다.

아무것도 없는 벽을 쳐다보며 눈만 깜빡깜빡.

'하, 말 안 듣지……?'

–…….

'오늘 삼겹살 구울 건데, 나 혼자 먹어야겠다.'

–삼겹살? 고기냐.

'이게, 다 들리면서! 대답 안 해?'

그녀가 두 눈을 부릅뜨자 헛기침한 궐이 불쑥 다가오더니 엄마의 얼굴을 빤히 내려다본다.

–망량주를 먹었다. 그런데…… 이상하다.

궐이 고개를 갸우뚱거릴 때였다. 가방을 뒤진 아주머니가 수첩을 펴 내민다.

"여기, 이것 봐봐요. 난 뭔지 몰라서 병에 적혀 있는 것들만 대충 외워서 써 놨어. 내가 간병 일만 10년 넘게 했잖아요. 그래서 어지간한 약은 다 아는데, 이건 진짜 모르겠더라고."

"혹시, 사진 찍어 가도 될까요?"

"그럼요, 유연 씨 주려고 적어 놓은 건데."

수첩에 적힌 것들을 사진으로 남긴 그녀는 죽은 듯 잠든 엄마의 손을 꼭 잡았다.

'궐아, 뭐가 이상한지 말해 줘.'

병상 헤드에 팔을 괸 궐이 인상을 쓰더니 고개를 젓는다.

-망량 영감은 이런 짓 안 한다. 영감이 알면 진노할 거다.

'그러니까 그게 무슨 뜻이냐고. 또 말 안 해 줄 거야? 너 자꾸 그러면, 내가 그 영감인지 뭔지 찾아가도 돼?'

-안 된다!

버럭 소리친 궐이 반듯한 미간을 구기더니 엄마의 이마에 조심스레 손을 올린다. 아주머니의 눈엔 보이지 않았지만, 그녀의 눈엔 보였다. 은은한 금빛이 손끝에서 흘러나와 엄마의 이마 속으로 흘러들어가는 모습이.

엄마의 얼굴을 지그시 응시하던 궐이 말문을 연다.

-망량 영감은 안 된다. 숨기는 게 아니라, 모르는 거다. 주인의 어미가 잠든 건 영감의 뜻이 아니다.

'그럼?'

-모른다. 미안하다.

엄마의 머릴 쓰다듬는 것으로 보였는지, 아주머니가 머뭇거리며 궐을 말리려 했다. 유연은 어색하게 웃으며 괜찮다고 말하곤 궐의 손을 잡았다.

"궐아, 우리 이만 갈까. 아주머니, 저희 가 볼게요. 엄마 잘 부탁드려요."

"걱정 마요. 지난번 일…… 내가 너무 미안해요. 입이 방정이지."

"괜찮아요. 덕분에 얻은 것도 있고요."

망량주는 이매에게 고통받은 기억을 지운다고 했다. 제가 망량주 때문에 기억을 잃은 거라면, 엄마도 그렇지 않을까 하는 생각에 궐을 데려왔다. 그런데 망량주를 마셨지만, 망량주 때문에 잠든 게 아니라면 무엇이 엄마를 깨어나지 못하게 하는 걸까. 게다가 이제 이건도 엄마의 상태를 안다. '어쩌면'이라며 말을 흐렸던 그의 취기 오른 음성이 귓가에 머물렀다.

그녀가 일어서자 궐이 손을 꼭 잡더니 맞잡은 손을 지그시 내려다보며 말했다.

"주인은 따뜻하구나."

"수족냉증이라도 있는지 알았어? 그리고…… 주인 말고, 이름으로 부르면 안 될까?"

유연이 이상하게 쳐다보는 아주머니의 눈치를 보며 목소릴 낮추자, 인상 쓴 궐이 조심스럽게 이름을 불러보았다.

"유연아."

"잘했어."

귀 끝을 빨갛게 붉힌 궐의 입술이 피식피식 올라간다. 그러더니 어깨를 펴고 걸음을 내디딜 때마다 허밍 하듯 그녀의 이름을 불러대는 궐.

"유연아, 유연아, 유연아, 유연아. 주인은 조유연이다."

"그만 좀 하지?"

"유연아, 이름 부르는 거 좋다."

가뜩이나 궐에게 쏠려 있는 시선이 흥미까지 뒤섞인다. 부끄러워진 유연은 얼굴을 슬그머니 가린 채 손을 빼내곤 뛰었다.

'어휴, 진짜! 이 고양이가!'

※

"저하, 보리차입니다."

얼음을 동동 띄운 보리차를 가져온 우혁이 건의 표정을 살피곤 뒤로 물러났다.

이틀 전. 건은 전용기에서 내리자마자 기다리던 프랑스 언론들과 인터뷰를 했고 대통령을 만나 만찬을 함께했다. 하지만 숙취가 제대로 해결되지 않은 상태로 장거리 비행부터 입맛에 맞지 않은 식사까지 강행하다 보니 컨디션이 최악으로 치달았다.

그럼에도 일정을 빨리 끝내야만 하는 이유가 있었다.

'고양이 놈 냄새가 났지……. 그것도 풀풀.'

계속 그 생각뿐이다. 그녀의 현관문 밖까지 풀풀 풍기던 고양이 놈의 체취.

빌어먹을.

하지만 세자로서의 체통을 지키기 위해 미미한 미소를 머금은 채 집주인을 기다리며 천천히 주위를 둘러보았다.

조선 제22대 국왕인 정조의 작품을 갖고 있다며 연락한 사람은, 프랑스에 거주 중인 수집가 김 씨였다. 마치 귀족의 저택을 연상시키는 화려한 실내와 벽을 가득 채운 수백 점의 작품들이 주인의 성격을 보여 주었다.

〈정조필 청송도〉는 국화도와 파초도를 그린 조선 22대 왕, 정조의 작품이었다. 하지만 청송도는 다른 남종화(南宗畫)와는 달리, 멸의 힘을 담은 그림이다. 그것도 외부에는 알려지지 않은 탓에 아는 이가 없는 작품이었다.

과거 귀멸을 행했던 왕과 장군들은 나름의 신물을 남기곤 했다. 그 보물들이 모여 궐의 양기를 충만하게 하고, 삿된 것으로부터 궐을 보호하는 일을 해 왔다.

그런 귀한 것을 도난당한 이후, 당시 중전이었던 대비는 식음을 전폐했다. 청송도를 찾는 것은 대비의 유언이기도 했다. 귀안을 가진 아이를 찾으라는 말과 함께, 무슨 일이 있어도 청송도를 되찾아야 한다며 건의 손을 꼭 잡아 주셨다.

"늦어서 죄송합니다. 마지막으로 사진을 남기느라. 하하…… 이것입니다, 저하."

건이 기다리는 응접실로 뛰어온 김 씨가 양손에 올린 두루마리 하나를 내밀었다.

"이렇게 귀한 것을 찾아 알려 주셔서 감사합니다. 돌아가신 할머님께서 이제야 편히 눈감으실 겁니다."

"타지에 나와 살며, 조국의 것을 모으고 수집하는 것이 재미가 되었습니다. 그런데 이것을 손에 넣은 뒤로는 사실, 너무 힘들었습니다. 밤마다 악몽을 꾸었고요."

"악몽이요?"

"예. 가위에 눌리곤 했습니다. 그래서 깊이 알아보니 궐의 물건일지도 모른다는 생각이 들더군요. 그래서 연락드린 겁니다."

건은 부드럽게 미소 지으며 두루마리를 챙겼다. 얼마나 고국으로 돌아오고 싶었으면, 두루마리가 힘을 썼겠는가.

"제가 제자리로 돌려놓겠습니다."

황송하다는 듯 얼굴을 붉힌 김 씨와 악수를 한 건은 주위를 둘러보다, 묘하게 익숙한 그림 한 점을 가리켰다.

하얀 바탕에 검은 점 하나. 설야라고 했던가? 호텔에서 회수한 그림과 몹시도 닮은 작품이 응접실 입구에 세워져 있었다.

"그런데…… 저 작품은 뭡니까. 하얀 바탕에 검은 점이 찍힌."

그의 질문에 돌아본 김 씨가 멋쩍게 웃으며 고개를 조아린다.

"일본인 작가의 작품입니다. 설야라는 제목의 작품인데, 운 좋게 진품을 구했습니다."

설야? 제목까지 같은 작품이 또 있다고?

"혹, 그 작가가 같은 그림을 여러 장 그린 걸까요?"

"어휴, 아닙니다. 젊은 나이에 요절한 작가라 몸값이 높은 것뿐입니다. 작품이라고는 습작 몇 개와 저거 하나뿐입니다."

실소한 건은 우혁을 돌아보았다. 우혁도 뒤늦게 작품을 알아보곤 놀란 표정으로 서둘러 태블릿을 꺼내 사진 한 장을 내밀었다. 그것은 호텔에서 회수한 '설야'였다.

"똑같습니다, 저하."

"그 빨간 놈은 화매였군."

"정말로 저 작품이 진짜라면……. 저하, 누군가의 저의가 느껴집니다."

건은 싸늘한 미소가 감도는 입가를 어루만지며 태블릿 속 사진을 노려보았다.

"일정 당겨. 귀국하지."

[치과의사? 아, 우리 오빠 친구? 그때 봤던?]

유난히 큰 민주의 목소리가 스피커 밖으로 흘러나왔다. 시선이 쏠리는 기분이 든 유연은 스피커 소릴 낮춘 뒤 비서실 복도 구석으로 걸어갔다.

"응, 그때 그 의사 선생님. 도움을 좀 받을 일이 있어서."

[우준 선생님, 그때 상처받았을 텐데? 너 뒤도 안 돌아보고 갔잖아. 우리 세자 저하 만난 날.]

민주의 짓궂은 농담에 그녀는 빨개진 귀를 만지작거렸다.

"소개팅한 것도 아니었잖아. 그리고 그땐 거의 도망이었어. 어쨌든 소개 좀 해 줘."

[음, 너 사랑니 난다며? 차라리 진료 예약을 잡는 게 어때? 내가 같이 가 줄게.]

"아, 그래……? 차라리 그럴까?"

[응, 환자로 가는 편이 더 편할걸? 근데 뭐, 안 좋은 일은 아니지? 너 목소리에 힘이 하나도 없다?]

그럴 수밖에.

서화제약에 일하는 사람이 저 혼자는 아닐 텐데, 이상하게 요 며칠간 업무가 몰아쳤다. 사직서를 품고 다닌다는 걸 알기라도 하는 것처럼 그녀가 아니면 해결하지 못하는 일들이 대부분이었다.

"일이 너무 많아. 오늘은 점심도 패스해서, 밑에 카페 가서 조각 케이크라도 먹을까 생각 중이야."

[그럼 오늘 칼퇴 못 해?]

"아니, 칼퇴 할 거야. 그러려면 업무 시간 중에 다 해결해야지. 왜?"

[그럼 오늘 언니가 삼겹살 사 갈게. 바람도 좋은데 옥상에서 구울까? 미니 집들이?]

민주의 목소리에 은근한 기대감이 넘친다. 지지배, 결혼식 앞두고 다이어트한다더니, 한계에 다다른 게 분명했다.

'궐이 혼자 10인분은 먹을 텐데.'

아무리 생각해도 궐이는 삼겹살에 진심이다. 궐은 삼겹살이 처음이라고 했다. 그 냄새에 홀딱 넘어가 불판 위에 침을 질질 흘리는 바람에 기름이 튀어 대서 얼마나 놀랐던지. 게다가 주인아저씨는 외국인처럼 보이는 잘생긴 총각이 복스럽게도 먹는다며 서비스 고기를 한 근이나 더 내어주셨다. 남으면 싸 가서 찌개라도 끓여 먹으라 하셨지만, 남기기는커녕 모조리 다 궐이의 배로 들어갔다.

"2인분으로 부족할 텐데……. 너 고깃값 감당할 수 있겠어?"

진심 어린 충고에 민주의 목소리가 의미심장해진다.

[왜? 또 누가 있어?]

"응, 냄새 맡으면 기어 나올 애 하나 있는데, 걔가 좀 많이 먹더라."

[오, 남자야?]

"어, 수컷."

[딱 기다려! 이 언니가 오늘 5인분 싸 간다!]

"모자라."

[……친구야, 그 친구 거대하니?]

"대식가라고 해야 하나."

[……앞다리 섞어도 돼?]

유연은 풉, 웃음을 터트렸다. 민주다운 대답이었다. 한 걸음 물러설지언정, 포기는 없는.

유연은 자신을 찾으러 나온 강훈에게 손을 흔들어 보인 뒤 소곤소곤 목소릴 낮췄다.

"모자란 건 내가 사 갈게. 이따가 7시까지 집 앞에서 봐."

해가 저물자 옥상에 설치된 줄 전구에 불이 들어왔다. 전 세입자가 설치해둔 유일하게 낭만적인 인테리어 소품이랄까?

낡은 평상을 깨끗하게 닦은 뒤 그 위에 밥상을 폈다. 두 여자는 일사불란하면서도 진지하게 바비큐에 임했다. 쌈 채소를 씻고, 급히 마트에서 사 온 쌈장과 고추장, 아주머니들이 싸 주신 반찬들로 상을 가득 채웠다.

휴대용 버너에 불판을 올리고, 민주가 사 온 두툼한 삼겹살을 열 맞춰 올리자 금방 고소한 기름 냄새가 옥상 전체에 퍼진다. 작지만 사방이 탁 트인 옥상이 있는 이 집을 고른 건 신의 한 수나 다름없었다.

"와, 대박. 이거야말로 내가 꿈꾸던 로망이지."

차가운 맥주를 벌컥벌컥 들이켠 민주가 코끝을 찡그리며 고기를 뒤집는다.

"친구야, 우리 추워지기 전에 열심히 옥상을 활용하자."

"그러든지. 고기 사 오는 건 안 말려."

"하여튼, 우리 유연이 육식파인 거 세자 저하도 아시나?"

"아실걸?"

태연하게 말을 주고받던 둘은 누가 먼저랄 것도 없이 웃음을 터트렸다.

프랑스를 방문 중인 건의 기사는 하루에도 몇 번씩 포털 사이트 메인을 차지했다. 왕실에서 발행하는 공식 기사에 따르면 세자는 어제 프랑스에 체류 중인 한국인 노동자들을 만나 담화의 시간을 가졌고, 오늘은 예술계의 거장과 함께 루브르를 방문했다고 되어 있었다. 하지만 유연은 기사에 나오지 않은 그의 생활을 알고 있었다. 음식이 입에 맞지 않아 잠들기 전 소화제를 먹은 것과 남들 몰래 센강을 거닐었다는 것을. 그리고 꼭 잠들기 전 음성 메시지를 남긴다는 것도.

'우리 생각보다 빨리 만날 것 같은데.'

출장을 좀 앞당겨 입국하면, 바로 볼 수 있을까?

이제는 그가 무섭지 않다. 눈이 마주칠 때마다 긴장하는 것은 공포나 두려움 때문이 아니다. 어쩌면 한동안 잊고 지냈던 설렘, 이른 새벽 눈을 떴을 때 온 세상을 희게 덮은 첫눈을 보는 기분에 가까웠다.

"와, 어색해. 솔직히 난 최준일이 너무너무 싫었어. 맨날 인상 팍 쓰면서 너 완전 구속하고. 우리도 못 만나게 하는 데다가 밖에선 네 손 한번 잡아 준 적 없지?"

"최준일 얘기는 그만. 이미 끝난 사람 뒷담화는 뭐 하러 해."

"어후, 이 언니가 그 인간한테 쌓인 게 많아서 그래. 근데, 친구 있다고 하지 않았어? 우리 대식가 수컷 님께서는 아직이시니? 냄새 더 피워야 하나?"

민주는 장난스럽게 바람을 불며 금세 맥주 한 캔을 비웠다.

건의 생각에서 빠져나온 유연은 잘 익은 고기를 접시에 차곡차곡 쌓았다. 그러곤 오늘따라 조용한 궐이를 불렀다. 궐이는 오전 9시부터 7시까지는 절대 말 걸지 말란 지시를 착실하게 따르는 중이었다. 조금 삐진 것 같기도 하고.

'궐아.'

역시나 한참이 지난 뒤에야 궐이 대답했다.

-왜 부르냐, 주인아.

'삼겹살 구웠는데. 먹을래?'

-7시 넘었나.

'응.'

-그럼 나 주인 옆에 있어도 되냐.

뚱한 궐의 말에 유연은 혼자 피식피식 웃었다. 그러다가 민주와 눈이 마주치곤, 멋쩍은 마음에 입가를 문질렀다.

'친구가 와 있어. 퇴근하면서 네가 입을 만한 거 한 벌 사다 놨거든? 한복 말고 그거로 입고 옥상으로 와.'

-내 옷?

'응.'

궐은 한동안 말이 없었다. 옷을 찾아 부스럭거리고 있을 궐의 모습이 떠올라 또다시 웃음이 새어 나온다.

집게로 삼겹살을 두 점씩 집어 쌈 위에 올리던 민주가 눈을 흘겼다.

"얘가 자꾸 혼자 히죽거리네? 그러지 말고 나도 좀 알자. 너 세자 저하랑 썸 타는 주제에, 우준 쌤은 왜 만나 보려는 거야?"

"아, 여쭤볼 게 있어. 도움받을 수 있을까 해서."

"뭔데."

"약에 관한 건데, 난 아무리 검색해도 안 나오는 약물이더라고. 의사들은 아는 게 있을까 해서. 그런데 아무한테나 물어보긴 좀 그렇고."

"아주머니 일이구나? 왜? 걔네가 이상한 약물 썼어?"

나름 법조계에 발 담근 적 있던 민주의 눈이 예리하게 빛난다. 민주의 도움을 받을 수 있으면 좋으련만, 상대는 서화제약이다. 대한

민국 제일가는 로펌이 물고 늘어져도 승소를 확신할 수 없는. 그러니 아직은 신중해야 했다. 그런 이유로 그녀는 사직서를 제출하는 대신, 매일 병원에 들르는 것으로 나름의 눈치 게임을 시작했다.

"나, 시기 봐서 이직할 거야."

"진작 했어야지. 너 정도면 어떤 대기업 비서실에 지원해도 다 합격이야."

"그렇진 않아. 사실 서화에서 특혜를 받은 것도 사실이고. 이직하면 사원으로 시작해야 할지도 몰라."

"그래도 나중에 최준일이 대표이사 될 텐데, 이 언니는 하루라도 빨리 그 회사를 나가……."

똑 부러지는 말투로 충고를 이어 나가던 민주의 입이 떡 벌어진다. 눈이 멍해지더니, 집어 들었던 삼겹살마저 상 아래로 툭 떨어뜨렸다.

유연의 뒤편을 멍하니 보는 민주의 안경알에 커다란 인영이 비친다. 돌아본 유연은 젓가락을 입에 문 채로 헛웃음을 흘렸다.

"궐아."

검정 트레이닝팬츠에 베이지색 스웨트 셔츠를 입고 삼선 슬리퍼를 신은 궐은 외국 잡지에서 툭 튀어나온 스포츠 모델처럼 보였다. 하지만 본인은 옷이 마음에 들지 않는지, 눈가를 가린 머리카락을 쓸어 넘기며 인상을 찌푸린다.

"조유연……. 배신자. 너 지금, 세자 저하 놔두고 저 남자 누구야?"

민주의 얼빠진 소리에 젓가락으로 그릇을 톡톡 두드리며 고개를 저었다.

"어허, 친구라니까?"

"야, 내가 모르는 친구가 어디 있냐? 헐, 대박……. 자기야 미안해. 오빠가 세상에서 제일 잘생겼다고 한 말, 거짓말이었어. 크흡."

민주는 고개를 절레절레 저으며 양손을 곱게 모았다. 그러곤 다가오는 궐을 보며 감탄을 금치 못했다.

'하긴, 궐이가 좀 눈에 띄긴 하지.'

생활 한복을 느슨하게 걸쳤을 때와는 180도 다른 느낌의 궐이 삼겹살을 보곤 군침을 꿀꺽 삼킨다. 하지만 민주 때문인지 제법 점잖은 걸음으로 다가와 유연의 옆에 다소곳이 앉았다.

"편하게 앉아. 다리 저려."

"이거, 내 거냐."

접시를 가득 채운 삼겹살에서 눈을 떼지 못하는 궐은 침을 꼴깍꼴깍 삼켰다. 유연은 서둘러 접시와 젓가락을 궐이 앞에 놓아주곤 고개를 기울여 속삭였다.

"네 거야. 다 먹어. 그리고 화 풀어. 알았지?"

"궐은 화 안 났다."

"알아, 삐진 거. 말 걸지 말란다고, 아예 한마디도 안 하더라?"

"주인이 시켰잖느냐. 난 주인의 말을 따른다."

"또, 자꾸……."

"나 이제 먹어도 되냐, 유연아?"

젓가락을 든 궐의 눈이 반짝반짝 빛났다. 어쩐지 조련당하는 기분이 드는 건 착각이겠지? 유연은 어색하게 웃으며 고개를 끄덕였다.

"응, 어서 먹어. 다 먹어. 막걸리 줄까?"

그녀의 허락이 떨어지자마자 함박웃음을 지은 궐이 고기를 두어 점씩 집어 입에 넣기 시작했다.

"아니, 외국에서 오셨나? 우리 친구가 삼겹살을 아주 좋아하네. 어떻게, 고기 모자랄 거 같은데. 더 사 올까?"

"아니 됐어, 이 정도면 충분해. 며칠 전에도 실컷 먹었거든."

"아아, 자주 만나나……? 아니면 같이 지내나? 이름이 궐이라며. 나 소개 안 해 줄 거야?"

취조하는 듯한 질문에 유연은 순간 할 말을 잊고, 멍하니 눈을 깜빡였다. 궐이를 남자로 의식하지 않아서인지, 지금의 상황이 얼마나 이상할지 잠시 잊고 있었다.

"저기, 민주야. 그게 음…… 그러니까."

"아까부터 귀멸자 냄새가 난다."

순식간에 그릇을 비운 궐이 불판 위에 익어가는 삼겹살과 김치를 접시로 쓸어 담다 말고 고개를 들었다.

"그게 무슨 소리야?"

하지만 궐이는 삼겹살과 그녀를 번갈아 보더니 슥 시선을 피하며 고기를 담는 것에 열중했다.

묘하게 싸한 느낌이 든다. 이것은 여자의 촉이었다. 휴대 전화를 찾아 주머니를 더듬던 그녀는 주방에 놓고 온 전화기를 떠올리곤 사색이 되었다.

'혹시, 내 휴대 전화 계속 울렸어?'

궐의 팔을 강하게 움켜쥐며 묻자 쌈을 크게 싸 입에 넣은 궐이 순진한 표정으로 고개를 끄덕인다.

-그 이상한 기계라면, 쉬지 않고 울려대는 통에 내가 잠들게 했다.

'뭐?'

어떻게 잠들게 해……?

등줄기가 선득해지는 기분과 함께, 삼겹살을 불판 가득 올렸던 민주는 오늘로 벌써 두 번째 넋이 증발한 표정을 지었다.

끼익, 탁.

낡은 알루미늄 문 닫히는 소리가 등 뒤에서 들려온다. 빠르지도, 느리지도 않은 특유의 발소리를 그녀는 알고 있었다.

안경을 벗은 민주가 눈을 비비며 고개를 흔든다. 뺨을 꼬집기도, 소맥을 벌컥벌컥 들이켜기도 했다.

–주인아, 걱정하지 마라. 나 인간처럼 말할 수 있다.

아니. 그건…… 네 생각이고.

가까워지는 기척에 젓가락을 내려놓은 유연은 천천히 고개를 틀었다. 오늘 아침 기사에서 본 그대로다. 푸른 계열의 화려한 왕실 제복을 입은 그는 막, 장거리 비행을 마친 남자라고는 생각되지 않을 만큼 근사했다.

"사람 피 말리게 만드는 데 재주가 있습니다, 조유연 씨."

담담히 다가온 그가 굳어 버린 그녀의 어깨를 지그시 움켜쥐며 삼겹살에 정신을 놓은 궐을 내려다본다.

"연락이 안 돼서 문 열고 들어왔어요. 비밀번호, 여전히 그대로던데?"

"저하……."

"나도 식전인데. 앉아도 되겠습니까?"

민주는 거의 기절하기 직전의 표정으로 집게를 툭 떨어트렸다. 그러자 두 눈을 휘둥그레 뜬 궐이 외쳤다.

"친구야, 고기가 탄다!"

본인의 젓가락으로 고기를 뒤집은 뒤에야 안도한 궐이 고개를 들더니 심드렁한 얼굴로 손을 들어 흔든다.

"형씨, 초면이구나. 나는 궐이다."

맙소사. 유연은 입을 틀어막은 채 서서히 구겨지는 건의 미간을 뚫어지게 응시했다.

"……초면입니다. 이건입니다."

말도 안 되는 궐의 인사를 받아 준 건이 픽 웃더니 그녀의 옆자리에 털썩 앉았다. 순식간에 두 남자 사이에 낀 그녀의 낯빛이 파랗게 질려 간다. 그러자 흘러내린 잔머리를 귀 뒤로 걸어 넘겨준 그가 부드럽게 속삭였다.

"우리 5일 만인데, 나 좀 봐요. 내가 조유연 씨를 얼마나 보고 싶어 했는지 말로 하면, 여러모로 꽤 곤란해질 겁니다."

더 캐슬

VOL. 2  The Castle

CHAPTER 11

비와 남자와 입맞춤

11

비와 남자와 입맞춤

달그락거리며 그릇 부딪치는 소리가 경쾌하다. 푸흡, 생각할수록 웃음이 났다. 유연은 싱크대 앞에 서서 거품을 내 그릇을 닦으며 새어 나오는 웃음을 흘렸다.

몇 시간 전. 불쑥 나타난 건의 뒤로 우혁과 장은호까지 들이닥치는 바람에 옥상은 금세 사람들로 가득 찼다. 평상이 모자라 간이 의자를 펴고 많지 않은 음식을 살뜰하게 나누어 먹었다. 물론 퀼이의 배를 채우기엔 양이 많이 모자랐다. 그래서 민주의 제안으로 치킨을 주문하자 퀼이는 이번에도 넋이 나간 얼굴로 닭 다리를 뜯었다.

신기하다고 해야 할지, 다행이라고 해야 할지. 기막혔던 첫인사 이후, 두 남자는 서로를 투명인간 취급하며 각자의 식사에만 열중했다. 그 덕에 가운데 끼어 버린 그녀로선 기가 찰 노릇이었지만, 퀼이의 정체를 들키는 것보다는 나았다.

"유연아, 나 이만 갈게!"

옥상 정리를 마친 민주가 부엌과 연결된 계단을 통해 내려오며 환하게 웃는다. 양손 가득 쓰레기 봉지를 든 민주였다.

"대리 불렀어?"

"우리 오빠가 올 거야."

"그럼, 1층까지 배웅해 줄게."

아직도 위층에서는 청소가 한창이었다. 유연은 물기 묻은 손을 털고, 민주와 쓰레기봉투를 나누어 들었다. 술은 한 잔도 마시지 않았다. 오히려 긴장을 너무 해서인지 음식이 얹힌 느낌마저 들었다.

계단을 내려갈 때마다 머리 위에서 센서 등이 켜지고, 고기 냄새가 진동한다. 평소보다 진이 빠져 힘이 없었지만, 기분은 나쁘지 않았다. 처음으로 갖게 된 나의 공간에, 나의 사람들이 가득한 기분 좋은 북적임. 중독될 것만 같은 기분이다.

1층에 마련된 쓰레기통에 봉투를 넣은 둘은 손을 털며 가로등 아래 나란히 섰다.

"나 아까 심장 떨어지는 줄 알았잖아. 갑자기 세자 저하가 불쑥 나타날 거라고 누가 상상이나 했어?"

건에게 받은 사인을 품에 꼭 끌어안고 세상을 다 가진 듯 웃으며 민주가 말했다.

"나도 놀랐어. 식은땀이 뻘뻘 나더라."

"아까 보니까 아주 꿀이 뚝뚝 떨어지던데? 세자 저하 눈에서."

"아니야. 원래 성격이 다정하셔서 그래."

"됐어, 부러워서 그래. 이제 정말 편해 보여, 조유연. 너 이제야 사람답게 사는 것 같아."

"독립하니까 좋긴 해. 이렇게 쓰레기는 내가 버려야 하는 것 빼고."

둘은 소릴 낮춰 키득키득 웃었다.

얼마 지나지 않아 민주를 데리러 온 동현이 도착했다. 남들은 결혼식 올리기 직전이 제일 많이 싸우고 부딪칠 때라더니, 둘은 아니었다. 만나자마자 숙취 해소제부터 내미는 동현이나, 반가워하며 뽀뽀를 퍼붓는 민주나. 둘은 여전히 서로에게 열렬했다.

"조심히 가세요, 동현 씨. 다음엔 같이 먹어요. 민주, 너도 가서 푹 쉬어. 오늘 잘 먹었어."

"다음엔 치맥! 콜?"

"알았어, 그땐 그릇도 좀 사 놓고 할게."

"조만간 자리 잡을 테니까, 넌 자연스럽게 병원부터 예약해. 알았지?"

"응, 알았어. 고마워."

유연은 민주가 차에 오르기 직전까지, 오늘 일은 비밀에 부치기로 약속을 받아 냈다. 걱정하지 말라며 큰소리 떵떵 치는 게 왜 더 불안한 건지.

동현의 차가 보이지 않을 때까지 자리에 서 있던 그녀가 카디건을 여미며 빌라 입구로 돌아섰다.

"어? 가시는 거예요?"

계단을 내려온 우혁과 은호가 한숨을 내쉬며 다가오더니 시간을 확인한다.

"죄송한데, 방 하나만 내어주시면 안 될까요? 저하께서 못 가신다고 고집을. 하…… 면목이 없습니다."

"못 가신다니요? 우리 집에서 주무신다고요?"

"예. 그리고 저기, 귈이라는 분 말입니다. 정말 친구 맞으신 거죠……?"

"아, 귈이요. 네, 친군데 귈이가 왜요?"

"그게, 저하가 안 간다고 버티시는 이유가 김궐 씨 때문인 것 같습니다. 이름이 참, 특이하신 분이네요. 어쩐지 낯이 익기도 하고."

우혁의 중얼거림에 유연의 등줄기로 오싹한 소름이 돋았다.

"궐이가 연예인을 좀 닮은 것 같아요. 하하……."

"예, 그런 것 같습니다. 그럼 저희는 일단 돌아가 보겠습니다. 무슨 일 생기시면 연락해 주시고요. 뭐, 그러지 않으셔도 오늘 경호팀이 3교대로 근처를 지키고 있으니 걱정 마시고요."

마른침을 삼킨 그녀는 차에 오르는 두 사람에게 인사한 뒤 서둘러 계단을 뛰어올랐다. 우혁과 은호가 없는 집엔 궐이와 이건. 둘뿐이다. 아무리 궐이가 사람의 모습을 하고 있다 한들, 대화를 나누기 시작하면 분명 이상함을 느낄 터.

마음이 급해진 그녀가 조급히 현관문을 열 때였다. 창문 앞, 사람 모습을 하고 호랑이 꼬리와 귀를 단 궐이 보였다. 거실 바닥에 앉아 꼬랑지로 바닥을 탁탁 두드린 궐이 욕실을 가리키며 뚱한 표정을 짓는다.

"귀멸자는 왜 여기서 세신을 하는 것이냐."

"뭐? 샤워하셔?"

"주인아, 귀멸자가 내 침대를 뺏을 생각인가 보다."

"네 침대 아니고 내 침대거든? 아니, 아니. 됐고. 궐아, 너 빨리 가. 지금 아니면 못 가. 그리고 너, 누가 꼬랑지 내밀고 있으래! 이러다 들키면……!"

"주인아, 여기가 내 집인데 어딜 가라는 거냐."

억울하다는 듯 고개를 치켜든 궐이 입술을 삐죽인다. 그 모습에 또 마음이 약해졌다.

"그래. 네 집인 것도 맞는데, 저하한테 너 들키면 안 된다니까?"

"주인은 왜 귀한 눈을 숨기는 거냐. 숨겨진다고 숨길 수 있는 것이 아니다."

"그건…… 나랑 여기로 얘기하면 안 돼? 오늘 말고, 내일."

유연은 자신의 머리를 톡톡 짚었다. 호박색 눈을 치켜뜨며 그녀를 빤히 올려다보던 궐이 자릴 털고 일어났다. 그러더니 침실 안으로 들어가 침대 위에 앉아 서서히 연기로 변하기 시작했다.

유연은 건이 들어간 욕실 소리에 집중한 채로 궐에게 손을 흔들었다.

'궐아, 잘 자. 다음에 또 치킨 시켜 줄게.'

—정말이냐?

'대한민국만큼 치킨 종류 많은 나라는 없을걸?'

그녀가 키득거리며 웃자, 흐르려던 침을 꼴깍 삼킨 궐이 고개를 끄덕였다.

—주인아, 귀멸자는 주인을 많이 아끼고 은애한다. 하지만 법도를 지켜 번식 행위는 혼례를 치른 뒤…….

'궐아!'

—……물가에 내놓은 아이 같다는 거다. 주인아.

궐은 완전히 연기로 사라지기 직전 긴 한숨을 내쉬며 그녀의 어깨 너머를 노려보았다. 정확하게는 굳게 닫힌 욕실 문을 노려보던 궐이 사라지고, 이어 샤워를 마친 건이 수증기 속에서 걸어 나왔다.

'번식 행위라니! 이 호랑이가 정말……!'

얼굴이 빨개진 유연은 침실 문을 급히 닫곤, 어색하게 웃으며 돌아섰다.

"오늘 여기서 주무시고 가신다는 게, 정말이에요?"

"걱정하지 마, 잠은 안 잘 거니까. 밤새도록 얼굴만 볼 거야."

"아니, 왜요?"

순간 발끈한 기분이 들어 흠흠 헛기침한 그녀의 앞으로, 물기를 뚝뚝 흘리며 건이 다가왔다.

"왜긴 왜입니까. 보고 싶었으니까 그렇지."

유연은 침실 문에 등을 기댄 채 셔츠 없이 바지만 걸친 남자를 천천히 훑었다.

출장지에서 곧장 이곳으로 온 이유가 단순히 그리움 때문이라면, 우리는 연인이 맞다. 옥상에 불쑥 나타났던 이 남자를 봤을 때 놀라움보다 반가움이 앞섰다. 시야에서 멀어지면 보고 싶고, 자꾸 생각나고, 그의 일상이 궁금해진다. 그가 제게 보이는 관심만큼, 어느덧 자신도 그에게 빠져들고 있었다. 평범하기에 소중한 설렘이 찾아왔다.

"그래서, 조유연 씨는 나 안 보고 싶었어?"

반짝거리는 다갈색 눈빛을 빤히 들여다보던 건이 피식 웃으며 그녀의 귓가를 감쌌다. 자그마한 귓불을 만지작거리다가, 귓바퀴의 모양을 따라 덧그리며 딱 붙어 섰다. 숨이 갑갑해지는 기분에 고개를 기울여 슬그머니 빠져나가려 했지만, 손끝이 피부를 긁어내리는 간지러움이 발목을 잡는다.

어깨를 움츠린 그녀는 양손으로 귀를 막았다. 그러자 픽 웃은 그의 입꼬리 끝에 콕 박힌 보조개가 짙어진다.

"저, 저도 씻을래요."

얄미운 마음에 그를 밀어내며 욕실로 뛰어 들어가려는데, 불쑥 손목이 잡혔다. 새빨개진 얼굴로 돌아본 그녀의 손목 안쪽을 부드럽게 문지르던 그가, 한숨을 내쉬며 손등에 입 맞췄다.

비와 남자와 입맞춤

"신경 쓰여. 네 덕분에 업무가 마비될 지경이야. 이렇게…… 애타게 원해 보는 게 처음이라. 오늘은 조금 괴롭히면 안 되나?"

"전하, 세자 저하께서 입국하셨답니다."

상선의 보고에 막, 잠자리에 들려던 이숙의 얼굴이 환해졌다.

"청송도를 손에 넣었다더니, 이리 빨리? 그럼 지금 입궐하는 중인가?"

"아뢰옵기 황송하오나, 저하께서는 지금 조유연 씨 댁으로 가셨답니다."

"조유연이라면…… 설아 양과 망량주를 빚었던?"

"예, 많이 보고 싶으셨나 봅니다. 귀국 날짜도 이틀이나 앞당기셨습니다."

"허허, 우리 건이가 그 여인에게 진심인가 보오."

"마음이 흐르는 것을 어찌 막으신단 말입니까. 만약 저하께서 그 여인을 빈으로 맞으신다고 하시면, 다른 방도로 빈자리를 메꾸어야 할 듯싶사옵니다."

이숙은 상심이 깊어진 표정으로 자리에 앉아 생각에 잠겼다.

최 회장의 여식에게 귀안이 있다. 그것은 의심할 여지없는 진실이었다. 만약, 귀안을 갖지 못했다면 망량주조 당일에 상온의 보고가 있었을 터. 게다가 이태도 최설아를 귀안을 가진 여인으로 지목한 와중, 세자의 눈은 다른 곳을 향해 있다. 하지만 막을 수 없다는 것을 안다. 이미 지독하게 경험해 본 그였기에, 아들의 마음을 이해할 수 있었다.

"전하, 저 상선의 이름을 걸고 조심스레 아뢰올 게 있습니다."

온화한 미소를 띤 상선이 주상의 앞으로 다가와 단호한 얼굴로 무릎을 꿇는다. 답지 않은 상선의 태도였다.

"상선, 무섭게 왜 이러시오."

"소헌군 마마에 관한 일입니다."

상선은 바닥에 손을 짚고 고개를 깊게 숙였다. 그에 이숙이 걱정스러운 표정을 하고 묻는다.

"태에게 무슨 일이라도 생긴 것인가?"

"소헌군 마마님의 안위와 관련된 문제이옵니다. 전하, 기억하시지요? 오래전…… 대비마마께옵서 의언군 마마님을 위해 항시 연고를 만드셨던 것을요."

"그래, 우리 송이는 자주 다쳤지. 붓을 쥐지 못할 만큼, 아파했어."

"지금, 소헌군 마마께옵서 같은 병증을 앓고 계신 것 같습니다."

고개를 주억이던 이숙의 눈에 힘이 들어갔다.

"약은."

"쓰지 않으신 것 같습니다. 하오나 이제 더는 약이 없습니다. 아시다시피, 증상이 심해지면 결국 손을 못 쓰게 되실 겁니다."

예리하게 노려보는 주상의 눈빛이 평소와 다르게 싸늘해졌다.

어려서부터 이송은 손의 통증을 호소했고, 그럴 때마다 성격이 포악하게 변하여 다른 이를 보는 것만 같았다. 그런 이유로 더욱더 애틋하고 안쓰러운 아우였다. 항시 불안하고 손이 가는. 한데, 아들인 소헌군이 같은 병증을 앓고 있다?

"창을 좀 열지."

이숙의 말에 상선이 직접 일어나 문살이 덧대어진 창을 활짝 열었다. 이제는 오롯한 밤이 없다고 한다. 밤이라 부르기도 미안할 만큼 어둠이 밀려난 자리는 어스름한 빛이 차지하고 있었다.

별조차 숨어 버린 밤하늘을 묵묵하게 응시하던 이숙이 몸을 일으켜 병풍 뒤의 간살문을 연다. 그 너머로 작은 서재가 나왔다. 마치 전혀 다른 세상인 듯 달빛이 천장에 난 물그림자를 투과해 쏟아진다.

언제 보아도 신기한 그곳으로 들어선 이숙은 책장 아래 지함을 찾아내 덮개를 열었다. 그 안에 든 것은 대비가 남긴 연고 제조법이었다. 귀한 영루를 써 만드는 제조법이 적힌 책을 챙겨 나온 이숙이 상선에게 명령을 내렸다.

"영참관에 연락하여 영루의 출납기록부를 가져오라 하시게. 소헌군의 약은 내가 직접 관리하겠네."

단호하게 지시한 뒤 창밖으로 시선을 옮긴 이숙의 눈에, 앞마당을 어슬렁어슬렁 가로지르는 검은 범 한 마리가 순식간에 비쳤다가 사라진다.

"저, 저것이……?"

유연은 머리부터 발끝까지 거품을 냈다. 욕실 밖에 이건이 있다고 생각하자 심장이 요란하게 뛰어댔다. 평소보다 오래 샤워를 해서인지 손끝 발끝이 퉁퉁하게 부어 버렸다.

쪼글쪼글해진 피부를 만지작거리며 욕실을 나와 이어진 작은 파우더룸에 들어가 머리를 말리는데, 누군가와 통화하는 소리가 언뜻 들려온다. 프랑스에서 가져온 물건의 보관 장소를 결정하는 건지,

그의 목소리에 평소와 다른 무게가 느껴졌다.

'실감이…… 안 나.'

세자 저하가 이 집에 있다니.

전혀 다른 세상에 사는 사람이라고만 생각했다. 궁이라는 세상에서 태어나 그곳에서 살아가는, 함부로 가까이할 수도 가까워질 수도 없는. 그러다가 우연히 제가 가진 능력을 알게 된 그날 이후, 아빠는 습관처럼 '중전마마처럼 살게 하진 않을 거다.'라고 말씀하셨다.

선생님이 꿈이었던 때도 있었고, 화가가 되고 싶었던 적도, 잠시 잠깐은 춤추고 노래하는 가수가 멋져 보일 때도 있었다. 그렇게 꿈은 매년 바뀌었지만, 아빠와 엄마는 항상 같은 답을 했다.

'꿈이 많으면 좋은 거야. 뭐든 될 수 있다는 뜻이니까.'

행복한 서사로 가득했던 삶이었다. 적어도 대한민국 중산층이라는 집단에 속해, 부족함 없이 사랑받고 결핍에 대한 고민이 깊지 않던 일상. 꿈속의 잔상처럼 남은 그 시절의 온도와 향기 그리고 기억은, 늦여름을 지나 가을에 접어든 순간 서늘해진 공기를 마주할 때와도 비슷한 감정을 동반한다.

건은 그런 남자다. 말로는 설명할 수 없는, 초가을 볕과 차가운 아침 공기 같은 그런 남자.

아직 채 마르지 않은 머리카락 끝을 만지작거리다가 용기를 내 거실로 나갔다. 그곳엔 소파에 앉아 우혁이 놓고 간 태블릿을 들여다보는 건이 있었다. 유연은 제가 샤워하는 사이 늘어난 건의 짐 가방을 발견했다.

"어? 짐이……."

놀란 표정으로 다가가자, 태블릿을 테이블에 내려놓은 그가 태연한 표정으로 손을 내민다.

"이곳에서 며칠 머물까 하는데."

건은 엉거주춤 다가오는 그녀의 손을 잡아당겨 무릎에 앉혔다. 질색한 얼굴을 하면서도, 그녀는 막상 그의 무릎이 제법 편안하다는 걸 알고 있었다. 붉어지려는 뺨을 감싼 그녀가 동그란 눈을 크게 뜨며 물었다.

"이곳에 며칠 머무신다고요? 왜요?"

"음…… 네가 물가에 내놓은 아이 같아서?"

나, 이거 조금 전에 들어 본 말 같은데…….

궐이도 분명 그리 말했다. 제가 마치 물가에 내놓은 아이 같다고.

"우리 집은 너무 작아요. 아마, 다 합쳐도 자선당보다도 작을 거예요."

"그래서 좋아. 네가 숨을 곳이 없잖아."

"불편하실 텐데……. 게다가 방도 하나뿐이잖아요."

"저기는?"

그가 턱 끝으로 가리킨 건 엄마의 공간으로 남겨 둔 곳이었다. 돌아본 그녀가 피식 웃으며 난처한 표정을 지었다.

"저기는 안 돼요. 엄마가 퇴원하시면 쓸 곳이라."

"깨어나셨나?"

"아직이요. 근데…… 이제 깨어나실 거예요. 제가 꼭 그렇게 할 거라서."

고개를 주억인 그가 불쑥 입술을 포개더니 간드러지게 핥고 빠져나간다. 그녀가 놀랄 새도 없이 잠옷 단추에 닿은 입술. 성기게 채워져 있던 단추가 툭 풀리며 하얗다 못해 투명한 피부가 드러났다.

심장 박동이 빨라지고, 숨이 찬다.

"병원을 옮기는 게 어때. 서울 제중원으로."

어깨에서 가슴으로 이어지는 길목에 작고 빨간 점이 보인다. 그는 파우더 향이 나는 피부에 입술을 눌렀다. 보들보들한 살결을 덧그리듯 핥다가 이로 긁자 그녀의 손끝에 힘이 들어갔다.

"차근차근해 볼게요. 제가 감당할 수 있을 정도로 천천히 해 보다가 정말, 정말 안 되면⋯⋯."

말을 이어 나가고 싶었지만, 피부를 스치는 숨결이 뜨거워 잘 되지 않았다.

"안 되면?"

가슴팍을 턱으로 누르며 두 눈을 치켜뜬 그가 발긋해진 뺨을 감싸 문지르며 당겼다. 이마와 이마, 콧날이 미끄러지듯 교차한다. 긴장했는지 두 눈을 질끈 감은 그녀의 속눈썹이 떨렸다.

"난 손 놓고 있을 생각 없어."

"저하."

"응? 말해 봐. 이용하기 쉬운 카드가 네 눈앞에 있잖아. 첫사랑한테 미친 왕세자. 이보다 더 써먹기 좋은 상대가 어디에 있다고."

부러 짓궂게, 날것의 진심을 담아 읊조린 그는 그녀의 반응을 차근차근 살폈다. 잇새에 말려 들어가 하얗게 질린 입술이 슬쩍 벌어졌다.

"죄송해요. 제 성격이 원래 이렇게 답답해요. 저는 주위 사람들을 감정 쓰레기통으로 만들고 싶지 않아요⋯⋯. 저한테는 행복의 서사가 거의 없거든요. 힘든 이야기는 별로 하고 싶지 않고요. 그러니까⋯⋯ 기다려 주세요."

그녀의 얼굴에 희미한 미소가 그려진다.

감정 쓰레기통이라니. 그는 어처구니없는 마음에 헛웃음을 흘렸다. 그녀의 모든 것을 알고 있다고 생각했건만, 그건 착각이었다. 말랑해 보이는 외향과 달리 단단한 껍질을 두른 마음은 좀처럼 드러나는 법이 없고, 가슴을 펴는 일보다 웅크리는 일이 많다.

직설적이면서도 다정한 말투. 주위 사람들을 깊게 사귀지 않는 습성. 키스할 때마다 눈가에 주름이 잡히도록 힘껏 눈을 감는 습관까지. 알고 있지만, 알지 못한다.

"행복의 서사라……"

스스럼없이 잠옷의 단추를 하나씩 열어, 어깨 뒤로 떨어트린 그가 비단결 같은 피부를 손바닥으로 쓸어내리며 픽 웃었다.

"그럼, 그 서사. 지금부터 만들지 뭐."

예민하게 달아오른 살결에 입 맞추며 가쁘게 들썩이는 가슴에 입술을 눌렀다. 얇은 피부를 통해 전해지는 뜨거운 박동과 떨림. 강한 완력으로 그녀의 허벅지를 움켜쥔 그가 어쩔 줄 몰라 하는 고운 얼굴 곳곳에 입 맞추며 자세를 바꾸었다.

소파에 눕게 된 그녀는 눈을 떠 자신을 짓누르는 듯한 그를 올려다보았다. 자석처럼 이끌리듯 엉긴 눈동자는 담담히 서로의 얼굴을 담았다. 자글자글 끓어오른 열망도, 터트리지 않고는 버티지 못할 것 같은 욕망도, 숨죽일 수밖에 없는 갈망까지도. 모두, 그 눈동자 안에 그득하게 차올랐다.

"여기부터."

기름한 그의 손끝이 그녀의 이마에서 시작해 죽 그어 내려와 가슴을 지나 배꼽에 닿았다.

"여기까지."

나직하게 속삭인 그가 상체를 숙이며 천천히 포개진다. 다리가 얽히고, 뜨거운 맨살이 맞붙는다. 묵직하면서도 안도감이 찾아드는 무게감에 그녀의 숨이 쉬어졌다.

"오늘 밤 괴롭힐 거야. 알았지?"

만월의 어스름한 빛이 궁궐의 지붕 위를 하얗게 뒤덮는다.

어슬렁거리며 밤의 궁궐을 배회하던 궐은 슬그머니 사온서 안으로 들어갔다. 머리로 홍예문을 열고 연기로 화해 주조장에 들어선 궐의 눈앞에 흑표범 한 마리가 훅 스쳐 지나간다. 궐의 기운을 알아채고 꽁지 빠지게 도망치는 망량 영감의 이매였다.

-영감, 나와 봐라.

궐은 망량 영감의 족자 앞에 축 늘어져 앉았다. 그러자 족자에서 곰방대를 문 영감이 불쑥 얼굴을 내민다.

"웬일이냐, 네놈이."

궐은 영감의 반질반질한 얼굴을 빤히 보며 콧잔등을 찌푸렸다.

-술 없냐, 영감.

"나한테 네놈이 술 맡겨 놨나? 놈이 인세에 나오더니, 주정뱅이가 되었구나."

-주인이 오늘은 집에 오지 말라 했다.

"어찌?"

-귀멸자와 함께 있다. 주인은 귀멸자와 내가 대화하는 것을 원치

않는다.

"오호라, 들을수록 신기한 여인이구나. 다른 이들은 제 능력을 뽐
내고 싶어 권좌의 꼭대기에 오르지 않았던가?"

-내 유연이는 다르다.

에헴, 하며 고개를 치켜든 궐이 뿌듯한 듯 수염을 앞으로 모았다.
날렵한 턱을 쓰다듬은 영감이 족자 밖으로 쓱 빠져나오더니 가벼운
걸음으로 땅에 내려선다.

"시기가 아주 좋다. 그러잖아도 평소보다 일찍 숙성된 망량주 맛
을 보려 했거든."

그 말에 궐의 눈이 반짝반짝 빛났다. 인간에게는 기억을 없애는
술로 불리지만, 그들에겐 달랐다. 선계의 도화주도 망량주의 맛을
따라가지 못한다고 했던가? 신선과 도사가 아니면 한 방울도 입에
댈 수 없는 독주이자 신주. 그것의 맛을 본단 말에 커다란 입 가득
침이 고였다.

-혹시, 내 주인이 빚은 거냐.

"그래. 그런데 오늘 우리가 맛볼 술은 네 주인이 빚은 것이 아니
다. 영루를 처먹은 인간이 빚은 술을 맛볼 참이지."

-히익! 그 고약한 술을?

펄쩍 뛴 궐이 물러서자, 가벼운 걸음을 옮긴 영감이 두 개의 주병
앞에 서서 푸른 눈을 빛내기 시작했다.

"귀멸자가 궐을 비운 사이, 아주 재미난 일이 있었거든. 누군가 술
을 바꿔치기했단다."

-뭣이!

순간, 기세를 떨친 궐이 털을 곤두세웠다. 그에 가뜩이나 기가 질

려 숨어 있던 흑표범들이 깨갱거리며 족자 안으로 숨어든다.

궐은 말 그대로 궐 자체였다. 궐을 떠받치는 힘이자, 근본.

임진왜란 당시 궁 곳곳이 무너지며 궐은 힘을 잃었다. 다행히 수호부를 발동해 궁궐이 완전히 소실되는 것은 막았으나 힘을 잃은 범은 깊은 잠에 들어야만 했다. 하지만 약 100여 년 뒤, 거대한 힘을 가진 귀안인이 나타났다. 그녀는 잠들었던 궐을 깨웠고, 그때의 나이가 고작해야 15세. 그녀가 바로 효경숙성장순의열정목, 인현왕후였다.

궐을 깨우는 것에 지나치게 힘을 쓴 그녀는 인간의 나이 35세, 원인 모를 병에 걸려 요절하고 말았다. 궐은 힘을 되찾았으나, 따르던 주인의 죽음에 충격을 받아 다시 궐 깊숙한 곳으로 몸을 숨겼다. 자신의 힘이 주인의 목숨에 영향을 끼친다는 것을 알아 버린 탓이었다. 그 탓에 망량 영감을 비롯한 궁궐의 수호부들은 궐의 빈자리를 채우느라 큰 고초를 치렀다.

그들은 몇 번의 침략과 왜란을 겪으며 궐을 대신해 궁을 지켜 냈다. 또한, 그간 궐을 깨울 만한 귀안인이 등장하지 못한 것도 이유 중 하나였다. 잠든 궐을 깨우는 힘은 아무나 가질 수 있는 것이 아니었으므로.

"하여, 바꿔치기한 연유를 알아볼까 한다. 이 술 안에는 아주 많은 이야기가 담겨 있을 터인데……. 어때, 나랑 한잔하겠느냐?"

귀를 쫑긋 세운 궐이 순식간에 연기로 화하더니 금세 사람의 모습으로 변했다. 황금안을 빛내며 다가간 궐이 주병을 꺼내 두 개의 잔에 따랐다.

"영감, 영감도 마실 것이냐."

"나는 내 술에 장난질한 치의 민낯을 보고 싶단다."

"그 기억에 내 주인이 있다면? 그럼 내 주인을 어여삐 할 것이냐? 영감은 귀안인을 좋아하지 않잖으냐."

"그거야……."

네놈이 상처받을까 그리하였지.

영감은 씩 웃으며 술잔을 가져가 홀랑 털어 넣었다. 그러곤 오만 상을 찌푸리며 숨을 크게 들이켰다.

"우라지게 맛이 없구나."

"먹기 싫어지는군."

"마셔라, 궐아."

고개를 끄덕인 궐이 바닥에 철퍼덕 주저앉아 술잔을 기울였다. 푸른빛을 희미하게 흘려내는 술을 꿀꺽 삼킨 뒤 눈을 감자, 누군가의 기억이 몹시도 빠르게 스쳐 지나가기 시작했다.

연기처럼 흘러가는 기억 속 드문드문 등장하는 반가운 얼굴. 유연의 웃는 얼굴, 찌푸린 얼굴, 펑펑 우는 얼굴이 차례로 스쳐 지나간 뒤 아주 선명하게 남은 장면 하나가 궐의 눈앞에 펼쳐진다.

「저기, 회장님. 그러시면 안 됩니다. 아직 대한민국은 안락사의 규제가…….」

「사고로 인한 즉사가 좋겠어요, 김 선생. 내 서화의료원의 원장 자릴 준다면…… 가능하지 않겠습니까?」

「하지만 살릴 수 있는 환자입니다. 지금이라도 수술을 한다면 어떻게든.」

「그러니 부탁하는 거 아닙니까. 책임은 내가 지겠습니다. 그러니, 조경훈 환자는 현장에서 즉사한 거로 합시다.」

기억의 주인은 겁에 질려 도망쳤다.

도망친 곳에는 유연이 있었다. 병상에 누워 잠든 유연을 기억의 주인은 오래도록 응시하다가, 자리에 주저앉았다.

"저런…… 네놈의 주인이구나."

망량 영감이 혀를 차며 감았던 눈을 뜬다. 궐은 주병을 움켜쥔 채, 바닥을 노려보며 앉아 있었다. 바닥에서부터 흘러나온 기세가 어찌나 흉흉하던지, 망량 영감은 소름 돋은 팔을 문지르며 한 잔을 더 따르려 했다.

시퍼런 기운이 순식간에 궁궐의 지붕 위에 드리운다. 흠칫 놀란 망량과 궐은 동시에 고개를 치켜들었다. 입술을 파르르 떤 망량 영감이 감격한 얼굴로 웃음을 터트렸다.

"청송이다. 청송이 돌아왔구나."

"하, 이번 귀멸자는…… 일을 제대로 하는군."

"궐아, 주인을 지켜라. 단, 은애하지는 말거라. 집 나간 수호부가 하나둘 돌아오고 있으니 이 업보도 결국엔 끝이 날 것이야."

영감은 곰방대에 불을 붙여 흰 연기를 흘렸다. 흩어진 수호부가 모두 모이는 날, 궁궐은 그 자체로 완벽해진다. 지금, 그 일을 1,000년 만에 세상에 나타난 귀멸자가 완성해 내고 있었다.

손목 안쪽에 희미한 잇자국이 생겨났다. 간지러움을 참지 못하고 몸서리치던 그녀가 만든 잇자국이었다.

괴롭히겠다는 경고에 유연은 도망을 시도했다. 하지만 건은 너무나 쉽게 그녀를 잡았다. 둘 다 터져 나온 웃음을 참지 못했다.

"하지 마요."

"싫어."

"괴롭히는 게 취미인가?"

"약이 올라서. 닷새 만에 만난 애인 앞에서 다른 남자랑 삼겹살 굽고 있는 모습을 봤는데, 약이 안 올라?"

"남자라뇨, 궐이는……!"

"궐이는?"

"짐승이에요. 그게, 그러니까."

"짐승? 하, 돌겠네."

"아니, 그런 뜻이 아니라니까요? 으, 답답해!"

답답하다는 듯 가슴을 치며 어찌할 줄을 모르던 그녀가 붙들린 양손을 빼 그의 어깨를 움켜쥐었다. 일자로 뻗은 빗장뼈 아래로 그가 새긴 자국들이 선명하다.

"진짜, 도움 주는 친구예요. 그런데 조금 전에 뭐라고 하셨어요? 애인, 이라고 하셨어요?"

그는 어처구니없는 웃음을 흘리며 쏟아진 앞머리를 쓸어 넘겼다.

"그럼 우리가 무슨 사인데. 갑자기 그렇게 뼈 때릴 거야? 내 짝사랑인가? 설레고, 안고 싶고, 얼굴 보면 키스하고, 같이 잠도 자는데. 설마, 내 몸만 좋아하는 거였어?"

"아니, 무슨 말을 해도! 제가 뭘, 아니 그러니까. 뭘 어쨌다고, 그냥 질문인데, 뭘 그렇게. 하, 됐어요. 나와, 안 해. 아니, 아니. 잘래요."

얼굴은 새빨개진 채로 말까지 버벅거리는 여자가 왜 이렇게 사랑스러워 보이는 건지. 그는 암팡지게 저를 밀어내는 유연의 손을 잡아 강하게 품에 안았다. 꽉 끌어안고 체향을 들이켜며 따뜻한 목덜미에 입술을 누르자 바동거리던 그녀의 몸짓이 잦아든다.

"장난친 건데 너무 진심으로 받아치니까, 더 괴롭히고 싶잖아."

"저하는…… 성격이 별로 좋은 것 같지 않아요. 아세요?"

"당연하지. 내 성격이 별로인 걸 아는 사람은 세상에 딱 두 명밖에 없는데. 이제 세 명이 됐네."

실소한 유연의 입술이 벙긋벙긋 벌어진다. 그녀의 갸름한 **뺨**을 감싼 그가 쪽, 하고 입술을 붙였다가 떼었다. 한 번, 두 번, 세 번. 잘게 부딪치는 횟수가 늘어날수록 점점 오래 입술을 포갰고, 어느새 뜨겁게 얽혔다.

한쪽 팔에 감길 듯 가느다란 허릴 끌어안아 소파 위에 짓누르듯 눕히자, 시선을 피하는 그녀의 눈동자가 떨렸다. 그녀의 희고 말간 살갗에 입술을 누를 때마다, 제 안의 인내심을 시험받는 기분이 든다. 한 걸음만 더 나아가면 임계점에 다다른 참을성이란 녀석이 충동으로 바뀌어 날뛸 것처럼 가슴이 빠르게 뛰어 댔다. 이렇게 성급하게 굴 거면서, 왜 먼저 선을 그었을까. 참지도 못할 거면서 왜 이곳에 머물기로 한 것인지.

불현듯 얄미운 마음에 그녀의 귀를 콱 깨물었다. 그러자 어깨를 움츠리며 밀어내는 손에 힘이 실린다.

"밀어내지 마. 죽을 거 같으니까."

목소리조차 열에 들뜬 티가 난다니.

"아주, 엉망이네. 둘 다."

"땀 때문에……."

"괜찮아."

"창문을 열고 싶어요. 너무, 더워."

벌어진 입술 사이로 보이는 하얀 치열이 사람을 미치게 했다. 이곳은 천국이며, 지옥이다.

이런 곳에 제 발로 들어와 며칠이나 머물겠다고 한 건, 순전히 덩치만 큰 검은 고양이 때문이었다. 제가 범의 정체를 알고 있다는 것도 모르고 애써 친구라 소개하는 깜찍한 거짓말에 속아 주기 위함이기도 했다.

"저하, 너무 더워서……."

그는 더는 참지 못하고 성마른 입술을 내려 뒷말을 삼켰다. 땀에 젖은 그녀의 머리카락을 쓸어 넘겨 주고, 귓바퀴를 만지작거리다가 어깨를 지나 허리까지 천천히 쓸어내렸다. 허벅지를 움켜쥐는 강한 힘에 놀란 그녀가 그의 혀를 깨물었지만, 감히 멈춰지지 않았다.

잔잔하고 깊은 호수 위로 거친 소낙비가 쏟아지는 것만 같다. 깊어지는 입맞춤의 시간만큼 곱절로 더해 가는 갈망에 머릿속이 어지러웠다.

숨을 헐떡이며 입술을 뗀 둘은 가만가만 서로를 응시했다. 정체된 공기, 고정되어 버린 시선. 땀에 젖어 미끈거리는 목덜미를 감싼 손이 가슴 방향으로 미끄러져 내려가더니, 이내 그녀의 턱을 잡았다. 고개를 치켜든 그녀의 얼굴 방향으로 고개 숙인 그가 속삭였다.

"……약속, 못 지킬 것 같은데."

물기에 젖은 갈색 눈동자가 흔들리자, 그의 눈빛은 더욱 깊어졌다. 건은 도톰하게 부어오른 그녀의 입술을 엄지로 문질렀다.

"짐승이 된 기분이야."

나직하게 읊조리며 반대편 손으로 그녀의 발목을 지그시 움켜쥐었다. 떨리는 입꼬리에 힘이 들어가고, 그녀의 숨이 받아질수록 온

몸의 세포가 예민하게 곤두섰다.

"네가 좋아, 조유연."

이숙은 조금 전 보았던 검은 범을 찾아 강녕전 앞마당으로 뛰어내려 왔다. 놀란 상선이 급히 뒤따랐지만, 노인의 걸음으로는 역부족이었다. 그래서 상선은 보초를 서던 내금위에 도움을 청했다.

뛰지 못하는 차 내관을 대신해 두 명의 내금위가 전속력으로 달려 도착한 곳은 사온서와 내의원. 그리고 생과방이 있는 별저였다.

이숙은 자신을 따라붙은 내금위들을 돌아보며 검지를 입술에 댔다. 내금위들은 묘하게 선득한 별저의 기류를 느끼곤 주위를 엄호했다.

'분명, 검은 호랑이다. 건이 이야기했던 궐이라는 놈. 혹, 수호부라는 것이 정녕 존재한단 말인가······?'

수호부는 궐을 보호하고 부강하게 하는 전설의 존재였다. 하지만 말 그대로 전설로만 내려오는 초월적 존재일 뿐이었다. 그 누구도 눈으로 본 적 없고, 존재 자체를 확신할 수조차 없는. 그런 존재가 야심한 시각, 그 어떤 기운도 드러내지 않은 채 궐 마당을 어슬렁거린다? 이숙은 믿을 수 없었다. 그래서 조용히 확인하고자 범이 향한 길을 따라 찾아온 곳이 바로 이곳, 사온서였다.

"앞을 지키시게. 이 안은 나 혼자 들어갈 테니."

내금위에게 엄호를 지시한 이숙은 금줄이 걸린 사온서의 문을 열었다. 소리 없이 열린 문 너머 사사로운 기운이 조금씩 흘러나온다. 그 힘의 근원은 주조장 내부였다.

모든 감각을 곤두세운 그가 주조장과 이어진 홍예문 앞에 다다랐을 때였다.

"「제가 연락드리죠. 이마무라 씨.」"

유창한 일본어로 통화한 소헌군이 불쑥 문을 열고 나왔다. 두 사람은 누가 먼저랄 것도 없이 놀라 우뚝 멈춰 섰다. 하지만 더욱 당황한 건 이태였다. 오후 10시를 넘기지 않고 잠자리에 들던 주상이 무슨 바람이 불어 이 늦은 밤 굳이 사온서를 찾았단 말인가.

"전, 전하."

이태는 급히 허릴 숙여 예를 갖추었다.

"소헌군은 이 늦은 시각 어찌 궐을 배회하는가. 아무리 지키는 이가 많다 해도, 위험하네."

이숙은 다정한 투로 말하며 이태에게 다가갔다. 여전히 홍예문 너머로 예사롭지 않은 기운이 넘실대고, 이태에게서도 그 힘이 묻어 있었다.

"잠이 오질 않아서 산책하다가, 이곳에서 이상한 것이 아른거려서……. 죄송합니다, 전하. 심려를 끼쳤습니다."

이태는 습관처럼 팔을 꽉 움켜쥔 채 말했다.

소헌군도 느꼈단 말인가.

이숙은 침잠하듯 가라앉은 눈빛으로 이태의 어깨부터 손목까지 천천히 훑어내렸다. 긴 소매의 옷을 입은 탓에 상태를 알 수는 없으나, 상선의 말대로라면 이태는 지금도 통증을 느끼고 있을 터였다.

"혹, 몸이 좋지 않은 것인가."

"아뇨, 건강에 문제는 없습니다. 저는 괜찮습니다."

수더분하게 웃는 이태의 얼굴을 가만히 응시하던 이숙이 고개를 끄덕인다.

"상선이 내어준 약을 잘 갖고 있게. 어머니 살아생전엔 직접 송의 약을 만들어 주셨지만, 이제는 내가 할 참이야. 의언군도 종종 아파했지."

"예, 상선 영감께 들었습니다."

"……태야."

이숙은 이태의 이름을 다정하게 불렀다.

"너는 송이의 실수를 답습하지 말거라."

고개를 숙였던 이태가 천천히 허리를 세운다. 힘주어 뜨인 이태의 까만 눈동자 안에 만월의 달빛이 그득 차올랐다. 이숙은 이태의 아픈 팔에 조심스럽게 손을 올렸다. 그러자 흠칫 놀란 이태의 턱이 굳는다.

"송이는 나의 귀한 아우였어. 내 부족한 점이 많아 녀석을 살뜰히 챙기지 못했으나, 누가 뭐래도 귀한 나의 아우였지. 하여, 나는 송이를 원망하지 않아. 건이가 자네에게 곁을 주지 않는 것은 얼음장 같은 성격 때문이나, 본질은 속이 깊고 정이 많지. 그러니 과거가 네 발목을 잡지 않게 잘해야 한다."

이태는 아무런 말도 하지 않았다. 씁쓸한 미소를 띤 주상의 용안을 빤히 올려다보며, 애써 떨리는 입술에 힘을 주었다.

이숙은 태의 팔을 놓아준 뒤 홍예문 안으로 들어가려 했다. 하지만 알 수 없는 강한 힘이 문을 잡고 열어 주지 않았다. 조금 전까지만 해도 이태는 자유로이 드나들던 문 아니던가?

"어찌……."

"전하, 이 내부는 지금 암흑입니다. 한 치 앞도 보이지 않는 어둠이 가득합니다. 저도 소득 없이 나온 차입니다."

문고리를 놓은 이숙은 천천히 하늘을 올려다보았다. 평소와는 본질적으로 다른 힘이, 궐 전체를 에워싼 기이한 힘이 은은하게 피부에 닿는다. 아주 오래전 맡아 본, 초가을 바람에 진동하던 솔잎의 청량함을 닮은 기운이.

"RSA에 연락하게."

주상은 신비로운 감정을 느끼며 내금위에게 지시했다.

"정조필 청송도를 어디로 가져갔는지, 내게 보고하라 전하라."

그녀의 벗은 등에 입 맞추며 천천히 내려가 허리의 우묵하게 팬 곳을 핥았다.

잠결에 귀찮음을 느낀 그녀가 몸을 웅크린다. 그녀가 꼭 끌어안고 있던 베개를 빼앗은 뒤 제 가슴팍을 끌어안게 했다. 진창 같은 쾌감은 사람을 미치게 했고, 충동은 어느덧 열망이 되어 번졌다. 욕심껏 갈망을 채웠다고 생각했지만, 여전히 갈증은 해결될 기미가 보이지 않는다.

조금만 더. 그녀를 느끼고, 그 안에 파묻혀 안도하고 싶다. 지금의 꿈같은 기분과 잠 못 들 정도로 뛰어 대는 심장 박동을 오래도록 기억하고 싶었다.

건은 유연의 목덜미에 입술을 누른 채 몸을 붙였다. 잘게 내쉬고 삼키는 숨결도, 이마와 옆얼굴을 가린 잔머리도, 가느다란 목선을 시작으로 허리 아래까지 이어지는 우아한 실루엣까지도. 완벽하지 않은 구석이 없다.

　너무 좋다, 네가.

　-귀멸자야.

　미소 띤 채 감겨 있던 건의 눈꺼풀이 서서히 뜨인다. 건은 짜증을 숨기지 않은 얼굴로 이를 눌러 물었다.

　'이게 무슨 짓이지? 예의가 없군, 우리 검은 고양이 씨.'

　-법도를 어긴 건 너다.

　'법도? 내가 이런 말을 하게 될 줄 몰랐는데 말이지, 고양아……궁궐의 법이 바로 나다.'

　-……이번 귀멸자는 참으로 잘나서 좋구나.

　태연자약한 답에 부아가 치민 건이 상체를 일으켰다. 새벽빛이 단단하게 여문 상체를 타고 흘러내린다. 그녀의 몸을 시트로 잘 덮어 준 뒤, 침대 아래로 발을 내린 그가 물었다.

　'그래서, 어딘데. 너.'

　-옥상이다.

　'기다려.'

　속옷을 챙겨 입은 건은 대충 셔츠와 파자마 바지를 걸친 채 침실을 나섰다. 주방과 연결된 계단 입구에서부터 넘실대는 범의 기운.

　'화가 많이 났군.'

　-보여 줄 것이 있다.

　'조유연과 관련된 일인가?'

　궐은 답하지 않았다. 계단을 오른 건은 옥상과 맞닿은 알루미늄 문을 열었다. 탁 트인 하늘, 건물들이 수평을 이룬 채 끝도 없이 퍼져 나간 서울의 잿빛 어둠이 그를 기다렸다.

비와 남자와 입맞춤

귈은 평상에 앉아 술 한 병을 옆에 놓고 그를 기다리고 있었다. 인간의 모습을 한 귈의 목덜미를 살짝 덮는 머리카락이 바람에 흔들린다. 제법 그럴싸한 껍데기를 가진 놈이다.

놈이 과거에 저 모습으로 거리를 활보했을 때 받았을 눈치와 핍박이 얼마나 심했을지는, 듣지 않아도 알 수 있었다. 호박색 눈을 가진 서방인, 혹은 이방인. 또는 괴물. 그러니 주인은 범의 전부이자 목숨 같은 존재였을 것이다. 유일하게 자신을 감싸 주는, 오롯한 존재.

"어이, 고양이. 올라오라고 해 놓고 왜 모른 척이야."

다가간 건이 귈의 옆에 털썩 앉자, 입구가 긴 주병을 든 귈의 눈동자가 예리하게 빛난다. 고뇌에 빠진 듯한 표정에 건은 더는 농담할 기분이 들지 않았다.

"귈아."

"이 술을 받고, 그대의 힘을 폭주시키지 않을 자신이 있다면······. 나는 귀멸자, 너와 이 독주를 한잔하고 싶다."

"독주? 하다 하다, 이젠 독주를 가져와?"

술병을 내려다보던 눈꺼풀을 치켜뜨자, 웃음기 없는 얼굴을 한 귈이 목소릴 울렸다.

"독이다. 이 술은 내 마음을 아프게 했고, 화나게 했다. 귈은 분노한다. 그러니 선택해라, 귀멸자야. 내 술을 받겠는가."

토독토독. 철판을 두드리는 빗소리에 잠에서 깼다.

유연은 멍하니 눈을 뜨고 커튼이 드리운 창문 방향을 응시했다.

빗소리는 신기하다. 규칙적인 듯도, 불규칙한 듯도 한 그 소리는 유난히 정적인 기분이 들게 했다.

그녀는 베개를 끌어안아 얼굴을 파묻었다. 화끈거리는 양 뺨이 뜨겁다. 맨몸을 감싼 천의 감각이 너무나 생생해 지난밤의 기억을 끌어올렸다.

유연은 몸을 웅크린 채 그가 누워 있던 방향으로 고개를 틀었다. 하지만 건이 차지했던 자리는 텅 비워진 상태였다. 몸을 일으키던 그녀는 앓는 소릴 내며 한참이나 침대에 웅크렸다.

'미쳤어. 술도 안 마셔 놓고 그게 무슨…….'

생각하면 할수록 기가 막혀 헛웃음만 나오는 상황이었다. 흔적들만 보더라도 꿈이 아니란 건 확실했지만, 비현실적으로 느껴지기도 했다. 게다가 아침 6시에 말도 없이 사라질 그가 아니다.

유연은 기어이 일어나 침실을 나섰다. 그러나 비가 내려 어둑어둑한 거실의 정적만이 그녀를 기다릴 뿐. 집 어디에도 여전히 건은 없다.

유연은 생수를 꺼내 마른 목을 축이며 소파에 앉아 무릎을 모았다. 대체 어딜 간 거지? 여전히 그의 짐은 남아 있었지만, 신발도 휴대전화도 없어서 기분이 묘했다.

'출근을 한 건가……? 아니, 궐로 돌아간 거야?'

반쯤 남은 생수병을 만지작거리며 자연스럽게 궐이를 부르려 할 때였다.

삑 삑 삑-.

현관 전자자물쇠의 비밀번호 눌리는 소리가 들렸다. 신기하게도 미약하게 넘실거리던 불안이 문 열리는 소리에 씻은 듯 사라졌다.

끼익 소릴 내며 문이 열리고 비를 맞아 흠뻑 젖은 그가 가쁜 숨을 몰아쉬며 현관에 들어선다. 젖은 머릴 쓸어 넘긴 그가 소파에 있는 그녀를 발견하곤 마스크를 내렸다.

"왜 일어났어. 샤워하고 깨워 주려 했는데."

"설마, 비 맞으면서 조깅이라도 하셨어요?"

유연은 어리둥절한 표정으로 홀딱 젖은 그에게 다가갔다. 그에 생수병을 가져가 목을 축인 그가 손을 뻗어 허릴 감쌌다. 축축하게 젖은 품으로 당겨 강하게 끌어안고 목덜미에 얼굴을 묻는다. 커다란 남자가 안겨 온 듯한 모양새에 그녀는 난처한 표정을 지었다.

"으, 차가워요."

비에 젖은 그는 소름 끼치도록 차가웠다. 반면 뜨겁기도 했다.

"아직 샤워 전이면, 나랑 같이 들어갈까?"

"네?"

"씻어야 하잖아. 우리 둘 다."

그 나른한 말투에 그녀의 온몸이 불에 얹어진 듯 빨개졌다.

"장난치지 마세요. 눈 떴는데 안 계셔서 놀랐잖아요."

"내가 어디 간 줄 알았어?"

고개를 든 그가 그녀를 내려다보며 싱긋 웃었다. 유연은 빠르게 고개를 저었다. 그러며 품에서 빠져나오려 했지만, 웃음을 참지 못한 그가 쿡쿡 웃으며 그녀의 뺨과 입술에 자잘한 키스를 퍼붓는 통에 옴짝달싹하지 못했다.

"응? 대답해 봐. 눈앞에 내가 안 보여서 싫었나?"

"아이, 진짜! 그만 좀……!"

말을 할 때마다 자꾸만 그의 입술이 말문을 틀어막는다. 그러며 점점 욕실 방향으로 밀려났다. 한 걸음 움직일 때마다 바닥이 젖고 숨이 막혔다. 그녀는 그의 턱 아래 매달려 구겨진 마스크를 벗겨 떨어트리곤, 젖은 머리카락을 양손으로 쓸어 넘겨 주었다.

"하⋯⋯."

입술이 살짝 떼어지는 순간 쏟아 낸 한숨. 깎아지른 듯한 콧날을 타고 흐른 빗물이 그녀의 입술 위로 툭 떨어졌다. 그 모습을 가만히 응시하던 그가 갸름한 턱을 어루만지다 입술을 포개 핥는다. 말랑하고 축축한 감촉이 닫힌 입술 틈을 간질이듯 벌려 파고들었다.

"진도를⋯⋯ 빠르게 빼는 것도 나쁘지 않을 텐데."

그는 샤워부스 안으로 그녀를 밀어 넣으며 젖은 셔츠를 거꾸로 벗어 떨어트렸다. 트랙 팬츠만 입은 채 그가 한 걸음 다가선다. 비에 젖어 차가워진 손끝으로 자신의 목 뒤를 어루만지듯 쓸어내리는 그로 인해, 마른침이 꿀꺽 삼켜졌다.

"어때. 나랑 같이 씻자, 응?"

깜빡 졸았다가 눈을 뜨자 앞으로 고꾸라질 뻔한 이마를 손바닥으로 받친 그의 웃음소리가 들렸다.

윽, 창피해.

젖은 머리카락을 말려 주는 손길에 잠들어 버리다니. 눈물 나게 창피해진 마음에 헛기침하며 무릎을 모았다.

"출근도 안 하는데, 더 자."

하얗게 드러난 목덜미에 닿은 그의 입술. 유연은 고개를 저었다.

"서류 정리할 게 많아요. 저하는요?"

그의 다리 사이에 앉아 가슴팍에 등을 기댄 그녀의 관자놀이로 나른한 숨이 흩어진다.

"나는 출근. 입국하자마자 여기로 튀어왔으니, 아마 궁이 발칵 뒤집혔겠지. 나도 수습해야 할 일 천지야."

"그러게 왜……."

"여기로 왔냐고? 자꾸 묻지 마. 이제 거리낄 것이 없어져서 무슨 말을 할지 모르니까."

"이상한 말 하려고, 또!"

유연은 눈을 흘겼다.

"무슨 말. 아아…… 아까 욕실에서 한 말?"

쿡쿡거리며 웃음을 꾹 참은 그가 발긋하게 달아오른 귓바퀴를 깨물더니 그녀를 안은 팔에 힘을 주었다.

"처음이라 그래. 늦게 배운 도둑질이 무섭다더니……. 옛말 틀린 거 하나 없군."

선조들의 지혜가 어쩌고, 한글과 한국어의 우수성이 저쩌고 하는 말은 제대로 귀에 들어오지 않았다. 그저 목덜미를 이로 긁는 감각에만 온 신경이 쏠려 창피한 소리가 나올 것 같았다.

"그런데 조깅은 왜 하셨어요? 사람들이 알아보면 어떻게 하려고요."

애써 화제를 돌린 그녀가 묻자, 지독하게 태연한 투의 답이 돌아왔다.

"뭐 어때. 범죄를 저지르는 것도 아니고. 난 그저 조깅을 했을 뿐이야."

"그게 아니라, 여기…… 저하가 이 집에 드나드는 거 찍히시면."

"그땐 혼인 발표를 하는 거지."

"네?"

혼인?

정신이 번쩍 들어 몸을 빼 돌아앉았다. 그러자 인상을 찌푸린 그가 고개를 갸우뚱 기울이더니 그녀의 양 뺨을 죽 잡아 늘인다.

"뭐야, 그 표정은."

"아니, 간택제를 열고 계신데 저하고 혼인을 하신다고요? 아니, 아니. 발표하신다고요?"

"그럼, 맛만 보고 버리려고 했어? 내 정조를 앗아가 놓고, 발을 빼신다?"

"제가 언제요!"

"지금. 그리고 간택제를 연 이유는, 확인이 필요해서지 결혼할 상대를 구하기 위해서가 아닌데."

건은 헛웃음을 흘리는 그녀의 입술을 짓궂게 깨문 뒤 몸을 일으켰다. 그녀의 고개가 그를 따라 요리조리 움직인다. 귀엽고 사랑스럽다. 심장이 남아나지 않을 것 같던 간밤의 일은 모두 현실이었다.

"일단 나중에 다시 얘기해. 1층에 이우혁이 와 있거든."

한숨 쉬듯 웃어 버린 그가 자신의 짐을 넣어 둔 방으로 들어가 옷걸이에 걸어 둔 정장으로 갈아입기 시작했다. 좁고 긴 거울 앞에 서서 드레스 셔츠의 단추를 잠그고, 푸른빛이 도는 커프스 링크를 잠그는 눈빛이 서서히 냉각된다.

우혁이 골라 놓은 넥타이까지 목에 건 그가 거실에 있는 유연을 불렀다.

"미안한데, 타이 맬 줄 알아?"

"그럼요. 세 가지 매듭법 다 할 줄 알아요."

"그럼 부탁 좀."

그는 상체를 조금 숙여 그녀 가까이 다가갔다. 그러자 넥타이 끝을 잘 맞춘 그녀가 생글생글 웃으며 능숙하게 매듭을 만든다. 건은 그런 유연의 긴 속눈썹과 불그스름한 입술을 가만히 내려다보았다.

지난 새벽 검은 고양이가 가져온 독주는 말 그대로 독이었다. 주조한 이가 가진 기억 중, 가장 오래도록 기억에 남은 일들을 단편적으로 보여 주는 독주. 최설아의 기억 속에서 건은 유연의 다양한 모습을 발견했다.

'주인의 어미는 망량주를 마시고 잠들었으나, 모든 것이 진실은 아니다.'

'부작용이 난 이유를 이제 알겠군……'

'주인의 아비는 트럭 사고로 돌아가셨다. 아니, 인간의 욕심으로 목숨을 잃은 것이다. 귀멸자야, 너는 알고 있었는가.'

'아니, 아니……. 알 수 있을 리가 있나. 알았다면, 이리 두지 않았겠지. 조금만 더 일찍 알았다면.'

분노와 슬픔, 경멸과 탄식이 사정없이 뒤섞여 끓어올랐다. 그래서 어떻게든 그 감정을 해소해야만 했다. 그렇지 않으면, 누군가에게 해를 끼칠 것만 같았다. 숨이 벅차도록, 다리가 휘청거릴 때까지 뛰고 또 뛰었지만 나아지는 것은 없었다.

정신을 잃은 모친과 유연은 제중원으로, 긴급수술이 필요했던 부친은 서화의료원으로 이송되었을 것이다. 최설아의 기억이 그렇게 말해 주고 있었다. 그녀의 희망을 짓밟고 앗아간 악랄하고, 짐승만도 못한 놈. 그것이 그녀가 은혜를 입었던 치의 민낯이었다.

"다 됐어요."

생각에 잠겨 있던 그는 자신을 올려다보는 말간 눈동자를 마주했다.

"고마워. 오늘 넌 뭐 할 거야?"

건의 질문에 침대로 가 풀썩 앉은 그녀가 액정이 깨져 버린 휴대 전화를 꺼내며 한숨을 내쉬었다.

"제 친구가 실수로 액정을 깼어요. 이거 수리 맡긴 다음, 엄마 병원에 다녀오려고요."

액정이 깨져버린 휴대 전화를 본 그의 인상이 찌푸려진다.

"일찍 올게. 같이 저녁 먹지."

"정말 오실 거예요? 여기 너무 불편하지 않으세요?"

"응, 불편하긴커녕 딱 좋아. 혼인 후엔 창경궁으로 들어가려 했는데, 안 되겠어. 역시 붙어 있는 게 좋은 것 같아."

혼인이란 말에 또다시 유연은 시선을 피해 고개를 숙였다. 귀도 뺨도, 목덜미도 빨갛다. 아마, 온몸이 빨갛지 않을까?

출근 준비를 마친 그가 반듯하게 매어진 넥타이를 만지작거리곤 그녀의 방향으로 돌아섰다.

"항상 지켜보고 있을 테니 걱정하지 마."

"사람들이 전처럼 사진 찍어 나를까 봐 조금 겁나긴 해요."

"그땐 돌직구를 택해야지. 그리고 난, 물러설 생각 없고."

팔을 벌려 그녀를 안았다. 자그마한 뒷머릴 쓰다듬으며 애써 독주의 기억을 잠시 밀어내려 노력했다.

"다녀오세요. 만약 저 없으면……."

"씻고 기다리면 되나?"

"아, 진짜……!"

"농담 아니고 진심이야."

정말이지 마음 같아선 한 걸음도 떼고 싶지 않았지만, 빌어먹을 만치 할 일이 태산이었다.

건은 그녀의 배웅을 받으며 마지못한 듯 현관을 나섰다. 잠옷 차림의 그녀를 뒤로한 채 계단을 내려가는 걸음이 무겁다. 코너를 돌 때마다 머리 위로 노란 센서 등이 켜지고, 1층에 가까워질수록 비 냄새가 짙어졌다.

공허하게 울리던 구둣발 소리가 멎은 1층 현관. 검은 우산을 든 채 깊은 생각에 빠져 있던 우혁이 공손히 허리 숙여 인사한다. 이어, 커다란 우산을 펴고 그를 맞았다.

"새벽 조깅은 건강에 좋으나, 감기에 걸리실까 봐 걱정입니다."

"걱정 마, 열을 식히려 한 것뿐이니까."

우혁은 우산 아래 들어온 그와 보폭을 맞춰 걸으며 지난밤의 일을 보고했다. 사온서에서 이태를 만난 주상이 RSA의 수장고를 방문했다는 것. 그리고 청송도에 관해 알아 오라는 지시를 내렸다는 것이었다.

"낙선재를 비워야 할 것 같군."

멀리 세워진 검정 세단의 문이 열린다. 차에서 내린 익위 장은호가 깊게 허리 숙인다.

"낙선재를요?"

"그래. 집 나간 놈들이 하나씩 돌아올 거거든. 청송도도 수장고에서 빼, 낙선재로 옮기도록 해."

"이유라도……."

"말했잖아. 집 나간 놈들이 돌아오고 있다고. 아니, 돌아올 준비를 마쳤으니 거처를 내어줘야지. 그것이 도리지."

건은 어리둥절해하는 우혁의 얼굴을 보며 픽 웃었다. 이어 냉랭하게 가라앉은 눈빛으로 장은호가 열어 준 뒷좌석에 올라탔다.

거세게 쏟아진 빗줄기에 바짓단이 젖었다. 평소였다면 그 선득함에 짜증이 났겠지만, 오늘은 조금도 신경 쓰이지 않았다.

건은 사이드미러에 비치는 그녀의 집을 응시했다.

'주인의 힘을 느낀 수호부들이 신호를 보내고 있다. 집으로 돌아오고 싶어 한다. 청송이 돌아왔으니, 다른 놈들도 안달하기 시작할 것이다. 귀멸자야, 내 주인은……. 귀하디귀한, 내 주인은 말이다. 이 무지하고 파렴치한 인간의 손에 놀아나면 아니 된다. 그러니, 귀멸자야. 나를 말리지 마라.'

말리긴 누가. 오히려 네놈이 나를 말려 준 것을 고맙게 여길 뿐.

천천히 움직이는 차 안에서 건은 눈을 감았다. 어디서부터 엉켜 있는지 알 수 없던 실타래의 시작을 알게 되었다.

"장은호."

"예."

건의 부름에 룸미러를 올려다본 은호가 답하였다. 그에 창틀에 팔꿈치를 괸 세자가 무심한 듯 나직하게 명했다.

"밟아."

"안녕하셨어요?"

유연이 병실에 들어서자 통화하던 아주머니가 환하게 웃으며 그녀를 반겼다. 유연은 아주머니가 통화를 마칠 때까지 기다리며 조용히 엄마에게 다가갔다.

여전히 마르고 수척하지만, 엄마는 오래전 기억 속 모습 그대로였다. 유연은 새삼 신기하다는 생각이 들었다. 손잡아 흔들면, 하품하며 일어나 '우리 딸, 왜. 일요일엔 좀 더 자자.'라며 어른스럽지 못하게 칭얼거릴 것도 같다.

"회사 일이 엄청 바빴나 봐요."

통화를 마친 아주머니가 냉장고에서 꺼낸 음료를 내민다.

"네, 회사에 일하는 사람이 저뿐인가 봐요."

"어휴, 내 딸도 똑같은 소리 하더라. 엄마는 잘 계셨어요. 근데 의사가 몇 번 맥이 약하단 소릴 하더라고."

"그래요? 지금은 괜찮으시대요?"

"아침에 맥박 재 갔는데, 별말 없더라고요. 그래도 유연 씨가 한번 알아보는 게 어때요? 이 병원, 믿을 수가 있어야지."

유연은 홍삼 맛이 나는 음료를 홀짝이며 고개를 끄덕였다. 지난번 아주머니를 위해 사다 드린 음료가 그대로다. 이제는 정말로 찾아오는 사람도, 엄마의 건강을 걱정하는 사람도 거의 다 사라졌다. 부모님의 부재에 가뭄에 콩 나듯 병실을 찾아오던 일가친척들은 이젠 그 발길조차 거두었다.

똑똑.

문 두드리는 소리에 고개를 돌리자 주사를 놓으러 온 간호사가 유연을 보며 긴장한 표정을 짓는다. 최 회장을 통해 병원에 말이 전해졌거나, 지난번 제가 세자와 함께 병원을 빠져나갔다는 걸 아는 사람이었다.

"보호자 분은 원장님 보러 가 보세요. 지난번 진료 기록 원하신다고 말씀드렸더니 직접 준비해 주신대요."

간호사의 말에 벌떡 일어나려던 유연은 트레이에 담긴 바이알과 주사로 시선을 내렸다. 하지만 그것은 그녀도 잘 아는 진통제 계열의 평범한 의약품이었다. 유연이 가만히 트레이를 들여다보는 모습에 간호사가 할 말이 많은 얼굴로 어색하게 웃었다.

　"저기, 오늘은 다른 약이에요. 평소에 맞으시는 약은 오후 10시로 투약 시간이 바뀌었거든요……. 오후 10시요."

　"왜 바뀌었어요?"

　"교수님 지시죠. 박혜란 씨는 중요한 환자분이라, 교수님 지시 없이는 저희 마음대로 아무것도 못 하거든요."

　알아주길 바라는 말투를 못 알아챌 리 없다. 오후 10시라면, 아주머니가 퇴근한 직후였으니까.

　유연은 간호사가 주사를 놓고 나갈 때까지 기다렸다. 간호사가 문을 닫고 나가는 소리에 등줄기가 선득하다. 마치, 누군가 요란하게 조롱하는 듯한 기분이 들었다.

　엄마의 손은 더 이상 바늘이 들어갈 수도 없을 만큼 엉망이었다. 작년엔 이상하게 몸이 부어 발등에 주사를 꽂았던 적도 있었다. 그런데 만약, 내가 잘 몰라서……. 엄마를 고통으로 몰아넣은 거라면. 잘못된 선택을 했던 거라면. 엄마가 잃어버린 13년이란 세월은 과연 누구에게 보상받아야 할까. 혹시, 내가 엄마를 망친 건 아닐까?

　"유연 씨."

　극단적으로 치닫던 생각을 끊어낸 건 아주머니의 목소리였다. 힘이 들어갔던 주먹을 풀고, 희미하게 웃으며 아주머니를 보았다. 걱정스러운 표정으로 일어난 아주머니가 위로하듯 어깨를 감싼다.

　"유연 씨 때문에 혜란 씨 아픈 거 아니에요. 그리고 부모는 절대

자식 원망 안 해요. 내 새끼한테 싫은 소리 귀 아프게 하고도, 아침밥 굶고 나갈까 걱정돼서 절로 눈 떠지는 게 부모야."

"티 나요? 티 안 날 줄 알았는데. 사실 요즘, 마음이 복잡해요. 모두 다 제 탓인 것 같고, 저만 행복하게 사는 것 같고. 엄마가 눈 뜨면, 정상적으로 생활할 수 없을 텐데. 그땐 어떻게 해야 하나 싶다가도 그런 생각을 했다는 게 못 견디게 죄책감 들고. 감정이 날뛰어요."

"어떻게 안 그러겠어. 나만 해도 우리 시어머니 돌아가시기 전까지 병 수발 드느라 내 청춘 다 쏟아부었거든요. 얼마나 원망스러웠는데. 근데 막상 돌아가시니까, 억장이 무너지더라. 사람 마음이 다 그래. 어떻게 일관적이야. 이랬다가, 저랬다가. 좋았다가, 싫었다가. 부모·자식 간엔 더 하지."

생각지도 못한 위로를 받았다. 병실에 누워 있는 엄마를 볼 때마다 찾아오는 죄책감을 벌처럼 받아들이며 살았다. 해이해질 때마다 누워 있는 엄마를 보며 마음을 다잡았고, 부러 마음의 빚을 늘려갔다.

그간 많이 지쳐 있었나 보다. 최 회장이 보인 잔재주에 넘어가 앞뒤 분간 없이 매달려 버린 제가 창피했다. 그러니 이제는 속지 않는다. 지금껏 자신을 현혹한 것들이 무엇인지, 낱낱이 알아낼 차례였다.

"고마워요, 아주머니. 저, 그럼 다녀올게요. 그리고…… 오늘 밤엔 제가 있을 테니까, 일찍 돌아가셔도 돼요."

이사장실에 앉은 미란은 이틀 전 입고된 작품 목록을 살피며 관자놀이를 꾹꾹 눌렀다. 골치 아픈 일에 휘말린 것처럼 지끈한 두통이 찾아왔다.

비가 쏟아져 초저녁처럼 느껴지는 한낮, 한쪽 벽을 가득 채운 창 너머 콘크리트 색 설치미술 작품들이 눈에 띈다.

'이사장님, 준일 씨가 요즘 좀 변했죠? 정신을 차린 건지, 이성을 잃은 건지 몰라도……. 이대로 식 올리는 건 무리예요. 그래서 말인 데, 유연 씨. 어머님이 잘 설득하셔서 제 밑으로 보내 주시면 안 될 까요? 눈앞에서 사라지면, 마음도 멀어지는 법이잖아요.'

누가 서 대표 딸 아니랄까 봐, 손해 보는 장사는 안 하겠다는 건가?

미란은 입술을 잘근잘근 씹었다. 연아는 완벽한 며느릿감이었다. 집안, 학벌, 외모, 성격. 무엇 하나 빠지지 않아, 되레 무뚝뚝하고 멋 대가리 없는 준일에게 과분한 느낌이 들 정도였다. 그런데 제법 독 한 구석이 있는 건지, 준일의 과거를 포용하되 제 손에 넣고 주무르 려 했다. 하지만 연아의 말은 틀린 것이 하나도 없었다. 오히려 조유 연에게 더 좋은 기회가 될지도 모른다. 제약회사보다는 예술계가 그 녀에게는 더 잘 맞을 테니까.

'어떻게 한다…….'

펜으로 서류를 톡톡 두드리던 미란은 노크 소리에 상념에서 빠져 나왔다. 문을 열고 들어온 비서가 난처한 얼굴로 비켜선다.

"최설아 님 오셨습니다."

"설아가?"

질문이 끝나기도 전, 수척한 얼굴의 설아가 뚜벅뚜벅 걸어 들어온 다. 미란은 눈에 띄게 망가진 설아의 낯빛에 놀라 일어났다.

"너 어디 아파? 며칠 전에 크게 앓았다며. 아직도 안 좋은 거야?"

"밥 먹으러 온 건데, 입맛이 뚝 떨어졌어."

"왜, 속이 별로니?"

"어…… 천지에 지독한 냄새가 풀풀 풍겨, 엄마."

싸늘하게 읊조린 설아가 소파에 앉더니, 비서에게 커피를 주문한다. 미란은 마치 딴사람이 된 것 같은 설아에게 다가갔다.

"그게 무슨 소리야. 갤러리에서 냄새가 난다니? 네 코가 잘못된 거 아니니?"

연락도 없이 찾아와서는 뜬금없이 트집이라니. 정말, 뭔가 이상해지긴 했다. 말도 안 된다는 투로 웃어버린 미란을 뾰족하게 노려본 설아가 밖을 가리킨다.

"냄새난다고. 밖에 있는 그림들에, 이상한 거 들러붙어 있잖아."

"설아야, 너 그게……."

"저 그림들 나 줘. 저하한테 가져다드리게."

"뭐? 얘가? 네가 언제부터 그림에 관심이 있었다고. 너 진짜 괜찮니?"

"왜? 엄마도 내가 이상해 보여?"

설아는 분노를 조절하지 못하는 사람처럼 보였다. 놀란 미란은 씩씩거리며 주먹을 떠는 설아의 손을 감쌌다.

"설아야, 너 왜 그래."

"다 거짓말만 해. 다……. 내가 우습고 만만한가 봐. 난 그냥, 그냥……."

"설아야."

"나 다 알아. 요즘에 꿈에 나와……. 그날, 아빠가. 우리 아빠가 걔네 아빠 죽이던 게 보여."

"최설아! 너 그게 무슨 헛소리야!"

"헛소리?"

숨이 가빠진 설아가 손을 뿌리치더니 파리해진 입술을 떨며 미소 짓는다. 말문이 막혀 버린 미란이 자신을 뿌리친 설아를 다시 잡으려 했다.

"놔! 엄마도 아빠도 다 미쳤어. 내가 바본 줄 알지? 내가 아무것도 몰라서 이러고 사는 줄 알지!"

악을 쓰며 벌떡 일어나 밖으로 나가 버린 설아를 따라 미란이 뛰었다.

"이거, 이거! 그리고 저것도! 엄마는 안 보여? 저렇게 잘 보이는데! 왜 안 보여!"

"갤러리 문 닫아요. 빨리!"

"이 눈이 있으면 세자빈 될 수 있다며! 나도 보이는데! 나도 볼 줄 아는데, 왜!"

눈을 빨갛게 붉힌 설아가 벽에 걸린 그림들을 꺼내 내동댕이치기 시작했다. 순식간에 엉망이 된 갤러리 내부. 미란은 패악을 부리는 설아를 보며 억장이 무너지는 충격을 받았다.

"왜, 조유연이냐고!"

덜덜 떨며 주저앉아 버린 미란을 대신해 뛰어든 직원들이 그녀를 말린다. 무언가 잘못되었다. 설아는 손만 망가진 것이 아니었다.

미란은 쾅쾅쾅, 갤러리 문을 두드리는 재익을 발견했다. 일전에 소개받은 설아의 매니저라는 걸 알아챈 미란이 비서를 시켜 문을 열자, 뛰어 들어온 재익이 설아를 부둥켜안는다. 이런 일에 익숙한 것처럼 눈을 질끈 감은 채 설아를 꽉 안은 재익의 눈이 빨개졌다.

그제야 진정이 된 건지 바닥으로 주저앉은 설아가 미란을 노려보며 입술을 짓씹는다.

"엄마도 알았으면서……. 어른이었던 주제에, 알면서도 이렇게까지 만든 엄마가 제일 나빠."

✿

건은 서류를 덮으며 일어났다.

"13년 전 사고에 관한 건 재조사를 요청해 두었습니다. 그런데 뭘 알아내신 겁니까?"

우혁의 질문에 건은 대답 대신 서화제약을 조사했던 파일을 내려놓았다.

"조사 끝나는 대로 의료법 위반으로 서화의료원을 고발하고, 왕실의 권한으로 청문회를 열지. 물론, 그때까진 극비 사안이야."

"저하, 그렇게까지……."

"살인이야. 굴지의 제약회사가 이점을 이용해 비인륜적인 방법으로 총수의 욕심을 채웠어. 그 정도면, 공개 청문회를 열어도 된다고 생각하는데."

우혁은 입을 떡 벌린 채 주먹을 떨었다. 그저 신약 개발 및 임상 시험에 비리가 있을 거라고만 생각했다. 하지만 살인이라니.

도무지 납득되지 않는다는 듯 헛바람을 들이켠 우혁이 건을 따라 비현각을 나섰다.

사냥을 나서기 직전의 범은 몸을 낮추고 꼬리를 감춘다. 하지만 아무리 미동 없이 웅크린 채여도, 범은 범이었다. 우혁은 건의 담담한 표정으로 그가 사냥을 준비 중이라는 것을 눈치챘다.

세자는 천천히 궐 외곽을 따라 주차장 방향으로 걸었다. 동궁전을 지키던 익위사들이 그 뒤를 따른다.

지난밤부터 궐 내에 기이한 기운이 감돌았다. 그것은 마치 더운 공기 틈새에 섞인 냉기처럼 이질적이었으나, 낯설지 않은 기이한 힘이었다.

"말씀하신 대로 정조필 청송도를 낙선재에 옮겼습니다."

"그래."

"저하, 저는 평범한 인간이라 말씀해 주시지 않으면 모릅니다. 무슨 일이 벌어지고 있는 겁니까. 혹시, 좋지 않은 일입니까?"

건은 대답 대신 한숨을 내쉬며 걸음을 멈추었다. 건춘문에 다다르기 전, 오른쪽에 보이는 동정문이 그의 시선을 사로잡는다.

"좋지 않은 일이지. 내 걸, 나눠 가지려는 놈들이 늘어났거든."

"예?"

"이 실장, RSA 전체를 소집해. 그리고 여기서부터는 나 혼자 움직이지."

낙선재를 내어주었더니, 창덕궁 전체를 먹어 치웠군.

건은 혼잣말을 읊조리며 피식 웃었다. 멀찍이 멈춰선 우혁의 눈에는 보이지 않았지만, 건의 눈엔 보였다. 푸르스름한 장막이 드리운 동정문 너머. 비현실적인 광경이 펼쳐지고 있었다. 분명 이곳은 계조당과 연결된 곳이건만, 눈에 보이는 곳은 낙선재 앞마당이었다.

'이것이 청송의 힘이란 것이군……'

내심 감탄한 건은 장막 안으로 한 걸음 내디뎠다. 거부감 없이 그를 받아들인 장막 안에 파동이 인다. 걸음을 내디딜 때마다 하늘이 울리고 안개처럼 흩뿌려져 있던 솔향이 사라졌다.

－귀멸자야.

그때, 집채만 한 호랑이의 음성이 산울림처럼 들려온다. 건이 고개를 들자 눈앞엔 정말로 범의 모습을 한 궐이 서 있었다.

"살판났군. 날 두고 사라지더니, 여기서 재미 보고 있었나?"

건의 비아냥에 연기로 변한 궐이 사람의 모습으로 바뀌어 성큼 다가온다.

"그대가 폭주할까 봐 자리를 피한 것이다. 귀멸자야, 네 힘은 나를 다치게 한다."

"그래서 겁먹었나?"

"내가 다치면, 주인이 싫어한다. 유연이 아파할 거다."

"하, 그래서. 궐에 무슨 짓을 한 거야."

"길을 낸 것뿐이다. 귀멸자야, 저 아이가 바로 청송이다."

그제야 대청 위, 문설주에 기대앉아 곰방대를 문 젊은 선비 한 명과 장기판을 앞에 둔 꼬마가 고개를 튼다. 머리엔 복건을 쓰고 푸른색 쾌자를 걸친 꼬마가 장기 말을 놓으며 거만하게 고개를 까닥였다.

"어린놈이 먼 곳까지 나를 마중 나와 고마웠다. 귀멸자야."

어린놈?

어처구니없는 마음에 실소했지만, 꼬맹이의 모습을 하고 있을 뿐, 이들은 수호부였다. 적어도 100년에서 1,000년까지. 이들의 나이는 절대 적지 않았다.

"그럼, 그쪽은 누구지?"

"나 말이냐? 허허, 나는 망량이다."

"망량 영감?"

"영감이란 말은 하지 말아 주었으면 좋겠구나. 내 어딜 봐서 영감이란 말이냐. 궐이 저놈이 자꾸 나를 노인네 취급하는 것뿐이지. 귀멸자야, 네 또래로 보이지 않는가?"

망량이 껄껄 웃으며 곰방대를 턴다. 그러자 심드렁하게 장기 말을 옮긴 청송이 망량을 보며 정중하게 말했다.

"어린놈이 당당합니다, 형님."

"그래도 꽤 똑똑하니 봐주자. 널 이곳으로 데리고 와 준 은인 아니더냐."

쳇, 하며 혀를 찬 청송이 무릎을 모으더니 양 뺨을 발긋하게 밝히며 두 눈을 반짝인다.

"귀멸자는 됐습니다. 저는 한시라도 빨리 주인을 만나고 싶었단 말입니다. 이 얼마 만에 받은 강하고 순수한 힘인지. 당연히 아주 아름다운 분이시겠죠? 저를 어여뻐 해 주실까요?"

포동포동한 뺨을 붉힌 청송을 향해 건과 궐이 동시에 돌아섰다. 그러곤 이를 내보이며 서늘하게 경고한다.

"거기까지. 네 주인이기 이전에 나의 여인이다."

"유연이는 내 주인이다, 청송아."

놀란 청송이 오동통한 입술을 삐죽이고, 쯧쯧 혀를 찬 망량은 곰방대 끝을 쭉 빨았다.

"궐아, 청송아. 이번 귀멸자는 성격이 별로 좋지 않은 것 같다. 그러니 몸 사려라. 털 타는 냄새 난다. 훠이훠이."

"오늘은 병원에 있어야 할 것 같아요. 아마 집에 가도 12시가 넘을 거고요. 그러니까 저하도 오늘은 궐에 계시는 게 어떠세요?"

병원 복도에 서서 조용하게 통화하는 그녀의 목소리가 울린다. 손에는 조금 전 원장이 내어준 13년간의 기록이 들려 있었다. 원장은 자신을 믿지 못하는 환자와 가족에겐 최선을 다할 수 없다며, 알아서 잘 처신하라고 쓴소릴 퍼부었다.

[어머니 상태가 안 좋으신가?]

걱정스러운 건의 말에 유연은 고개를 더욱더 깊게 숙였다.

"아뇨, 오늘은 간병인 아주머니가 일찍 가 보셔야 해서요."

[내가 갈까?]

"저하가 오시면 병원이 시끄러워져서 안 돼요. 또 얼마나 소란스럽게 만드시려고."

일부러 가벼운 투로 대꾸한 그녀는 차트를 꽉 안은 채 애써 웃었다.

[이제 그 소란에 익숙해져야지. 내 연인인데. 어쨌든 늦어도 잠은 집에서 자. 기다리고 있을 테니까……. 몇 시가 되었든.]

수화기 너머 소란스러운 기척이 넘어온다. 업무가 시작된 건지, 건은 나중에 보자는 말을 끝으로 전화를 끊었다.

통화를 마친 그녀는 두꺼운 서류를 품에 안고 한참 동안 복도에 서 있었다. 목소리만 들었을 뿐인데, 코끝에 그의 향기가 맡아지는 기분이다. 그래서인지 가슴이 이유 없이 콩닥콩닥 뛰어 댔다. 밤새꽉 끌어안았던 품. 머리카락을 움켜쥔 손에 들어간 힘과 열에 달떠 속삭이던 목소리가 심장을 간질인다.

괜찮아, 였나……. 아니면, 숨을 쉬라고 했던가?

지난밤 그는 부끄러운 마음에 시선을 피하면 굳이 턱을 잡아 자신을 보게 했다. 커다란 손바닥에 배어난 땀, 미끈거리던 피부와 델 듯이 뜨거웠던 온도 같은 것들이 생생하다. 묵직한 둔통에 놀라 도망치고 싶다가도, 그를 힘주어 안았다.

쿵쾅대는 소리가 심장에서 머리로, 목 안쪽까지 번져 울려 댄다. 이렇게 계속 그의 생각을 했다가는 얼굴이 터져나갈 것 같은 기분에, 그녀는 궐을 불러보았다.

'궐아.'

하지만 평소와 다르게 궐은 대답하지 않았다.

'궐아?'

왜, 아무 말도 없지? 혹시 무슨 일이 생긴 건가?

덜컥 겁이 난 그녀는 서둘러 병실로 들어가 서류를 내려놓은 뒤, 창가에 마음을 다잡고 섰다.

'김궐!'

궐의 목소릴 기다리는 그녀의 얼굴에 초조함이 깃든다. 하지만 궐은 여전히 대답이 없었다.

어떻게 된 거야…….

당황한 마음에 선반 모서리를 꽉 움켜쥔 그녀는 창밖을 노려보며 쉬지 않고 궐이를 불렀다.

'야! 대답을……!'

-기다려라, 주인아.

익숙한 울림이 묵직하게 밀려든 순간, 안도감에 다리에 힘이 풀렸다.

-금방 간다. 혼자 두지 않는다. 기다려라, 유연아.

'너…….'

생각이 이어지지 않았다. 누군가에게 기대어 본 적이 없어서일까? 먼저 손 내밀어 준 건에게, 그리고 궐에게 자꾸만 마음이 기울고 약한 모습을 드러내고 있었다.

"한심해……."

유연은 헛웃음을 흘리며 보호자용 의자에 앉았다. 병상에 기대어 비 내리는 창밖 하늘을 올려다본다.

간호사가 바이알을 갖고 들어왔다는 말을 들었을 때부터, 묘한 예감이 들었다. 아주머니가 그것을 외워 적을 수 있을 만큼의 시간을 주었다는 것도. 그리고 오늘 밤 10시에 오겠다며, 굳이 시간을 알려 준 건 어떤 이유에서일까. 좋은 의도일지, 혹은 자신을 속이기 위한 술수일지도 모르겠다. 하지만 기대해 보고 싶었다. 세상은 아직 거짓을 이겨 낼 힘을 갖고 있다고. 부패와 거짓 속에서도 진실을 아는 누군가는 언제든 용기 낼 준비를 하는 것이라고.

1층에서 사다 놓은 커피를 한 모금 마시곤, 원장이 내어준 차트를 한 장씩 넘기는 그녀의 눈빛이 차갑게 가라앉는다.

"으악!"

골프장으로 향하는 길, 차 안에서 잠시 잠들었던 최 회장이 겁에 질려 눈을 떴다.

식은땀이 줄줄 흐르고, 짙은 살기에 몸이 벌벌 떨렸다.

'이, 이게 무슨 꿈이야.'

왜지? 왜 그날의 꿈을 꾸는 거지?

이미 지난 일을 말끔하게 잊은 지 오래다. 김 원장의 말에 따르면, 조경훈은 수술해도 살아날 확률이 높은 편은 아니라고 했다. 그런 이유라면 고통을 없애 깔끔하게 보내 주는 것이 가족들에게도 나을 거라고 생각한 것뿐이었다.

거부하는 김 원장의 멱살을 잡고 당장 주사를 놓으라고 소리치는데, 꿈속에서 검은 호랑이 한 마리가 나타나 제 목을 물어뜯었다. 피분수가 일어나 누워 있는 병상 시트를 적시고 머리가 바닥을 구르는 악몽이다.

우식은 제 목을 만지작거리며 담배를 꺼내 물었다. 창문을 조금 열자 비바람이 불어와 우식의 얼굴을 적신다.

'뭔 꿈이 이렇게 더러워?'

요즘 기가 허해지긴 했나 보다. 하긴, 조유연이 귀신 같은 걸 보는데 집에 삿된 것이 안 붙으면 이상하지. 굿이라도 해야 하나?

담뱃불을 붙인 최우식이 운전 중인 비서를 보며 말했다.

"오늘 골프 끝나면, 안마 좀 받지. 몸이 찌뿌듯한데 준비 좀 해."

"회장님, 간택제 때문에 여전히 회장님의 감사를 진행하고 있습니다. 이번엔 참으시는 게……."

"어허, 누가 들으면 오해하겠어. 난 그저 안마를 받고 싶은 거야. 말조심해, 윤 실장."

"……죄송합니다."

독한 연기를 뻐끔뻐끔 내뱉은 최우식은 여전히 남은 기분 나쁜 감각에 목덜미를 문질렀다. 고통이 너무나 생생했다. 정말로 범에게 목덜미를 물어뜯길 것만 같은. 그러니까 그날 궐에서…….

'그놈. 그래, 그 눈깔이 노란 놈!'

자신의 그림자를 밟고 있던 젊은 사내를 떠올린 최우식은 찾아온 오싹함에 어깨를 부르르 떨었다.

'일이 어떻게 되어 가고 있는 거야?'

김 상궁에게 보고를 듣고 싶어도, 이쪽에서 먼저 연락하는 것은 불가능했다. 하지만 분명 며칠 전 술을 바꿔치기하는 데 성공했다는 소식을 들었다. 그러니 세자도 더는 의심하지 못할 테고, 대대적으로 간택제를 통해 세자빈을 결정하겠다고 했으니 번복하지도 못할 터다.

'원래 꿈은 반대라니.'

끌끌, 웃어 보인 최 회장은 유난히 검은 비구름을 올려다보다가 슬그머니 창을 닫았다.

그래도 용하다는 점쟁이를 찾아가 봐야겠어. 이왕이면 신내림 받은 지 얼마 안 된 영험한 이로.

삐-.

작은 알림음에 번쩍 눈을 떴다. 어둑해진 병실 풍경에 놀란 심장이 빠르게 뛰어 댔다. 지난밤 잠을 설쳐서인지, 서류를 들여다보다 말고 잠들어 버렸다.

유연은 기지개를 켜며 시간을 확인했다. 이제 곧 밤 10시. 저녁을 굶었더니 배가 고파져, 냉장고 안에 아주머니가 넣어둔 곡물 우유를 꺼냈다. 아무도 드나든 흔적이 없는 병실은 고요하다 못해 적막했다. 작게 난 문틈 너머 간호사들이 이동하는 소리만 이따금 들릴 뿐.

아주머니가 알려 주신 대로, 수건을 빨아 엄마의 손과 얼굴을 조심조심 닦아 줄 때였다.

똑똑-.

노크와 동시에 문이 열리고, 낮에 만났던 간호사가 들어왔다.

"계셨네요."

"네, 10시에 오신다고 하셔서요."

유연은 침대 위의 독서 등을 켰다. 불도 켜지 않은 채 다가온 간호사가 억지웃음을 지으며 손에 든 트레이를 내려놓는다. 그 안에는 처음 보는 바이알과 빈 주사기, 그리고 액체가 가득 든 실린더가 있었다.

"환자분 잘 주무셨죠?"

간호사는 덜덜 떨리는 손으로 엄마의 팔에 혈압 패드를 붙였다. 하지만 유연은 대답 대신 트레이에 놓인 것들을 뚫어지게 쳐다보았다.

"맥박도 좋고, 혈색도 좋으시네요. 보호자 분, 이 약을 놓으면 박혜란 씨는 깨어나지 않으실 거예요."

"네……?"

흠칫 놀라 고개를 들자, 입술을 덜덜 떤 간호사가 가져온 바이알을 유연의 손에 쥐여 주었다.

"그런데 놓지 않으면 깨어나시는 대신, 굉장히 고통스러워하실 거고요. 13년이나 누워 계신 분이라, 겉보기만 정상일 뿐이에요. 뼈도 움직이지 않을 것이고……. 사실, 뇌사 판정을 내려도 되는데 위에서 허락하지 않으세요."

"저기……."

"어머니는 너무, 그러니까…… 죄송해요. 이게 뭔지는 저희도 몰라요. 근데 저희도 이제 더는 못 보겠어서."

"그럼, 주사기에 든 건요……?"

"같은 거예요. 하나 없어진 거 알면, 조사 나올 거예요. 관리가 엄청 **빡빡한** 약물이라서요. 그래도 누군가 하지 않으면, 정말 큰일 날 것 같아서……. 박혜란 씨 연명치료 중지하라는 지시가 내려올 거란 소문이 돌았거든요."

유연은 더듬거리며 두서없이 말을 이어나가는 간호사의 손을 불쑥 잡았다.

"그럼 어떻게 되는데요……?"

차마 말을 하지 못하며 겁먹은 듯 주위를 살피던 간호사가 유연의 귀에 빠르게 속삭이곤, 서둘러 링거에 약을 주사했다. 그러곤 도망치듯 병실을 빠져나갔다.

유연은 멍하니 벽을 응시했다. 조금 전 간호사가 한 말을 믿고 싶지 않았다.

'안락사요.'

말도 안 돼……. 살려 주겠다며, 희망이 보인다며…….

후드득 떨어진 눈물이 무릎에 올린 손등에 떨어진다. 단 한 번도 생각해 본 적 없는 단어였다. 너무나 끔찍해 상상조차 해 본 적 없던. 생전 느껴본 적 없는 통증에 숨이 막혀 가슴을 주먹으로 툭툭 때리며 가쁜 소릴 냈다.

"하, 하……. 하."

몸이 덜덜 떨리고, 바이알을 움켜쥔 손에 힘이 들어갔다. 그녀는 애써 오열이 나올 것 같은 입을 틀어막은 채, 손수건을 꺼내 유리를 감쌌다. 하지만 머릿속이 하얗게 질리고, 경련이 일어나 몸이 제 말을 듣지 않았다.

휘청거리며 몸을 움직이던 그녀는 간신히 자리로 돌아와 의자에 앉았다. 눈물이 멎지 않는다. 몸 어딘가가 고장 난 것처럼, 기가 막히고 화가나 눈물이 펑펑 쏟아졌다.

소리 내지 않으려 꽉 깨문 입술에 상처가 난 건지, 비릿한 쇠 맛이 입안에 진득하니 퍼진다.

"흐윽……."

숨을 크게 들이켜며 유열하던 그녀의 어깨 위에 닿은 커다란 손. 소리 없이 나타나 자신을 알아줄 수 있는 존재는 세상에 단 한 명뿐이다.

"궐아……."

–주인아.

슬픈 표정으로 한쪽 무릎을 꿇은 궐이 조심스럽게 그녀를 끌어안았다. 궐의 어깨에 툭 떨어진 그녀의 이마. 등을 다독이는 다정한 손길에 결국 소리 내 울음을 터트렸다.

말하지 않아도 궐은 알고 있었다. 어쩌면 진종일 제 곁에서 말없이 지켜보고 있었을지도 모른다. 궐은 흐느끼는 그녀를 끌어안은 채 눈물 젖은 뺨을 핥고 머릴 쓰다듬어 주었다.

–주인아, 어미를 살리고 싶은 것이냐.

'당연하지. 어떻게 포기하겠어. 엄마를…….'

–네 어미가 깨어나면, 울지 않고 웃어 줄 것이냐.

그녀는 궐의 어깨를 움켜쥔 채 상체를 세웠다. 유연의 혼란스러운 눈동자를 가만히 응시하던 궐이, 그녀의 상처 난 입술을 불쑥 핥았다.

놀란 마음에 상체를 뒤로 뺐으나, 몸이 움직여지지 않았다.

'방법이…… 있어?'

–있다면.

'궐아.'

–방법은 있다.

숨을 고르며 유연은 눈을 질끈 감았다. 생각을 해야 한다. 궐이는 인간이 아니고, 신수나 다름없는 초월적 존재였다. 그런 이가 알려 주는 방법이, 절대로 정상일 리 없다.

그래도…… 그렇다 해도.

'알려 줘. 응?'

-귀멸자의 도움이 필요하다. 이번 귀멸자는 해낼 수 있다.

'뭐를……?'

-염라의 영루를 귀멸자는 얻어 낼 수 있을 것이다.

어쩐지 아프게 들리는 음성으로 속삭인 궐이 뺨에 남은 눈물을 핥 더니, 순식간에 연기가 되어 사라졌다. 유연은 그제야 복도에서 들려오는 발소리와 기척을 느낄 수 있었다.

늦은 시각, 사람들의 수런거림이 점점 멀어진다. 마치 한 걸음씩 뒤로 물러나는 것처럼 무언가에서 멀어졌다. 이어 그녀가 있는 병실 문이 열렸다.

아.

"너무 늦는 듯해 데리러……."

부드러운 미소가 감겨 있던 건의 표정이 삽시간에 굳는다. 서슬 퍼런 눈빛을 한 그가 성큼성큼 다가오더니 유연의 앞에 한쪽 무릎을 꿇었다. 그러곤 눈물에 통통 부어 버린 얼굴을 감싸곤, 어쩔 줄을 몰라 했다.

"왜 울어. 누구야. 누가 그랬어. 누가!"

애써 멈추었던 눈물이 또 쏟아질 것 같았다. 유연은 울음 같은 웃음을 흘리며 고개를 치켜들었다.

"왜 우냐고가 아니고, 누가 그랬냐니요. 저하는…… 왜 사람을 울

다가 웃게 해요."

그러자 안절부절못하는 얼굴로 그녀의 뺨을 어루만지며 품으로 안아버린 그가 정수리에 입술을 눌렀다.

"왜 자꾸 나 없는 데서 울고 그래. 속상하게."

"저하."

"응."

다정하게 대답한 그가 이마와 뺨에 키스하며, 생채기가 난 입술을 문질렀다. 손을 뻗어 그의 등을 감싼 그녀의 몸이 떨린다. 비교할 수 없는 안도감이 밀려든다. 오롯하게 안겨 안도할 수 있는 사람의 품이 있어 다행이었다.

유연은 눈을 감고 소리 없이 눈물을 참았다.

"우는 것도 이렇게 예쁘면, 정말 돌이킬 수가 없잖아."

"콩깍지예요."

"그래, 그렇다고 해."

건은 그녀의 입술에 몇 번 키스한 뒤 몸을 일으켰다. 그러곤 깊게 잠든 혜란에게 고개를 꾸벅 숙이곤, 마른 손등을 감싸 쥐며 말했다.

"처음 뵙겠습니다. 이건이라고 합니다. 어머니."

"인사, 못 들으세요. 아마도……."

유연은 머쓱한 얼굴로 건의 팔을 잡았다. 그러자 눈매를 가늘게 만든 그가 혀를 차며 엄마의 얼굴 가까이 고개를 숙인다.

"우리 유연이가 좀 삐뚤어진 구석이 있긴 한데, 제가 잘 살필 테니 걱정 마세요. 답은, 어머님이 일어나시면 듣겠습니다."

다 들리도록 소곤거리는 건의 모습에 결국 그녀가 웃음을 터트렸다. 새빨갛게 충혈된 눈을 꾹 누르고 실소하는 그녀의 머리 위로 커다란 손이 닿았다. 천천히 목덜미 방향으로 쓸어내린 그의 손길이 다정하다.

눈두덩을 눌렀던 손을 내리자 가벼운 경련이 일어난 눈가에 그의 입술이 닿는다.

"그럼, 여긴 내 사람들에게 맡기고 가자."

"누가 있어요……?"

"응, 누가 있을 거야."

자연스럽게 깍지 끼워 잡은 손을 당긴 그가 그녀의 가방과 서류까지 챙겨 들었다. 제게는 양손으로 들어야 했던 서류가, 그에겐 한 손에 잡히는 두께밖에 되지 않았다.

그의 손을 잡고 병실을 나서기 전, 미동 없이 누워 있는 엄마를 돌아보았다.

'안락사요.'

간호사가 했던 말이 이명처럼 귀를 울린다. 그들에게 불리한 상황이 계속해 벌어지면, 엄마를 가만두지 않겠다는 경고를 한 것이나 다름없었다.

유연은 데스크에 서 있는 간호사와 눈이 마주쳤다. 그 얼굴을 보는데 가슴이 꽉 막히고 숨이 찬다. 하지만 병원에 있는 사람들도 저와 다르지 않은 얼굴을 하고 있었다.

증거가 필요하다. 마음 같아서는 건을 붙들고 울고 싶었다. 어떻게 해서든 엄마를 도와 달라고 매달리고 싶었지만, 아무런 소득 없이 병원을 옮길 수는 없었다. 그러나 목적을 알게 된 이상, 더는 기회만 기다릴 수는 없다.

"조유연."

그녀는 고개를 틀어 자신을 부른 건을 보았다. 사람들의 시선에 둘러싸인 그가 있다. 건이 얼굴을 가리지 않았다는 것을 너무 늦게 알았다.

나지막이 한숨 쉰 그가 깍지 낀 손등에 입술을 누르더니 비스듬히 고개를 기울인다.

"그만 생각해. 네가 가정하는 그 어떤 최악의 상황도, 절대 오지 않을 테니까."

울컥 치밀어 오르는 수많은 감정을 누르며 그녀는 웃음을 머금었다. 그와 나란히 서서 걸음을 내디딜 때마다, 어디선가 나타난 호위들이 주위를 에워싼다. 늦은 시각이었기에 사람들이 많지는 않았지만, 다들 어딘가로 연락해 눈으로 보고 귀로 들은 것을 떠들기 시작했다.

둘은 조용히 승강기를 타고 내려와 비가 쏟아지는 건물 밖으로 걸음을 내디뎠다. 검은 어둠, 노란 가로등 불빛에 반사된 빗줄기에 언뜻 흙냄새가 난다.

그의 손을 놓은 그녀는 빗속으로 걸어 들어갔다. 묵직한 빗방울이 그녀의 정수리와 어깨를 차례로 적시며 흘러내린다.

불규칙한 백색소음에 휩싸인 뒤에야 서서히 정신이 들기 시작했다. 불안정하게 쏟아내던 호흡을 가다듬으며 이마를 짚었다. 어디서부터, 무엇이 잘못되었는지는 모른다. 하지만 무엇을 바로잡아야 하는지는 알 것 같았다.

무겁게 가라앉은 표정으로 한숨을 길게 내쉰 그녀의 머리 위에 커다란 우산이 씌워진다. 유연은 물기가 뚝뚝 떨어지는 머리카락을 쓸어 넘겼다.

"다 젖었는데, 이 상태로 차에 타면 민폐겠죠?"

젖어 버린 셔츠를 죽 당기며 웃자, 그의 얼굴에 불만스러운 기색이 떠올랐다.

"당장에라도 차에 던져 넣고 싶은 거 알아? 너."

"던져요? 음…… 은근 야만스러운 구석이 있어요, 저하는."

몸에 자국을 남기는 것도, 방심한 사이 속삭이는 말들도 모두. 가까워질수록 점점 더 스킨십은 늘어나고, 사람들의 시선은 신경 쓰지 않게 되었다.

조금 전 복도 한복판에서 제 손등에 키스했던 그를 떠올리자 뒤늦게 부끄러움이 찾아왔다.

"내가 어딜 봐서 야만인이야. 다 씹어 놓고 싶은 걸 참느라 죽을 것 같은 거 안 보이나?"

"아니, 왜 툭하면!"

"하긴, 아예 삼켜 버리고 싶을 때도 있었으니까. 야만적이긴 하네."

빨개진 얼굴을 문지른 그녀가 우산 아래를 빠져나와 은호가 열어 주는 차 뒷좌석으로 쏙 들어갔다. 그제야 건이 피식 웃으며 차로 다가와 우산을 접는다. 비스듬히 상체를 기울여 차에 탄 그가 팔을 뻗어 유연의 허릴 감았다.

입술이 닿기 직전, 양손으로 그의 입을 틀어막아 버린 그녀의 눈이 동그랗게 뜨였다.

"서, 설마 여기서 키스하려고 했어요?"

"왜 안 돼."

그의 인상이 마뜩잖게 찌푸려지던 찰나, 문이 열리고 장은호가 운전석에 오른다. 건은 쳇, 하며 혀를 찼다.

"키스만 하고 놔주려 했는데."

유연은 황당한 마음에 입술을 깨물며 웃음을 참았다. 그러자 손바닥에 키스한 그가, 잇새에 감겨 있던 그녀의 입술을 엄지로 훑어 떼어 낸다. 거의 다 지워져 은은하게 남아 있던 립스틱이 그의 엄지에 묻어난다. 인제 보니, 유난히 붉은 그의 입술 색은 어쩌면 제 입술에서 훔쳐 간 것일지도.

빤한 그녀의 시선에 속눈썹이 긴 눈꺼풀을 가만가만 깜빡이던 그가 나른하게 웃었다.

"네가 자초한 거야, 조유연."

다리 사이로 따뜻하고 축축한 것이 불쑥 와 닿았다. 흠칫 놀라 눈을 뜬 유연은 제 몸을 닦아 주는 걸 발견하곤 안도하며 몸에 힘을 풀었다.

어둠 속에서도 그의 실루엣은 선명했다. 따뜻한 수건이 피부를 스칠 때마다 발가락에 힘이 들어가 쥐가 날 것 같았다.

움찔거리는 그녀의 발가락을 콱 깨물어 버린 그가 부드럽게 웃으며 몸을 겹쳐 온다. 깜빡 잠들어 버렸던 그녀는 잠기운이 가시지 않아 나른해진 얼굴로 그를 끌어안았다. 그러곤 두툼하게 솟은 등 근육을 만지작거리며 굴곡을 따라 천천히 내려갔다.

돌처럼 단단한 근육에 덮여 있으면서도, 그는 전체적으로 늘씬한 느낌을 풍겼다. 키가 평균을 웃돌기 때문일까? 그러고 보면 궐이도 큰 키와 몸에 비해, 훤칠한 느낌이 강했다.

'그러고 보니 결이⋯⋯.'

근육의 결을 따라 손을 움직일수록, 그는 더욱 단단해져 갔다. 바짝 긴장한 듯 귓가에 흩어지는 경직된 숨. 그가 시트를 팔꿈치로 누르며 상체를 조금 들었다. 매끄러운 입매가 보기 좋게 일그러져 있었다.

"무슨 생각을 하는 거야. 너 지금까지 기절하듯 잠들었었잖아. 수작이었어?"

건은 탁해진 목소리로 타박하며 동강 난 숨을 내쉬었다.

"수작이라뇨. 그냥, 만져 보는 거예요. 눈으로 보는 것보다 손끝으로 느껴보는 게 형태를 익히는 덴 더 정확하니까."

"흠, 그 말 왠지 좀 야해."

"그렇게 받아들이시는 저하가 문제예요."

하품하면서도 지지 않고 대꾸하는 그녀를 내려다보던 그가 코웃음 치며 가느다란 손목을 잡아채 입술을 눌렀다. 콩닥콩닥 뛰어 대는 박동이 입술을 통해 전해진다.

손가락 사이사이를 핥고 깨문 그가 자신의 복근을 따라 가느다란 손을 죽 당겼다. 둘은 동시에 숨을 참았다. 잔잔하고 깊은 호수에 작은 파동이 일어나듯 떨림이 번져 간다.

그녀는 상체를 조금 일으켜 그의 턱을 살짝 깨물었다. 그러자 고개를 기울인 그가 삼킬 듯한 키스를 퍼붓기 시작했다. 식었던 피부에 다시금 땀이 배어 나와 젖어 간다. 흐트러진 적 없던 그의 눈동자가 말로 표현할 수 없는 열망과 갈망으로 엉망이 되었다. 어찌할 바를 몰라 하며 억눌린 숨을 내뱉고, 혼몽한 열에 시달렸다.

"젠장⋯⋯."

더는 견디지 못하겠다는 듯, 그가 그녀의 무릎을 강하게 잡아 벌렸다. 새카만 머리카락에 매달려 있던 땀이 뚝 떨어진다.

"미치게 하는 데 뭐 있어, 넌."

거대한 파도처럼 밀려드는 감각에 달뜬 숨을 토해내며 그의 등을 할퀴었다. 서로에게 안달하며 탐욕스럽게 삼키었다.

달이 기우는 밤, 그칠 줄 모르고 쏟아지던 비가 멎어 간다.

더 캐슬

VOL. 2   The Castle

CHAPTER **12**

청송

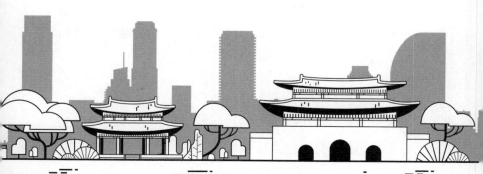

12

청송

[조유연 씨, 진료 예약되셨습니다. 선생님한테 말씀 전해 들었어요. 두 시간 정도 비워 두셨으니 늦지 않고 와 주세요.]

민주가 미리 연락을 해 둔 건지, 치과 예약은 순조로웠다.

"선생님께 감사하다고 전해 주세요. 모레 뵙겠습니다."

[네네. 그날 뵐게요.]

통화를 마친 그녀는 개운해진 얼굴로 돌아서다 말고 바닥에 놓인 화분들을 발견했다.

비가 그쳤지만, 하늘엔 여전히 먹구름이 가득했다. 작은 베란다에 놓인 화분들은 며칠 전 삭막한 집안 꼴이 마음에 안 든다며 민주가 사다 놓은 것이었다.

물을 줘야 하나?

제법 웃자란 화초들의 마른 흙에 물을 붓자, 약간의 탄산 소리를 내며 붕 떴던 흙이 가라앉는다. 사방으로 뻗은 가지들의 모습에 미란의 가윗날에 다쳤던 날이 떠올랐다.

미란의 말은 많은 생각을 하게 했고, 의심에 불을 붙였다. 의심하고, 또 의심하라는 경고가 머릿속을 뒤죽박죽으로 만든다.

"모란이다."

베란다 바닥에 쪼그려 앉아 생각에 잠겨 있던 그녀는 불쑥 들려온 궐의 목소리에 고개를 들었다. 뒷짐을 쥔 궐이 무심한 표정으로 그녀가 만지작거리던 꽃나무를 내려다보며 서 있었다.

"왔어?"

궐은 고개를 끄덕이더니 그녀 옆에 몸을 웅크렸다. 커다란 남자가 무릎을 모은 채 쪼그려 앉은 모습이 귀여워, 꾹 다문 입술 새로 웃음이 나왔다.

"귀멸자가 나갔다."

"응, 아침 일찍 나가셨어."

"좀 더 일찍 일어나라고 해라. 게으르다."

"게으르긴. 내가 아는 사람 중에 제일 부지런하시거든? 그런데 저 하를 피해 다닌 거야? 나 때문에?"

"주인아, 네가 싫어하잖냐. 나는 귀멸자와 대화를 나누지 않는다. 절대로, 나누지 않았다."

강한 부정은 긍정이나 다름없다고 했던가? 묘하게 강조하는 말투에 의심의 눈초리를 거두지 않던 유연의 눈가로 궐의 손이 닿는다.

"이제 안 우냐."

"안 울어. 걱정했어?"

"나는 항상 주인을 생각한다. 그러니 아프지 말아라, 유연아."

"궐이, 넌……."

참, 얼굴이랑 어울리지 않게 다정하다고 말하려 했다. 하지만 코끝을 알싸하게 스치는 이질적인 향에 그녀의 미간이 좁혀든다.

"너, 뭐야? 이게……."

궐의 팔을 잡은 그녀가 무릎을 바닥에 댄 채로 킁킁거리며 냄새를 맡았다. 팔에서, 가슴팍에서 궐이의 목덜미에서도 비에 젖은 솔 향기가 듬뿍 묻어났다. 피부를 따끔거리게 만들 만큼 강한 힘을 가진 향기다. 그렇다고 이취라고 할 수 없는 처음 맡아보는 특이한 향취였다.

"대체 어디 있다가 온 거야?"

목덜미를 킁킁대다 고개를 불쑥 들자, 귀 끝이 새빨개진 궐이 눈을 깜빡이다가 털썩 바닥에 주저앉았다. 얼결에 궐이의 다리를 누르며 상체를 지탱한 그녀가 인상을 찌푸렸다.

"뭐야, 너 어디 아파?"

두툼한 목울대가 크게 움직이고, 궐이의 눈엔 이해할 수 없는 초조함이 깃들었다. 유연은 넋을 놓은 궐이의 눈앞에 손바닥을 흔들어 보았다. 투명한 호박색 눈동자에 비치는 그녀의 눈가가 어여쁘게 휜다.

"아, 뭐야. 빨리 말해 봐. 너 뭐 잘못 먹었지. 너 혹시 아무나 따라갔어? 누가 막, 먹을 거 준다고 했니?"

궐은 마른침을 삼키며 고개를 홱 틀었다.

"아니다. 이건, 청송의 기운이다, 주인아."

"청송?"

무릎을 털고 일어난 그녀가 궐이에게 손을 뻗었다. 그 손을 보며 고민하던 궐이 손을 잡는다. 영차 하며 궐이를 일으킨 뒤, 손목에 걸어둔 머리끈으로 머리카락을 모아 묶었다.

"조만간 소개해 줄 참이다."

"혹시, 너처럼……."

"청송은 청매다."

"청매라면, 날아다니는…… 매?"

고개를 끄덕인 궐이 불현듯 그녀의 손을 잡았다. 그러더니 손바닥을 코에 가져가 대고는 눈을 감는다. 금색의 빛이 손바닥에 일렁이다가 그녀의 몸속으로 스르륵 흡수되었다. 놀라서 눈을 크게 뜬 그녀와 시선을 맞춘 궐이 중얼거렸다.

"청송까지 현신했는데, 주인의 힘은 그대로구나. 다행이다."

그제야 풀어진 표정의 궐이 손을 놓고 거실로 들어갔다.

그게 무슨 소리야? 힘이 그대로라니? 뭐야, 쟤 진짜 뭐 잘못 먹은 거 아닌가?

궐이는 단속을 해야 한다. 먹을 것에 너무 약해. 아무리 한국 음식이 기막히게 맛있긴 해도, 먹을 거 주는 사람을 좋은 사람 취급하는 건 곤란했다.

"궐아!"

먼저 들어간 궐이를 부르며 따라 들어갔을 때였다.

딩동.

누군가 벨을 눌렀다. 인터폰 화면에 뜬 얼굴을 본 유연의 얼굴에 짙은 짜증이 차올랐다. 주먹을 말아 쥔 채 화면을 노려보는 그녀의 곁으로 다가온 궐이 고개를 기울이며 묻는다.

"아는 사람인가."

"최준일이라고……. 있어, 불편한 사람."

"불편이 아니라, 불쾌함이라고 하는 것이다."

"어쨌든. 그냥…… 아무도 없는 척하지 뭐."

딩동.

두 번째 벨이 울렸을 때, 주방으로 자리를 피한 유연을 보던 귈이 현관으로 걸어갔다. 굳게 닫힌 현관 앞에 선 귈은 천천히 힘을 개방했다. 최상위 포식자인 범이 가진 맹렬한 살기를 흘리며 문을 열자 새파랗게 질린 최준일이 흠칫 놀라 물러선다.

"당신, 누굽니까. 여기…… 조유연 씨 집 아닙니까?"

껍데기는 번드르르하군.

뇌까린 귈의 눈빛이 순간 사나워졌다. 사내에게서 놈과 같은 냄새가 났다.

그 버러지 같은 인간의 피를 이어받은 놈이구나, 네놈은.

"겁대가리를 상실한 인간이군. 감히, 내 주인의 이름을 더러운 입에 올리다니."

분노를 느낀 귈의 목소리가 우렁우렁 울린다. 최준일의 다리가 덜덜 떨리고, 말아 쥔 주먹이 하얗게 셌다.

"더러운? 이봐요, 초면에 서로 실례하지 말죠. 제가 집을 잘못 찾은 것 같……."

"네 아비에게 가서 경고하거라. 조만간 검은 범이 찾아가, 그 목을 물어뜯어 버릴 것이라고."

맹수의 살기는 한낱 인간이 견디기엔 너무도 지독한 공포를 동반했다. 영문도 모른 채 바들바들 떨며 물러나던 준일이 발을 헛디뎌 볼썽사납게 계단을 구른다.

우당탕 소릴 내며 계단참에 세워져 있던 자전거가 준일을 덮쳤다. 귈은, 엉망진창이 된 모습으로 올려다보는 최준일의 겁먹은 눈을 응시하며 싸늘하게 코웃음 쳤다.

"그 목숨 아까운 줄 모르고 나대는구나. 오냐, 내 너희의 피와 살이 말라비틀어질 때까지 괴롭혀 주마. 화풀이할 곳이 필요했는데 잘되었군."

새파랗게 질려 바들바들 떨던 최준일이 계단을 뛰어 내려가기 시작했다. 거친 욕설을 흘린 궐이 도망치는 준일을 따라 내려가려 할 때였다.

"궐아, 그만."

현관을 나선 유연이 궐의 팔을 잡아챘다. 흠칫하며 멈춘 궐은 순식간에 기운을 회수했다. 그제야 팔을 움켜쥔 그녀의 손에 힘이 풀렸다. 산짐승의 기운을 이겨낼 수 있는 인간은 없다. 그리고 그녀 역시 귀안을 가졌다 한들, 연약한 여인이기도 했다.

"주인아, 괜찮냐."

"너! 하…… 됐어, 그만. 너 저 사람이 누군 줄 알고."

"저 인간에게서 악의가 느껴졌다."

"거짓말. 최준일은 악의가 아니라 미련을 가진 거야. 그러니까 너, 저 사람하고 엮이지 마. 궐이 네가, 내가 싫어하는 사람들이랑 말 섞는 거 싫어."

유연은 궐의 손을 잡아끌어 집 안으로 들어갔다. 꼬리 내린 고양이처럼 졸졸 따라 들어온 궐이 입구에 서서 그녀를 빤히 본다. 그러곤 흐트러진 소파 쿠션들을 정리하는 유연에게 다가가 불쑥 머릴 들이밀었다.

"주인을 지키고 싶었다. 화났냐."

눈썹을 축 늘어트린 모습에 유연이 헛웃음을 흘리며 쿠션을 내려놓았다.

"내가 너한테 화를 왜 내. 잘했어. 그런데 다음에 찾아오면, 욕이나 한 사발 해 줘. 그럼 돼."

"정말, 잘했냐."

"응."

궐은 마치 무언가를 바라는 듯한 표정으로 그녀 앞에 서서 움직이지 않았다. 이유를 생각하던 유연은 까치발을 들어 그의 머릴 쓰다듬었다. 부드럽고 복슬복슬한 머리카락을 쓸어 넘겨 주며 헤집자, 귀 끝을 붉힌 궐의 머리 위로 호랑이 귀가 쫑긋 서더니 엉덩이에 꼬리가 쑥 빠져나왔다.

이어 연기로 흐트러지던 궐이 호랑이의 모습으로 변했다. 그러고는 조금 전 정리한 소파로 올라가 자리를 잡고 엎드린다. 팔걸이에 턱을 괸 모습은 영락없는 고양잇과 동물이었다.

-낮잠 시간이다.

낮잠이란 말에 그녀가 실소하며 물었다.

"너 낮잠도 자?"

-주인아, 너도 틈틈이 낮잠을 자 두어라. 옛 선인들은 낮잠을 통해…….

"청소할 건데?"

-걱정 마라. 나는 소리를 차단할 수 있다.

자신만만하게 말한 궐이 귀를 접어 두툼한 앞발로 쓱 감싼다. 황당해진 유연은 청소기를 돌려야겠다는 의욕을 잃었다. 적어도 잠든 사람, 식사 중인 사람. 아니, 존재 옆에서 청소기를 돌릴 만큼 낯이 두껍지도 않았다.

대충 어질러진 침실 정도만 정리한 그녀는 병원에서 가져온 서류를 품에 안고 소파로 다가갔다. 그러곤 궐이를 툭툭 밀어 자리를 잡은 뒤, 그 품에 기대앉았다. 그러자 품을 내어준 궐이 슬그머니 눈을 뜬다.

-인간은 항상 일을 하는구나.

"일이 아니고, 엄마 진료 기록이야. 확인해 볼 게 있어서."

어제 만난 간호사의 말이 사실이라면, 기록에 그 약물의 이름이 들어 있어야 했다. 만약, 그렇지 않다면 누군가는 거짓말을 한 것이다. 장부를 기록한 사람, 혹은 간호사. 하지만 간호사가 거짓말을 했다고는 생각되지 않았다.

비스듬히 기대어 누운 그녀의 머리카락에 북슬북슬한 발이 닿는다. 투박한 듯 다정하게 어루만지는 손길에 마음이 풀어졌다.

"궐아, 전에 너 뱀 이매를 물어 죽였잖아. 너한테는 어떤 힘이 있어?"

고개를 젖히는 그녀의 이마에 부드러운 털이 스쳤다.

-귀멸자와 같은 힘을 가졌지만, 조금 다르다.

"뭐가 다른데?"

-귀멸자는 그 자신의 힘을 쓴다. 그릇이 클수록 더욱 강한 힘을 갖게 된다. 그런데 우린 다르다. 우린…… 주인 없이는 힘을 쓰지 못한다. 내가 숨 쉬고, 말을 하고. 이렇게 걸어 다니는 것 모두, 주인 덕분이다.

궐은 눈을 감으며 그녀의 목덜미에 얼굴을 비볐다. 마치 고마움을 표하는 듯 어리광을 부리는 궐이의 목덜미를 문지르다 보니 의문 하나가 떠올랐다.

"염라의 영루라고 했나?"

그녀의 중얼거림에 감겨 있던 궐의 눈이 뜨였다.

"그게 뭐야? 그게 뭔데 엄마를 살릴 수 있다는 건데?"

-염라의 영루는 병을 고친다. 그 어떤 병증이라 해도, 고칠 수 있다. 그래서…… 오래전부터 그것을 빼앗기 위해 침략과 약탈이 일어났다. 염라의 영루는 우리 땅에 있다.

허벅지 위에 올려둔 서류 낱장이 바닥을 향해 후드득 떨어진다. 그녀는 헛웃음을 흘리며 상체를 숙여 종이를 집었다.

"불로초도 아니고……. 그런데 정말 있어? 전설, 그런 거 아니고?"

궐은 말이 없었다. 고개를 숙인 채 떨어진 서류를 노려보는 눈빛이 흔들렸다. 언제 또 사람으로 변한 건지, 그녀의 손 옆으로 커다란 남자의 손이 닿았다. 유연을 대신해 한 장, 한 장 종이를 집어 든 궐이 투덜거렸다.

"내 원래의 손으로는 종이 한 장을 주워 줄 수가 없구나. 유연아, 이 일은 너 혼자 힘으로 이겨 낼 수 있는 일이 아니다. 그러니, 이제 도움을 청해라."

"궐아, 너…… 뭔가 아는구나."

"나는 주인의 편이다."

유연은 궐을 돌아보며 입술을 질끈 깨물었다. 그러곤 숨을 고르며 힘주어 읊조렸다.

"내가 모르는 것, 내가 알아야 하는 것…… 네가 아는 것, 다 말해 줘. 당장."

사온서 내부 주조장. 상온은 반 이상 비워진 주병을 확인하곤, 어처구니없는 표정을 지었다.

이것은 실패한 망량주로, 최설아가 만든 것이었다. 하지만 누군가 두 개의 병을 바꿔치기했다. 이 얼마나 조잡한 수인지.

상온은 부러 사온서의 경계를 느슨하게 만든 뒤 간자가 일을 치르 길 기다렸다. 그리고 숙성되기 시작한 시점, 가장 중요한 타이밍에 나타난 누군가 술병의 위치를 바꿔 놓았다.

주조장에 들어올 수 있는 사람은 사온서 내의 일부 허락받은 자들 외 몇 명뿐.

'그냥 두십시오. 그 술이 동날 때까지. 이참에 궐내의 간자들을 모 두 색출해 낼 생각입니다. 그러니 움직임이 있을 때까지 지켜보도록 합시다.'

처음엔 세자의 지시에 마음이 조급해져 밤잠을 제대로 이루지 못 했다. 하지만 시간이 약이라고 했던가. 상온은 정말로 뒤바뀌어 버 린 주병을 보며 혀를 찼다.

"영감님은 알고 계셨지요?"

하얀 백호가 그려진 족자를 올려다보며 눈을 흘긴 상온이 한숨을 내쉬며 밖으로 나왔다.

궁궐은 소헌군의 전시 준비로 부산스러웠다. 곳곳에 전시를 알리 는 피켓이 설치되었고, 외부인들을 맞기 위한 장소까지 마련되었 다. 전시가 열리는 곳은 경회루 앞. 궐내각사의 건물 사이사이에 그 림 작품들이 설치되고, 연못가에는 거대한 설치미술 흉상이 세워졌 다. 누군가는 법도에 어긋난다며 손가락질했으나, 대부분은 즐거워 했다.

뒷짐 진 상온은 부산하게 움직이는 사람들을 가만히 응시했다. 이제는 볕조차도 서늘하게 느껴지는 계절이다.

망량주의 숙성이 끝나면, 삼간택의 때가 온다. 어쩌면 첫눈이 내리기 전, 궐의 안주인이 결정될지도 모르는 일. 상온은 한적한 주조장 앞에 놓인 의자를 꺼내 앉으며 하늘을 올려다보았다.

'그런데, 영감님. 대체 어딜 가신 겁니까? 족자에도 안 계시고…….이 노인네, 피가 마릅니다.'

늘어지게 낮잠을 자던 망량이 눈을 번쩍 떴다. 그러자 마당을 거닐던 청송이 후다닥 달려와 무릎을 꿇는다.

"형님, 일어나셨으면 이제 저와 놀아 주십시오!"

"예끼, 이놈아. 나는 할 일이 많은 몸이니 궐 구경이나 한 바퀴 하고 귀멸자에게 놀아 달라 칭얼대거라."

"귀멸자는 인상이 좋지 않습니다. 툭하면 째려보고, 주인의 '주'자도 못 꺼내게 하잖아요."

"그건 궐이도 마찬가지지. 쯧. 그놈이 위태롭다, 나는."

"혹, 궐 형님이 계신 곳을 찾아가면 주인을 볼 수 있을까요?"

청송이 눈을 빛내자 망량이 갓을 고쳐 쓰며 몸을 일으켰다.

"가서 괜히 욕이나 먹지 말고, 한동안은 얌전히 힘을 추슬러라. 네가 궐을 비운 사이 삿된 것들이 너도나도 자릴 차지하고 앉아 주인인 양 행세하지 않느냐."

"그건 저도 압니다. 두고 보는 중이지요. 그 눈을 파먹어 버릴 겁니다."

저 올망졸망 귀여운 얼굴로 끔찍한 소릴 한다며 혀를 찬 망량은 성큼성큼 마당을 가로질렀다.

"그럼 난 상온 영감에게 가 볼 터이니 청송이, 넌 사고 치지 말고. 알았느냐."

"쳇, 살펴 가십시오."

입술을 삐죽거리면서도 청송은 제법 예의 바르게 망량을 배웅했다. 고적해진 낙선재를 가만히 둘러보던 청송은 순간, 푸르스름한 빛을 내는 매로 변했다.

─검은 뱀들이 우글거리는구나.

하늘로 치솟은 청송의 눈에 보랏빛 안광이 흐른다. 작은 체구의 매에게서 맹렬한 맹수의 기운이 넘실거렸다.

청송은 날개를 몇 번 펄럭인 뒤, 경복궁을 향해 날았다. 경회루 주위를 가득 채운 사사로운 기운. 한둘이 아니다. 하지만 근원을 알 수 없으니, 함부로 공격을 퍼붓지도 못하는 일.

─주인께서는 어디서 무엇을 하고 계시는 걸까. 궐에 오면 바로 만나 뵐 수 있을 줄 알았는데.

청송은 그대로 궐의 기운을 찾아 움직였다. 세상이 바뀌었지만, 이곳이 조선이란 사실은 바뀌지 않았다.

청송은 유유히 서울 도심을 날아 제법 산세와 가까운 낡은 빌라 위에 다다랐다. 형님의 기운으로 휩싸여, 길고양이 한 마리 보이지 않는 곳.

─하긴, 범의 아가리 안으로 머리를 밀어 넣을 간 큰 녀석들은 없지.

청송은 두근거리는 마음으로 건물 위를 배회하다가, 꼭대기 층 창밖으로 새어 나오는 주인의 향기를 맡았다. 그 달착지근하면서도 깨끗한 향에 매의 얼굴에 기대감이 잔뜩 피어났다.

날개를 펄럭이며 몸을 낮춘 청송이 내려앉은 곳은, 에어컨 실외기가 설치된 난간. 투명하고 커다란 유리창 너머, 소파 위에 엎드린 검은 범이 보인다. 궐이었다. 그리고 그 품에 기대어 한 장, 한 장 종이를 확인하는 주인의 뒷모습. 청송의 눈이 반짝였다.

-주인은 작구나······.

마르고, 가늘고, 어여쁘다. 하지만 저 가는 몸에서 흘러나오는 힘은 지금껏 느껴보지 못한 전율을 선사할 지경이었다.

-방해하지 마라, 청송아.

기쁜 마음에 창을 쪼려던 청송은 궐의 전음에 놀라 인상을 구겼다.

-너무하십니다, 형님. 저도 주인을 뵙고 싶단 말입니다.

-나중에.

-형니임!

-떼쓰지 마라. 안 된다.

어느새 창밖을 노려보는 궐의 두 눈에 형형한 금빛이 일렁이고 있었다. 궐의 웃음기 없이 진지한 거부에 청송은 마음이 상했다. 청송은 자신을 짓누르는 궐이 야속해 입술을 삐죽이며 펄럭 날아올랐다.

-형님, 미워요!

불행히도 주인을 만나지 못한 청송이 향한 곳은 경복궁이었다. 더러운 기운으로 곳곳이 얼룩진 궁궐을 내려다보던 청송이 날갯짓하자, 지붕 위에 들러붙어 있던 사귀의 기운이 순식간에 증발한다.

-너무 오래 궐을 비웠나.

청송은 문득, 유난히 경계가 예사롭지 않은 동궁전을 발견하곤 몸을 낮췄다. 역시, 귀멸자의 거처다. 가까이 다가갈수록 찌릿찌릿한 기운에 몸이 간지러웠다.

그중에서도 가장 예리한 기운이 넘실대는 비현각 안으로 날아든 청송은 젊은 사내에게 무언가를 지시 중인 세자를 발견했다.

"박혜란 씨를 제중원으로 옮겨. 이제야 내 손을 잡아 주네."

"조유연 씨가 허락하셨습니까?"

"증거를 얻은 것 같아. 그래서 공유할 생각이야. 그래야 도망칠 틈 없이 목을 조이지."

최우식이 박혜란의 안락사를 원한다. 그녀의 부친을 살해한 동기는 밝혀진 것이 없지만, 모친을 제거하려는 이유는 비윤리적 행위를 감추고 싶은 두려움 때문일 것이다.

힘없는 일반인인 조유연은 거대 기업을 상대로 아무것도 할 수 없다. 계란으로 바위 치기나 다름없는 상황. 증거마저 사라진다면 이 싸움은 최우식의 승리로 끝이 난다. 그리고 최우식은 그것을 너무도 잘 알고 있었다.

참을 수 없는 짜증에 넥타이 매듭을 느슨하게 만들 때였다. 푸른 매 한 마리가 서가 내에 장식된 도자기 위에 앉아 자신을 빤히 쳐다보고 있었다. 건은 황당한 표정으로 뇌까렸다.

'네놈이 청송이구나.'

-그래, 본인이 청송이다.

건은 우혁에게 나가보라 눈짓한 뒤, 의자를 비스듬히 틀어 앉아 청송을 마주했다.

"그래, 청송. 뭘 구경 중이신가?"

꾹꾹거리며 고개를 갸우뚱 기울인 청송이 순간 푸른 연기로 화한다. 이어, 쾌자를 걸친 꼬맹이가 사뿐히 땅으로 내려앉았다. 뽀얗고 발그레한 뺨, 커다란 눈망울. 오동통한 손으로 거만하게 뒷짐 진 청송이 주위를 살피더니 후다닥 달려와 건의 무릎 위에 훌쩍 올라앉는다.

"뭐야, 너."

황당한 마음에 의자를 뒤로 밀었지만, 청송은 신기한 듯 눈을 빛내며 건의 책상에 놓여 있던 간식을 덥석 집었다.

"귀멸자야, 네 무릎은 참으로 편하구나. 네가 성격은 별로이나, 생긴 것 멀쩡하고 힘이 세서 나는 좋다."

"야, 너……."

"그러니, 이 간식. 내가 다 먹어도 되겠느냐?"

천진한 얼굴로 방싯방싯 웃는 청송의 태도에 황당해진 건이 간식 접시를 앞으로 당겨왔을 때였다. 벌컥 열린 비현각의 문.

"저하, 그런데……."

할 말이 있는 표정으로 들어서던 우혁의 입이 떡 벌어지고, 건의 무릎에 앉아 간식을 욱여넣던 청송이 동그란 눈을 깜빡인다.

"저놈은 버릇이 없구나. 감히 기척도 없……."

건은 순간 청송의 입을 틀어막곤 짙은 눈썹을 씰룩거렸다.

"뭐야, 이우혁."

"저하…… 애 있으셨어요?"

"뭐?"

"저하! 애, 애가……!"

말뜻을 이해하지 못해 인상을 쓰던 건은, 뒤늦게 뜻을 알아듣곤 버럭 소리쳤다.

"무슨 헛소리야!"

삑-.

사원증을 대자 짧은 센서 음을 내며 잠겨 있던 문이 열렸다. 직위나 부서에 따라 사원증을 이용해 출입할 수 있는 곳이 정해져 있었지만, 유연은 예외였다.

비서실의 절대 반지라 불리며 총수 일가의 무한 신뢰를 받던 그녀에게 접근하지 못할 장소는 없었다. 아무리 늦은 시각 회사를 찾았다고 해도, 비서실 조유연은 의심받지 않는다. 게다가 밤 10시. 사원들이 있는 업무구역은 24시간 야근으로 인해 밝았지만, 임원 중 야근을 자처하는 이는 없었다.

캄캄한 복도를 지나 윤 실장의 개인실 문을 연 유연은 쓴웃음을 지었다. 지금의 특혜는 자신을 향한 총수 일가의 무한 신뢰 때문이 아니라, 언제 어느 때건 그녀가 본인들에게 도움이 되길 바라는 편의성 때문이다. 언제 어디서나 부르면 나타나는 심부름꾼. 그게 바로 비서실 조유연의 실체였다.

떨리는 손을 움켜쥔 그녀는 윤 실장의 컴퓨터를 켠 뒤 의자를 당겨 앉았다.

'*인간의 욕심은 끝이 없고, 마음을 이기지 못해 나쁜 짓을 저지른다. 금수만도 못한 인간들에게 네가 상처받고 있었구나. 네가 조금*

만 더 일찍 궁궐을 찾았다면, 내가 널 도왔을 텐데……. 마음이 아프다. 이곳이, 아프다.'

자신의 손목을 잡아 가슴팍을 누르는 궐의 손이 떨렸다.

'무슨 말이야, 그게…… 날 어떻게 도와. 사고를 막을 수 있었다는 뜻이야?'

'주인의 아버지를 죽인 자를 알고 있다.'

'사고가…… 아니라?'

'귀멸자는 나보다 더 많은 것을 알고 있다, 주인아.'

얼마나, 무엇을. 그리고 어디까지.

때마침 컴퓨터 부팅이 끝났다. 윤 실장이 관리하는 백업 서버에는 재무, 경영, 연구자료 및 서화를 지탱하는 모든 것들이 담겨 있었다.

비밀이 많은 사람은 항상 불안에 떤다. 그로 인한 공포는 사람을 한계로 몰고, 누군가를 공범으로 만들어 자신의 죄의식을 덜어내려 했다. 그리고 최 회장은 그 타깃을 윤 실장으로 선택했고, 윤 실장은 자신에게 그 무게를 덜어 내려 했다.

그럼, 그 판도라의 상자를 제 손에 넣는다면.

"실수한 거야, 너희."

유연은 백업 서버에 접속했다. 곧장 보안 코드가 메시지와 메일로 전송되었지만, 문제 될 건 없었다. 애초에 백업 서버의 주인이 바로 자신이었으니까. 서버의 관리자와 계정 주인을 따로 두는 것. 그것이 윤 실장이 죄책감을 덜어 낸 방법이었다.

유연은 간단히 서버의 비밀번호 및 보안 단계를 변경했다. 화면 창에 인증 코드를 입력하라는 메시지가 뜨는 순간, 전화가 울린다.

화면에 뜬 이름은 건이었다. 주먹을 말아 쥐었던 그녀는 따끔거리는 눈가를 훔치며, 전화를 받았다.

"네."

[끝났나?]

"이제 끝나요……."

[병원으로 이 실장을 먼저 보냈으니, 1시간 안에 제중원으로 이송되실 거야.]

"고마워요."

[고마우면, 밥 먹자. 밖에서 영화도 보고.]

"그럴게요. 기다려요, 금방…… 가요."

[응. 빨리 와.]

통화를 마친 유연은 커서가 깜빡이는 화면 창에 보안 코드를 입력한 뒤 엔터키를 눌렀다. 대용량의 파일을 이동시키는 건 얼마나 시간이 걸릴지 모르지만, 비밀번호를 바꾸는 데는 고작 몇 분밖에 걸리지 않았다. 이제 이 서버에 접속해 파일을 이동하거나 교체하는 일. 혹은 삭제하는 행위는 불가능하다. 서버의 주인인 자신의 허락이 떨어지지 않는 한은.

깊게 한숨을 내쉰 그녀는 사원증을 챙겨 일어났다. 윤 실장의 개인실을 나와 회장실 문을 연 그녀는 챙겨 온 사직서를 책상 위에 내려놓곤 문진으로 눌렀다.

승강기를 타고 로비로 내려가는 내내 기분이 이상했다. 현실에서 꿈으로, 다시 현실로. 소용돌이치는 미지근한 물 속에서 발버둥 치는 기분이다.

승강기에서 내린 그녀는 환한 미소로 맞아 주는 관리인들에게 눈

인사한 뒤, 밖으로 걸어 나갔다.

"아니 왜 못 나가게 해!"

박혜란의 간병인 김 씨가 앞을 막은 놈들에게 쩌렁쩌렁 소리쳤다.

"나 지금 왕실에서 연락받았다고요! 여기, 환자 보호자가 지금 옮기라잖아! 당신들이 뭔데 막아!"

"아줌마, 들어가세요. 괜히 일 만들지 마시고."

"이놈들아! 너희들은 애미 애비도 없냐!"

시커먼 정장을 입고 껄렁껄렁하게 병실을 막아선 이들이 침을 퉤뱉으며 병실 문을 걸어찬다.

쾅!

"들어가라고, 아줌마!"

놈들은 최 회장이 보낸 사설 경호원들로, 사실 삼류 건달이나 다름없는 인간들이었다. 김 씨는 답답한 마음에 가슴을 치며 구경 중인 사람들에게 억울하다는 듯 소리쳤다.

"이 사람들 어떻게 해야지, 다들 왜 보고만 있어요! 이놈들이 사람 하나 죽이려 하잖아!"

"워어, 이 아줌마가 사람 잡네!"

놈들은 히죽히죽 웃으며 김 씨의 손을 잡아챘다. 그러곤 본인의 뺨을 강제로 툭툭 때리게 하며 나 살려라 고함쳤다.

"아이고야! 아줌마! 그만 때려요, 그만! 이 아줌마가 보상금 무서운 줄 모르고 치네! 아이고, 사람 살려!"

"이, 이 사람이 뭐 하는 거예요!"

"아, 그러니까 들어가라고!"

하얗게 질린 아주머니는 놈의 힘에 밀려 바닥으로 내동댕이쳐졌다. 간호사도 의사도, 구경하는 사람들도 아무런 힘을 쓰지 못했다.

"여기 보호자는 그 계집애 아니고, 최우식 회장님이니까! 자꾸 보호자, 보호자 거리면서 XX하지 마소. 알았습니까?"

"이, 이놈들이!"

아주머니는 덜덜 떠는 손으로 휴대 전화를 찾아 꺼냈다. 1층에 제중원에서 온 의료진들이 대기 중인 상황. 도움을 주려던 간호사들은 뺨이 부어오를 만큼 폭행당했고, 아주머니는 병실에서 한 걸음도 걸어 나가지 못했다.

신고 버튼을 누르려는 아주머니에게 급히 다가온 놈이 휴대 전화를 빼앗아 벽으로 집어 던진다. 와장창 소릴 내며 벽에 걸린 액자가 산산조각이 났다.

"아이고!"

"이 아줌마가 미쳤나! 여기서 나가면 아주머니 의료법 위반에 환자 은닉죄로 처벌받아요. 알아요?"

"환자를 내가 어떻게 은닉을 해요!"

"지금 하고 있잖아!"

아주머니는 남자의 서슬 퍼런 폭언에 부들부들 떨며 탄식을 쏟아 냈다. 겁에 질려 웅크린 아주머니를 내려다보는 남자의 얼굴에 만족스러운 표정이 떠오를 때였다.

"세자 저하께옵서 괜히 '밟아.'라고 하신 게 아니었네요. 안 그래요, 장은호 씨?"

아주머니를 겁박하던 남자는 입구에서 들려온 말에 천천히 고개를 틀었다. 그곳엔 샌님처럼 보이는 남자와 유도선수라고 해도 믿을 만큼 큰 체격을 가진 사내들이 가득했다. 이미 자신의 부하들이 기도 쓰지 못한 채 한쪽에 공손한 자세로 서 있는 것을 본 남자가 실소하며 몸을 일으킨다.

"뭡니까, 당신들."

"각자 소개할 시간이 없어서 짧게 끝내겠습니다. 왕실 세자익위사 실장, 이우혁입니다."

"왕실? 하, 뭐야. 왕실 사람이면 남의 병실에서 깽판 쳐도 되는 겁니까?"

제법 호기롭게 성큼성큼 다가가던 남자의 앞을, 장은호가 가로막았다. 은호는 한 뼘 가까이 작은 남자를 내려다보며 웃음기를 지운 얼굴로 눈썹을 치켰다.

"무례합니다."

"무례는 당신들이지! 나 여기 보호자 경호원입니다. 당신들이 뭔데 남의 환자를 데려가려고 해! 경찰 부를까?"

배짱 좋게 어깨를 부딪쳐 오던 남자의 팔이 잡힌다. 장은호는 놈의 팔을 지그시 움켜쥐며 천천히 입매를 끌어올렸다.

"세자익위사라고 했을 텐데."

"뭐, 뭐?"

"세자익위사. 세자 저하의 신변 및 안위에 해를 끼친다면, 즉결심판권을 사용할 수 있는 놈들이. 바로 우립니다."

"이, 이봐요!"

남자는 팔을 빼려 반대편으로 힘을 주었지만, 말도 안 되는 힘의 차이에 다리가 떨리기 시작했다.

"이거라도 놓고······!"

"아프냐? 나도 아프다."

"이런, 미친!"

"너는 그 입도 아프구나."

순간, 커다란 손이 남자의 입을 틀어막으며 벽 방향으로 밀어냈
다. 쾅! 소릴 내며 벽에 부딪힌 남자의 동공이 창황하게 흔들린다.
괴물 같은 힘이었다. 그러며 머릿속으로 왕실 익위사의 자격 조건을
들은 적이 있는지 떠올리려 애썼다.

"죄, 죄송합니다."

부들부들 떨며 옆으로 물러선 남자를 향해 다가온 우혁이 싱긋 웃
는다.

"목숨 귀한 줄 알아서 다행이네요. 젊은 양반."

"저, 저희는 명령만 받은 겁니다."

"압니다. 직접 행했다면, 이렇게 끝나진 않았겠죠."

우혁이 고갯짓하자 우르르 들어온 익위들이 김 씨를 부축하고 병
상을 이동하기 시작했다. 그제야 지켜보던 간호사들이 달려와 함께
환자 이송을 돕는다. 우혁은 병실에 남아 있는 박혜란의 모든 짐을
챙긴 뒤 그 뒤를 따랐다.

"저, 저기 1층에 회장님 와 계신다는데요."

"아······ 1층에 저희 저하도 도착하셨습니다. 당신 상관만 도착한
거 아니란 거죠."

"그게 아니고요."

"신경 쓰지 마시고 거기까지만 하시죠. 지금이라도 최 회장 연락

모른 체하고 도망쳐 주시면, 더 이상 문제 삼지 않겠습니다."

남자는 꼬리를 바짝 내린 채 슬그머니 물러섰다. 이어 부하들과 함께 비상계단 문을 열고 뛰어 내려가기 시작했다.

우혁은 승강기에 오르며 지금껏 유연이 아무것도 시도하지 못했던 이유를 짐작할 수 있었다. 그녀는 알고 있었을 것이다. 그녀가 반항했을 때 최 회장이 보일 반응이나 결과들을.

마음을 약점 잡혀 이용당한다는 것. 그만큼 자신을 약하게 만드는 것은 없다.

"앞에 누가 있든, 곧장 앰뷸런스 태워 보냅니다. 익위."

"예, 알겠습니다."

비장한 표정의 익위들은 1층에 다다른 승강기 문이 열리자마자 병상을 밀며 밖으로 나갔다. 혜란의 짐을 챙긴 우혁은 간병인 김 씨를 살피더니 자신의 명함을 건네며 말한다.

"망가진 휴대 전화는 왕실에서 보상하겠습니다. 내일 오후 3시쯤 연락 주십시오."

"어머, 어머나 감사해요. 못된 놈들, 찍소리도 못할 거면서! 내가 얼마나 만만했으면……!"

"원래 약자에게 강한 놈들이야말로, 한없이 약자니까요. 저희야 말로 박혜란 씨 곁을 지켜 주셔서 감사합니다."

우혁은 아주머니에게 인사한 뒤 성큼성큼 걸음을 내디뎠다. 온갖 불을 환하게 밝힌 병원 외부, 안절부절못하며 서 있던 최 회장이 우혁을 발견하곤 뛰어온다.

"이게 뭐 하는 짓입니까!"

그러며 혜란의 병상을 막아서며 소리쳤다.

"내 환자를 어디로 빼돌리는 겁니까!"

회장의 뒤로 병실을 점거했던 놈들과 별 다를 바 없는 남자들이 험악한 표정으로 다가선다. 우혁은 한심한 작태에 혀를 차며, 이어 도착한 경찰을 발견했다.

"경찰도 부르셨습니까? 대단하시네요."

"이보세요, 이 실장. 아무리 왕실에서 나왔다고 한들, 이렇게 경우 없이 구는 건 그리 좋지 않을 텐데요?"

"그럴 수도 있지만, 저는 세자 저하의 지시만을 따릅니다."

"어허! 왕실이 어찌 법 위에 선단 말입니까!"

우혁이 한쪽 귀를 막으며 은호에게 눈짓하자 막아선 이들과 힘의 대치가 시작되었다.

다가온 경찰 고위 관계자들은 우혁을 말렸다. 엄연히 보호자가 있는 환자를 옮기는 것은 법에 어긋난다며 설명했지만 애초에 박혜란의 보호자는 최우식이 아니었다.

"체면도 있으신 분들이 밖에서 이러시면 곤란합니다. 안으로 이동하시죠."

"제중원으로 이동합니다. 따라오시던가요."

"이봐요! 여기 서화제약 회장님이시라고요!"

"난, 세자 저하의 보좌입니다만."

"하, 미치겠네."

"그리고 최우식 씨는 박혜란 씨의 보호자가 아닙니다. 그러니 물러나세요."

이우혁의 말에 당황한 경찰이 최우식을 돌아보며 물었다.

"보호자가 아니면, 누가……."

그리고 그 대답은 반대편에서 들려왔다.

"제가 보호잡니다."

언제 도착한 것인지 성큼성큼 다가온 유연이 우혁과 최 회장 사이를 막아선다. 최우식은 유연을 보며 주먹을 말아 쥐고, 습관처럼 손을 올렸다.

"어딜 감히, 네가 은혜도 모르고!"

하지만 보이지 않는 힘에 몸이 굳어 손가락 하나 움직여지지 않는다. 마치 그때 같았다.

주위에 까딱 인사한 유연이 얼굴을 벌겋게 붉힌 최 회장을 올려다보며 고개를 깊게 숙였다.

"경찰분들 고생이 많으시네요. 하지만 공권력이 경우 없이 피해자와 가해자 구분 못 하시면 곤란합니다. 회장님, 엄마를 옮길 수 있게 비켜 주시죠."

"유연아, 이러지 마라. 네 엄마 내가 살려 주겠다고 했잖아! 치료를 중단하면, 어떻게 될지 알고!"

"무섭습니다. 두렵고요, 엄마가 잘못될까 봐 겁나요."

유연은 쓰게 웃으며 양손을 감싸 쥐었다. 유순해진 유연의 태도에 눈썹을 축 늘어트린 최 회장이 애원하듯 말한다.

"유연아, 날 믿어야지. 너를 키운 건 나다. 그러니……."

"제 말을 이해하지 못하셨나 본데요……."

유연의 내리깔려 있던 눈꺼풀이 뜨이고, 갈색 눈빛에 선득함과 분노가 차갑게 맺힌다.

"저는 회장님께서 제 엄마를 죽일까 봐 무섭다는 겁니다. 안락사, 지시하셨다면서요?"

안락사라는 단어를 들은 최 회장이 아연실색하며 날뛰었다.

"무슨 소릴 하는 거야! 뚫린 입이라고······!"

"말 오래 섞지 않겠습니다. 안락사, 지시하셨어요?"

"조유연, 너 미쳤어?"

"회장님 같으면 미치지 않고 버티시겠어요?"

"이게 못 하는 말이 없어! 나는 법 없이도 살 사람이야! 어디, 겁대 가릴 상실하고 함부로 지껄여!"

"회장님께서 법 없이 살 분이라서요. 그래서 제가 합법과 위법을 가릴 때가 아니란 생각이 듭니다. 죄송해요, 법 없이 살았던 분을 범법자로 만들겠네요. 제가."

여지를 주지 않고 말을 마친 그녀가 돌아서려 하자 최 회장이 소리쳤다.

"무슨 헛소리야! 너 당장 해고야! 조유연, 너 해고라고!"

"사직서, 책상에 올려 뒀습니다."

"뭐? 회사에 갔었어? 네가 왜!"

"말씀드렸잖아요. 합법과 위법을 가릴 때가 아니었다고요. 부디, 제대로 벌 받으세요. 아저씨."

곧바로 돌아선 그녀는 꼼짝도 못 하는 주제에 고래고래 소리치는 최 회장을 무시하곤 엄마에게 다가갔다. 최 회장을 비롯해 함께 도착한 이들 모두 보이지 않는 힘에 발이 묶여 움직이지 못했다.

유연은 조금 전 제가 서 있던 자리에 당당하게 네 발로 서 있는 궐의 모습에 입술을 깨물었다.

'궐아, 저 입도 막아 줄 수 있어?'

-아가리를 찢어 줄 수도 있다.

'피를 보고 싶진 않아. 그냥, 너무…… 시끄러워.'

힘없는 중얼거림이 전해짐과 동시에 최 회장의 입이 무언가에 틀어막혔다. 숨까지 막히는지 파랗게 질려 거품을 문 최 회장이 발버둥 친다. 놀란 경찰이 응급실로 뛰어 들어가 의사를 불렀지만, 그들이 할 수 있는 일은 없었다. 오히려 더욱 흉흉한 힘을 뿜어낸 궐이 아예 최 회장의 가슴팍을 앞발로 누르며 시퍼런 송곳니를 드러냈다.

최 회장의 얼굴 위로 뚝뚝 떨어지는 범의 기운. 최 회장은 오늘 악몽에 시달릴 것이다. 매일매일 피가 말라 죽을 때까지, 악몽을 꾸게 될 것이라고 궐이 말했다. 하루가 열흘 같고, 열흘이 1년 같은 날들이 이어지겠지. 하지만 현실은 지금부터가 진짜 시작이었다.

고개를 든 그녀는 앰뷸런스 앞에 서 있는 이건을 발견했다. 싱긋 웃어 보인 그가 담당 의사에게 무언가를 지시한 뒤, 자연스럽게 그녀를 스쳐 지나갔다. 스치며 닿은 손등의 부드러운 감촉이 선명하다.

건이 향한 방향으로 돌아선 유연은 가쁜 숨을 몰아쉬는 최 회장에게 손 내미는 건을 보았다. 졸렸던 목을 움켜쥔 채 망설이던 최 회장이 세자의 손을 잡는다. 최우식을 일으켜 세운 건은 조금도 흐트러지지 않은 표정으로 무언가를 속삭였다. 그 말을 들은 최 회장이 발끈하며 길길이 날뛰었지만, 궐에 의해 또다시 입이 틀어막혔다.

건은 안타깝다는 듯 최 회장의 어깨를 다독인 뒤 다시 유연에게 돌아왔다.

"눈이 왜 이렇게 빨개."

새빨간 눈을 빤히 내려다보며 혀를 차더니 상체를 숙여 눈가에 입술을 누른다. 대담한 그 행동에 다들 숨이 멎을 듯한 표정을 지었다. 마른침을 삼키며 그의 재킷을 움켜쥐자, 이번엔 눈가를 문지른 그가 양손으로 뺨을 감쌌다.

"왜 울었어."

"안 울었어요."

"자꾸 거짓말해 봤자야. 내가 혼내 줄게. 말해 봐. 누가 울렸어."

어린애를 달래는 것 같은 말투에 그녀가 웃음을 터트렸다. 됐어요, 그런 거 아니에요. 라고 말하며 앰뷸런스 안으로 옮겨진 엄마의 다리를 꽉 움켜쥐었다. 멀리서 지켜보던 간병인 김 씨 아주머니가 달려와 선뜻 구급차에 오른다.

"제가 함께 갈 테니까, 걱정 마요."

"괜찮으시겠어요?"

"병원 옮기면 간병인 바꾸려고 했어요?"

"아뇨, 그건 아니지만……."

"어휴, 혜란 씨를 내가 몇 년을 간호했는데. 그냥 내가 가게 해 줘요. 뒤따라오실 거죠?"

"네, 바로 갈게요."

아주머니는 손가방을 소중하게 움켜쥔 채 유연의 손등을 다독여 주었다.

"그럼, 병원에서 봐요. 어휴, 내 속이 다 시원하네. 자자, 빨리 출발하지요?"

"제가 동행하겠습니다. 저하, 제중원에서 뵙겠습니다."

이어 우혁이 앰뷸런스에 오른 뒤에야 유연은 물러섰다.

한바탕 소란이 휩쓸고 지나간 자리, 최 회장을 놓아준 귈이 짐승의 울음소릴 내며 포효하고는 연기가 되어 사라졌다. 바닥에 주저앉았던 최 회장이 유연을 죽일 듯 노려보다가, 경호원의 부축을 받

으며 일어나 도망치듯 차에 탄다. 꽁지 빠지게 도망치는 꼴이 볼만
했다.

이제 정말로 끝이구나.

처음으로 작게나마 맛본 승리감이건만, 조금도 달지 않았다. 오히
려 지금껏 달콤한 설탕인 줄 알고 입에 넣었던 것들이, 오장육부를
썩게 만들 독이었을지도 모른다는 생각에 입이 썼다. 그럼 난 얼마
나 망가져 있는 걸까. 어디서부터 엉망진창이 되어 버린 것인지 정
말 모르겠다.

힘주어 최 회장을 노려보는 그녀의 손바닥에 그의 손이 감겨든다.
따뜻하게 깍지 끼워 잡으며 고개를 기울였다.

"가자."

"저하, 이제 말해 주세요."

"뭐를."

"저하는 알고, 저는 모르는 거요. 그날 말씀하셨던, 여름, 교복, 찡
그린 얼굴. 예쁜 미소……. 그런 것들이요."

가만히 눈을 맞춘 채 생각하던 그가 부드럽게 입매를 끌어올린다.
반면 눈가는 가벼운 경련을 일으켰다.

"우리, 밥 먹을까?"

서울 제중원, 집중치료센터 전광판에 박혜란의 이름이 올라갔다.
엄마의 이름을 물끄러미 올려다보던 유연은 간호사가 기다리는 치
료실 안으로 들어갔다.

'13년 전, 그날은 네 아버지 기일이야. 몹시 더웠고, 난 복도에서 우혁이를 기다리고 있었어. 우리, 같은 학교에 다녔거든.'

밥을 먹으러 가자는 제안에 답해 주지 않으면 가지 않겠다고 했다.

'넌 미술실 앞에 서 있었어. 그때 첫눈에 반한 거야. 너무 예뻤거든. 거의 넋을 놓고 다가갔는데, 네가 그러더라. 정말, 그림 속에 있는 도깨비 같은 것들을 없앨 수 있냐고. 너무 오래돼서 정확하게 기억나진 않지만, 나는 보이지 않는다고 했어. 정말로 보이지 않았거든. 이름이 궁금해서 이름을 물었더니, 그것조차 거짓으로 알려 주고 도망친 게 너야.'

'제가 거짓말을 했나요……'

'응, 아직도 궁금해. 대체 왜 나한테 다른 이름을 알려 준 거야? 내가 그 이름에 속아서 얼마나 헤맸는지 알아?'

'그거야 저도 모르죠. 전…… 기억이 없잖아요.'

'어쨌든 나는 네가 들여다보던 그림에 이매가 잠신한 걸 알면서도 봉인하지 않았어. 그래야 널 다시 볼 수 있을 것 같았거든. 그런데 그날 하교 시간에 사고가 터진 거야. 1급 영루를 가진 상급 이매가 현신했고, 반파된 차에서 부부가 튕겨 나왔어. 그게 바로 네 부모님이시고.'

그는 미소와 여유를 잃지 않은 척 그녀의 손을 지그시 움켜쥐었다. 하지만 표정과는 다른 떨림이 전해진다. 기억에 없는 일들을 듣는 건, 너무도 낯설었다. 나의 이야기가 아닌, 타인의 이야기를. 혹은 꾸며낸 이야기를 듣는 것처럼 겉돌았다.

'믿기 힘들겠지만, 천천히 받아들여. 넌 그날의 사고가 나 때문에 일어났다고 믿기 때문에 기억을 잃은 거고, 어머닌 그렇지 않기 때

문에 잠에서 깨어나지 않으시는 거거든.'

'그럼, 진짜 교통사고일 수도 있다는 건가요?'

'그래. 개운하지 않은, 그런 사고.'

'이매 때문이 아니라……?'

'이매 때문일 수도 있고, 나 때문일지도 모르지.'

그래서 제게 처음에 그런 말을 했던 걸까?

그는 자신을 궐에 가둬 두고 싶지 않다고 하였다. 그것이 궐의 법도와 숨 막히는 일정, 혹은 삶에 지쳐 궁을 나가 버린 중전을 빗대는 말인 줄 알았다.

아름다운 외모, 백성들에게 헌신하는 왕비, 현대의 성모 마리아. 하지만 그만큼 따라다니는 추문과 압박감 또한 만만치 않았을 것이다. 몇 번이나 왕비의 자해 소식이 언론을 통해 전해졌고, 그때마다 언론에선 '실의에 빠진 세자'라는 문구를 헤드라인으로 정했다. 무너진 세자의 사진을 전면에 내세우면서. 그래서 아버지 역시 습관처럼, '널 왕실로 보내진 않겠다' 하셨다. 중전의 그런 비극적인 삶을 사랑하는 딸이 답습하고 뒤를 이을까 걱정되셨던 거겠지. 하지만 건은 다른 이유로 자신에게 죄책감과 부채감을 느끼고 있었다. 본인의 실수로 누군가의 목숨을 앗아갔다는 죄의식. 그 기저를 담당한 자신을 마음에 두게 된 것. 그 모든 것이 그를 혼란하게 했다. 어쩌면 사랑하지 말아야 할 사람을 사랑하게 된, 그런 로미오의 마음 같으려나?

실없는 웃음과 함께 울음이 함께 새어 나오려 했다. 하지만 의사의 목소리가 그녀를 시궁창에서 끌어올렸다.

"혈액검사를 할 겁니다. 아마, 초반엔 검사할 게 많아서 어머니가 힘드실 거예요. 설령 깨어나신다고 해도 몸을 움직이긴 힘드실 거예요. 13년이면 뼈가 굳고, 장기에 활동 에너지가 공급되지 않아요. 그러니 마음의 준비를 단단히 하세요."

단호한 의사의 말에 유연은 고개를 끄덕이며 엄마의 손을 잡았다. 멍하니 의자를 당겨 앉아 메마른 손등에 이마를 댔다. 상황이 더 나아질지, 악화할지 모른다. 오늘의 행동은 미래를 생각해 벌인 일이 아니었다.

"대체 무슨 일이 있었던 거야…… 엄마."

제중원 1인 병실 앞, 보호자와 간병인을 위한 작은 응접실에 검은 연기가 일렁인다.

다리를 꼰 채 멀리 보이는 유연의 뒷모습을 응시하던 건의 눈동자가 움직였다. 건은 어느새 제 옆에 앉아 같은 자세를 한 퀄을 보며 코웃음을 쳤다.

'놈의 목을 꺾어 놓았어야지, 고양아.'

―보았느냐.

'보았지. 네놈 성격이 얼마나 더러운지, 내 눈으로 똑똑히 확인했어.'

―귀멸자야, 요즘 사람들은 그런 말을 자기소개 한다고 했다. 본인 소개는 하지 않아도, 난 귀멸자에 대해 잘 안다. 그러니 굳이 그러지 않아도 된다.

'하, 뭐? 자기소개? 고양이 놈이 습득력이 너무 빨라도 문제군.'

두 남자는 더 이상 말 섞지 않은 채 유연의 뒷모습으로 시선을 옮졌다. 밤을 지새울 생각인지, 그녀는 미동 없이 모친 앞에 앉아 있었다. 그리고 건은 그런 그녀를 지킬 생각이었다.

-귀멸자야, 청송을 만났더구나.

'귀여운 병아리더군. 네놈보다 나아.'

-청송은 우리 중 제일 어리다. 고작 300살이 넘은 녀석이니까.

'그래, 나이 많아서 좋겠다.'

-청송은 어여뻐 해 주니 좋구나. 귀멸자야, 넌 역시 몹시 나쁜 사람은 아닌 것 같다.

'자꾸 시비 거는 이유가 뭔데?'

발끈한 건의 이마에 차오른 핏줄. 궐을 노려보는 건의 입가에 경련이 잘게 일었다. 하지만 궐은 유연에게서 시선을 떼지 않은 채 말문을 열었다.

-귀멸자야, 네가 해 줄 일이 있다.

'해 줄 일? 부탁도 아니고? 왜, 또 다른 수호부가 컴백홈이라도 하고 싶다던가?'

-아니, 물론 그것도 있지만…… 나의 주인을 위해 해 줘야 할 일이다.

'유연이를 위해?'

건은 조금 표정을 풀었다. 다시 등받이에 깊게 몸을 묻은 채 고개를 까딱이자, 궐의 눈이 서서히 번뜩인다.

-염라의 영루를 아는가.

'몰라.'

-너희는 나찰의 영루를 1급이라 부르더구나. 나찰의 영루는 수호부를 부를 수 있고, 귀멸자의 힘을 강하게 하지.

13년 전 그날 학교 앞에 현신한 이매에게서 얻은 것이 1급 영루였다. 놈은 뿔이 달린 도깨비였으며, 상급 이매였다. 그런 놈을 마주했던 순간의 공포가 스멀스멀 기어오른다.

–반면, 염라의 영루는…… 혼을 불러들이고, 불치병에 걸린 이를 낫게 한다. 인간들은 영생을 준다고 믿었던 것 같으나, 아니다. 염라의 영루는 나찰의 영루보다 더욱 깊은 곳에 숨겨져 있다.

가만히 듣던 건의 눈이 번뜩였다. 그것은 경상남도 남해 상주면의 바위에 새겨진 화상 문자의 내용과 같았다.

「서불제명각자」

불로초를 구하기 위해 진시황은 서불이란 사람을 500명의 동녀와 함께 조선의 삼신산(三神山)으로 보냈다. 금강산, 지리산, 한라산. 이 산들 위엔 신의 이적이 있었고, 불로불사의 명약이 있다고 믿었다. 물론 서불이 그곳에서 불로초를 찾았는지는 확인되지 않으나, 조선의 삼신산은 전설이 되어 외세의 과녁이 되었다. 하지만 그것이 땅에서 자라는 약초가 아닌 영루였다면…… 무지한 인간이 그것을 부풀리고 전란을 위해 포장한 것이라면.

'계속해.'

건은 힘이 들어간 주먹을 움켜쥐었다가 펴며 고개를 주억였다.

–염라의 영루를 찾아라. 어렵지 않을 것이다. 슬퍼하는 주인을 더는 보고 싶지 않구나.

「세계적인 아티스트 그룹, EATEEL이 선보이는 조선의 가을 展」

푸른빛이 도는 직사각형의 깃발이 경복궁 외곽을 따라 흔들렸다. 광화문 앞엔 전시 관람을 위해 모여든 사람들로 장사진을 이루었고, 다들 오랜만의 궁궐 나들이에 들떠 있었다.

궁은 안전을 위해 하루 입장객의 수를 제한하기로 했다. 그래서인지 이른 오전부터 티켓을 구하기 위한 줄이 이어졌고, 티켓박스 오픈과 동시에 완판되었다.

광화문이 열리기 고작 한 시간 전. 전시의 점검은 모두 끝이 났다. 이태는 커피를 내려 툇마루 기둥에 기대섰다.

'그 기운들은 대체 뭐였을까.'

이태는 생각에 잠겼다. 며칠 전, 갑작스럽게 찾아든 힘은 궐 전체를 뒤덮었고 금방 사라졌다. 하지만 사라진 줄 알았던 힘은 창덕궁 낙선재에 고여 있었다. 푸른 안개와 검은 안개. 그리고 구름 같은 장막이 어우러져 함부로 접근할 수 없는 곳. 좋지 않은 징조다. 제 일을 방해할 가능성이 농후한 힘이었다.

이태는 창덕궁 방향을 노려보다가 걸려 온 전화를 받았다.

"「예, 이마무라 씨.」"

[「궐에서 태 씨를 많이 신뢰하나 봅니다. 전시가 화려하군요.」]

나른한 목소리의 일본어가 이태의 심기를 불편하게 했다.

"「혹시, 경복궁에 오신 겁니까?」"

[「당연히 와야죠. 내 새끼들이 바글바글한데.」]

"「이마무라 씨, 이곳은 조선의 법궁입니다. 들어오지 마시고, 밖에서 따로 뵙죠.」"

[「이런, 서운합니다. 단것만 취하고 버리는 겁니까?」]

"「때와 장소를 가리자는 겁니다. 그리고 이매가 환동하면 제일 먼저 저를 의심할 겁니다. 그런데 이마무라 씨가 함께 계신다면, 확신을 피해갈 수 없습니다.」"

[「흠, 맞는 말입니다. 그럼 제 부탁 하나만 들어주시죠. 왕자군.」]

"「말씀하십시오.」"

[「제법 주상의 신의를 얻은 듯하니, 다음 달에 청계천 광장에서 저희의 전시를 열어 주십시오. 이순신 장군과 세종대왕 석상을 에워싼 형태로, 450점입니다.」]

이태는 헛웃음을 흘리며 보일 듯 말 듯하게 주먹을 말아 쥐었다.

켄이치 이마무라. 그는 아버지의 죽음과 함께 찾아온 이였다. 오랜 친우이자 동료 예술가로, 국적은 달랐지만 아버지는 이마무라를 몹시 믿고 따랐다고 했다.

물론, 처음엔 믿지 않았다. 온 세상이 그에겐 거짓이었던 시기였다. 시름시름 앓다가 이유 모를 병에 걸려 죽어 버린 아버지와 시도 때도 없이 발작 증상을 일으키는 어머니. 그리고 종친이라 불리며 왕세자의 그림자 노릇을 해야 하는 제 처지가 치욕스러웠다.

자신의 존재 자체에 의문을 품어 방황하던 시기, 이마무라는 진정한 화매가 무엇인지를 알려 주었다. 그리고 신의의 증거로 내놓은 멸첩의 일부. 전설로만 들어오던 멸첩을 눈으로 본 이태는 그를 믿을 수밖에 없었다.

그는 본인도 조선 왕실의 피를 일부 이어받은 공주의 후손이라 하였다. 세계 2차 대전의 비극이 낳은 혈족. 잊힌 왕족이 바로 이마무라 家라고. 대비가 벌인 일을 낱낱이 알려 준 이도 바로 이마무라였다. 하지만 호의는 호의일 뿐. 이태는 여전히 이마무라를 온전히 믿지 않았다.

무언가 있다. 자신을 지독하게 이용하고자 하는 이유가.

"「이마무라 씨, 그 건은 천천히 얘기하도록 하죠.」"

[「나는 태 군이 조선 땅에 발 들이는 것을 도왔습니다. 이는 아무나 할 수 없는 일이란 거 알고 계시지요? 저는 그리 큰 위험을 감수했습니다. 그러니 태 군도 의리를 지키도록 하세요. 태 군의 아버지처럼요.」]

"「저는 배신 안 합니다. 그러니…… 기다려요. 궐이 예전 같지 않습니다.」"

[「궐은 항상 위험했어요. 뭐, 어쨌든 전시 구경을 왔으니. 조금 이따가 보죠.」]

젠장.

이태는 전화를 끊으며 식어 버린 커피잔을 내려놓았다. 부재중 수신 전화 5건. 최설아의 이름을 본 그의 미간이 구겨진다.

-왜 전화 안 받아? 사탕 내놔.

-주기가 점점 짧아지고 있어. 삼간택까지만 버티면 돼. 아빠가 술 바꿔치기했다고 했으니까, 마지막이야.

-야! 사탕 내놓으라고!

마약이나 다름없군.

이태는 최설아의 메시지를 모두 삭제한 뒤 툇마루에서 내려섰다. 욕심이 지나치면 화를 부르는 법.

"이매가 되려 발버둥 치시는군."

지금 최설아는 맹목적으로 세자빈이라는 자리에 매달리기 시작했다. 그 자리가 어떤 곳인지, 얼마큼의 희생을 요구하는지는 이미 중요하지 않다는 듯이.

이태는 주머니에 넣은 휴대 전화를 만지작거리며 집경당을 나섰다. 입구를 지키던 호위 두 명이 꾸벅 인사하곤 뒤따른다.

외부의 소란은 아랑곳없이 조용한 궐내. 걸음을 서둘러 경회루에 도착한 그는 연못 가장자리에 전시된 작품들을 무심하게 훑었다.

잠신 시켜둔 화매들이 당장에라도 힘을 뻗대고 싶어 요동치는 게 느껴진다. 그는 조금만 참으라고 속삭이며 걸음을 내디뎠다.

'수정전 지하였지, 아마.'

궐내에서 가장 강하고 순수한 힘이 몰려 있는 곳. 수정전 내부는 종묘와 연결되어 RSA에서 회수한 보물들을 모아 놓는 곳이다. 그곳에 1급 영루가 있다. 어쩌면 0급 영루도 있을지 모르는 일.

'나는 내 아우를 원망하지 않는다.'

원망은 주상 전하가 아니라 제 가족이 해야 하는 겁니다.

이제 전시가 시작되면 이놈들이 환동할 것이다. 세자가 궐을 비운 상황. 주상 혼자만의 힘으로는 화매를 온전히 당해내기 힘들 터. 그 혼란을 틈타 수정전 내부에 진입해 영루를 취하고 나면, 이 끔찍한 궐을 떠날 수 있다.

"소헌군 마마, 곧 전시를 시작할 예정이라고 합니다."

무전을 받은 호위의 말에 이태는 소리 없는 휘파람을 불었다. 주인의 휘파람을 들은 화매들이 똬리를 틀기 시작한다. 이태의 손등 위로 뱀 비늘이 돋아나고, 오싹한 통증이 시작되었다. 하지만 환하게 미소 지은 이태는 짐짓 아무렇지 않은 듯 걸음을 내디뎠다.

"그럼, 저는 손님을 마중하러 나가보겠습니다. 전시장, 잘 부탁드려요."

눈을 떴다. 밤새 어떤 꿈을 꾸었는지 잘 기억나진 않지만, 아주 슬프고 아픈 꿈이었다.

아침이 된 건지 희고 창백한 햇살이 블라인드 너머 비스듬히 들이친다. 힘없이 눈을 뜬 유연이 기지개를 켜자 차가운 음료 캔이 뺨에 닿았다.

"잘 잤어?"

유연은 수건을 목에 건 이건을 올려다보며 놀란 눈을 깜빡였다.

밤새 함께 있었던 걸까? 설마 병실에서?

"저하가 왜……."

"네가 여기 있는데, 내가 어딜 가."

그에게서 산뜻한 민트 향이 난다. 그러고 보니 앞머리가 젖은 채였다. 유연은 그가 내민 음료를 받아들곤 따끈한 뺨을 식혔다.

"보호자 침대가 올 거야. 그러니까 이제 병원에 있을 거면 좀 편하게 쉬어."

그는 젖은 앞머릴 털며 돌아섰다. 그를 따라 병실에 딸린 응접실로 향하자, 밤새 그가 앉아 있던 자리의 가죽이 구겨진 게 보였다.

"저하는 여기 계시지 마세요. 할 일도 많으시잖아요."

"그러잖아도 갈 거야. 이제 출근해야지. 넌?"

"저도 아주머니 오시면 집에 들어갈 거예요. 아, 혹시 최 회장이 찾아올까요?"

"주소 알아?"

"최준일이 알아요."

최준일이라는 말에 재킷을 걸치던 건의 미간이 굳었다. 산뜻한 향기와 어울리지 않게 구겨진 표정을 한 그가 마뜩잖게 물었다.

"혹시 찾아왔었나?"

"네?"

"찾아왔었냐고."

"네."

유연은 혹시라도 실수했을까 싶어 마른침을 삼켰다. 최준일이 찾아와 무슨 짓을 했냐고 물으면, 궐이가 쫓아냈다고 말해야 할 텐데.

"그런 표정 지으면, 어떻게 된 거냐고 따지지도 못하잖아."

그녀의 발긋한 뺨을 죽 당긴 그가 입술을 포개 왔다. 입안 가득 퍼지는 민트 향. 까치발을 든 채 목덜미를 감싼 그녀의 허리춤으로 단단한 팔이 감긴다.

닿았다가 떼어질 때마다 야한 소리가 났다. 음미하듯, 탐하듯. 부드러우면서도 집요한 입맞춤 뒤 피식 웃은 그가 그녀의 뺨을 어루만졌다.

"다녀올게."

"이따가…… 봬요."

"그리고 오늘은 궐에 오지 마."

"왜요?"

"시끄러운 일이 생겼거든."

건은 궁금증에 커다래진 그녀의 눈꺼풀에 다시 한번 입 맞추곤 품으로 꽉 끌어안았다. 그러곤 소리 없이 궐을 불렀다.

'어떻게 된 거야.'

-뱀이다. 이럴 줄 알았지.

'젠장, 지금 시간에 차가 얼마나 막히는 줄 아나?'

욕설을 뇌까리면서도 유연에게는 생긋 웃어 보인 그가 병실 문을 열었다. 외부에 대기하고 있던 은호와 우혁이 걱정스러운 표정으로 그를 맞는다.

궐에 흉흉한 기운이 현신하여 전체를 에워싼 상태라는 보고가 들어왔다. 마치 똬리 튼 뱀의 몸통에 숨이 죄어드는 것 같다는 박 팀장의 보고.

"경찰에 도움을 요청할까요?"

건은 고개를 저었다. 오늘은 이태의 전시가 열리는 날. 그놈이 일을 칠 거란 예감은 들었지만, 이렇게 대놓고 궐을 압박할 줄은 몰랐다.

고민에 빠진 그가 승강기에 올라 로비 층을 누를 때였다.

-귀멸자야, 내가 돕겠다!

낭랑한 아이의 음성이 고막을 찌른다. 이어 궐이 말했다.

-문을 열어라, 청송.

문?

승강기 문을 노려보던 건은 얼마 전 동정문과 낙선재가 연결되어 있던 그 신묘한 상황을 떠올리며 헛웃음을 흘렸다.

'설마, 도○에몽이야?'

그 말에 청송이 혀 짧은 소리로 되물었다.

-그게 무엇이냐.

'있어. 쥐도 고양이도 아닌 거.'

-이매냐? 거참, 보기 흉하겠다.

'너 닮았다.'

-어어? 그러냐? 그럼 아주 고운 선비의 태를 가진 놈이겠구나.

'시끄럽고, 문이나 열어.'

차갑게 대꾸한 건은 피식 웃으며 뒤에 선 두 명을 돌아보았다.

"지금부터 믿기 어려운 일이 벌어질 거야. 그러니 너무 놀라지들 말고, 이 일은…… 절대로 발설하지 말 것. 알았나?"

"예? 저하, 갑자기 무슨……."

무엇을 잘못 먹었냐는 투의 우혁을 째려본 건이 로비를 가리키는 전광판을 올려다보며 움켜쥐고 있던 가죽 장갑을 당겨 끼웠다.

"열어."

건의 말이 끝나기 무섭게 승강기가 중간에 멈춰 섰다. 덜컹거리며 흔들린 승강기의 전구가 깜빡이더니 서서히 금속 문이 아가리를 벌린다. 푸릇한 안개로 휩싸인 공간을 본 건의 입매가 비틀리듯 말려 올라가고, 우혁과 장은호는 기절하기 직전의 표정으로 입을 떡 벌렸다.

푸른 안개 너머 보이는 것은 분명, 동궁전이다. 그것도 밀도 높은 청아한 기운에 휩싸인 자선당 마루에 쾌자를 걸친 꼬마와 거대한 범 한 마리가 하늘을 올려다보며 앉아 있었다.

"저, 저하!"

우혁은 서슴없이 걸음을 내딛는 건을 잡으려 했지만, 몸이 떨려 손이 미끄러졌다. 그 모습에 혀를 찬 건이 주먹을 움켜쥐자, 붉은빛이 모여 사인검이 만들어진다. 소름 끼치도록 영롱한 기운이 주위의 연기를 서서히 빨아들인다.

우혁은 간신히 은호의 팔을 잡고 버텨 섰다.

"이게 바로, 진짜 경복궁. 조선의 실체이자 원천이지. 그러니 둘 다 문 닫히기 전에 뛰어. 꽉 막힌 도로에 갇히고 싶지 않으면."

정면을 노려보는 건의 눈이 황금색으로 빛나기 시작한다. 새하얀 구렁이가 궐 전체를 몸통으로 감싼 채 내려다보는 것이 보인다.

건의 입술이 뒤틀렸다.

"아주 오랜만에…… 열 받네."

더 캐슬

VOL. 2   The Castle

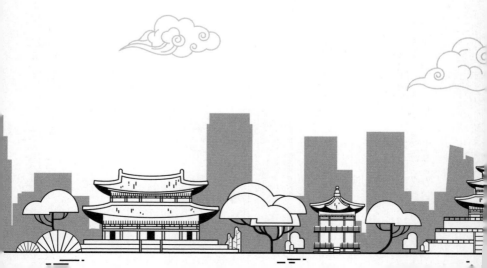

CHAPTER 13

염라의 영루

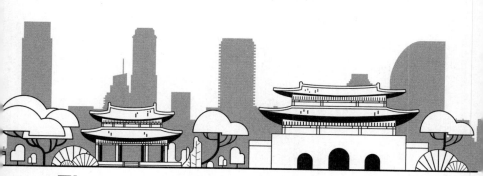

13

염라의 영루

마치, 뱀의 굴 같았다.

경복궁 전체를 거대한 몸통으로 감싼 백사가 혀를 날름거리고 몸에 힘을 줄 때마다 전각 어딘가가 부서지는 소리가 난다.

마당엔 온갖 시커먼 뱀이 건물을 공격했지만, 놈들은 수호부의 상대가 되지 않았다. 거대한 청매가 쏜살같이 날아올라 백사의 머릴 벤다. 푸른 날갯짓에 벽을 타고 기어오르던 뱀들이 연기가 되어 소멸하였다.

거대한 범의 앞발에 짓눌리고 물어뜯긴 뱀의 머리가 나뒹구는 궐내. 건은 달려드는 화매를 베어 소멸시키며 근정전 월대 위에 올라갔다. 그러자 막 힘을 쓴 이숙이 다리에 힘이 풀려 휘청거린다. 건은 달려가 아버지를 부축했다.

"들어가세요, 아버지. 제가 해결하겠습니다."

"건아, 이…… 이것이 무슨 일이야."

"이래도 소헌군을 믿으십니까?"

"건아!"

"저들이 바로 수호부입니다. 종친이 만들어 놓은 화매에게서 경복궁을 지키기 위해 현신한."

"수호부? 저들이…… 정말로 청송과 궐이냐?"

건은 이숙이 수호부의 이름을 알고 있다는 사실이 놀라웠다. 이숙을 바로 설 수 있게 도운 그가 뱀의 목을 물어뜯어 내동댕이치는 범을 보며 고개를 끄덕였다.

"저들의 주인이 궐에 나타났고, 수호부를 깨웠습니다. 진짜 귀안을 가진 여인이요."

"설마, 최 회장의 딸이?"

"아뇨. 그것은 소헌군의 거짓이었습니다. 귀안을 가진 여인은 따로 있더군요."

"하! 말도 안 된다! 어찌, 거짓을…… 거짓을 고할 리가 없잖느냐!"

"이유는 몰라도, 화매를 부른 건 소헌군입니다. 아버지, 소헌군 이태는 이씨 가문을 멸문하기 위해 입궐한 겁니다. 아직도 모르시겠습니까?"

찢어지는 새 울음 소릴 내며 청송이 날아가 백사의 눈을 쫀다. 청송이 날갯짓할 때마다 뱀의 반수 이상이 소멸하였지만, 알을 깨고 나오는 놈들의 속도 또한 만만치 않았다.

"건아."

"저는 소헌군을 추포할 겁니다. 그러니 이제 아버지의 명은 듣지 않겠습니다."

건은 그대로 지붕 위로 뛰어올라 기와를 밟고 내달렸다. 힘을 개방한 그는 인간의 한계를 한참이나 뛰어넘은 상태였기에, 자유자재로 몸을 쓸 수 있었다. 하지만 월대에 서 있던 아버지의 마지막 표정이 마음에 걸렸다. 조사해 본 결과 이태의 모친은 현재 미국의 정신병원에 입원한 상태였다. 그래서 모친을 경복궁으로 모시란 제안에 그토록 예민하게 날뛰었나?

건은 지붕을 타고 넘어가 청송을 위협하는 뱀의 목을 베었다. 사인검의 기운을 이겨낼 수 있는 이매는 없다. 사인검의 순백 빛이 길게 그어져, 허공을 빛냈다.

백사는 괴로워하며 몸을 뒤틀기 시작했다. 그러자 기다렸다는 듯 궐과 청송이 달려든다.

건은 높은 곳에 서서 주위를 둘러보았다. 아비규환이 펼쳐지고 있지만, 화매들은 수호부들의 상대가 되지 못했다.

'저건⋯⋯.'

건은 순간 수정전으로 뛰어가는 이태를 발견했다. 주위를 둘러본 이태가 문을 열고 그 안으로 몸을 숨긴다.

건은 머릴 잃고 폭주하는 백사를 궐에게 넘기곤 아래로 뛰어내렸다. 수정전에는 봉인한 이매들 중에서도 유독 급수가 높은 놈들의 그림과 물건으로 가득했다. 그런 곳을 소헌군이 찾아갈 이유는 없다. 숨겨진 무언가를 찾으려는 것이 아니라면, 절대로.

건은 검 든 손을 툭 떨어트리곤 이태의 뒤를 따랐다. 아무도 없는 수정전 내부. 어떤 방법을 쓴 건지, 지하 수장고와 이어진 문이 열려 있었다.

'무슨 짓을.'

건은 얼굴에서 웃음기를 지운 채 이태를 따라 들어갔다. 어둠의 뒤를 바짝 따라붙은 또 다른 어둠이 줄줄이 이어진다. 어둠과 빛의 경계. 이태가 걸음을 멈추었다.

"형님, 대체 왜 저를 따라오신 겁니까?"

언제부터 알고 있던 것인가. 이를 갈며 돌아선 이태의 얼굴 위에 기이한 빛이 일렁인다. 건은 검은 쥔 손에 힘을 주었다.

"소헌군이야말로 여기서 뭐 하시는 건가. 여긴, 허락된 이가 아닌 이상 들어올 수 없는 곳인데."

"하긴, 형님은 처음부터 저를 싫어하셨습니다. 허락되지 못한 이. 저희 종친은 그 어떤 허락도 받지 못하는 겁니까?"

이태는 초조한 사람처럼 일월오악도 앞을 맴돌았다. 이태가 움직일 때마다 딸려온 기운이 잔상을 만든다.

"저는 억울합니다. 귀안의 어머니가 아버지를 선택한 거잖습니까. 그런데 어째서 핍박받아야 하죠? 왜 의심받아야 하냔 말입니다."

"의심한다고 생각하나?"

"지금도 저 의심하고 계셔서 따라오신 거잖습니까!"

버럭 소리친 이태가 뒷걸음질 치며 손에 잡히는 그림들을 던지기 시작했다. 와장창 소릴 내며 사방으로 부서져 파편이 날아드는 액자들.

"저는 아무 잘못도 하지 않았습니다!"

"그만."

"저희 아버지와 어머니도! 아무 짓 안 하셨고요!"

비명 같은 악을 쓴 소헌군이 오랏줄이 쳐진 액자들을 꺼내 내동댕이쳤다.

소스라치게 놀란 건은 더 이상 두고 볼 수 없었다. 달려간 그가 이태의 손에 쥐어진 줄을 당겼다. 하지만 이미 벽에 붙어 있던 수십, 수백 점의 그림들이 오랏줄에서 벗어나 바닥으로 우르르 떨어진다.

이태는 씩 웃었다.

"그러게 왜 쫓아와서 일을 만드십니까."

행위에 관한 결과를 알고 있을 때 지을 수 있는 잔인한 표정. 건은 입꼬릴 씰룩이며 이태의 목을 움켜쥐었다. 뒤로 밀려나며 바닥으로 주저앉은 놈이 웃음을 터트렸다.

"푸하하하! 이곳이 왜 보물창고라 불리는지 알겠습니다."

이태는 거대한 형체를 갖춰 가는 이매들을 보며 식은땀이 나는 주먹을 말아 쥐었다.

"그래서 나한테 뭘 원하지?"

건의 물음에 이태가 웃는다.

"왕세자 자리 내놓을 거 아니면, 함부로 동정하지 마시지요."

"동정? 내가 그런 하찮은 짓을 할 것 같아?"

"조유연 씨에겐 잘하던데. 사실 몇 번이고 죽었어야 할 여인 아닌가?"

이태의 눈동자가 건의 뒤편을 향한다. 범의 몸, 늑대의 얼굴, 사람의 팔다리를 가진 놈이 침이 뚝뚝 떨어지는 아가리를 쩍 벌렸다. 건은 그런 이태의 눈동자를 신중하게 응시하며 멱살 쥔 손에 힘을 주었다.

"적당히 징징거려……. 이 세상에 원해서 태어난 이도, 삶에 만족하며 사는 이는 더더욱 없으니까."

셔츠를 갈아입던 유연이 흠칫 놀라 눈을 뜨자, 몸에 이상한 기운이 훑고 내려갔다. 전기가 흐르는 것처럼 저릿저릿한 기운이 그녀의 피부를 긁었다.

유연은 셔츠를 마저 입고, 궐을 불렀다.

'궐아.'

하지만 대답 없이 고요한 궐이.

'김궐! 궐아?'

지난번과 같은 불안함이 등줄기를 훑는다. 그녀는 계속해 궐을 불렀지만, 궐은 대답이 없었다. 혹시 무슨 일이라도 생긴 건 아닐까? 건이 궁에 시끄러운 일이 생겼다고 했다. 그 일이 혹시나 궐이와 관련된 일일지도 모른다.

유연은 초조한 마음으로 병실을 맴돌다가, 문 열리는 소리에 돌아섰다. 산뜻한 표정의 아주머니가 환하게 웃으며 들어선다.

"어휴, 있었네! 내가 유연 씨 있을 거 같아서 김밥을 싸 왔는데 같이 먹을래요?"

들어오자마자 보자기부터 편 아주머니는 김밥 통을 열었다. 재킷과 가방을 집어 든 유연은 아주머니가 입에 넣어 준 김밥을 우물거리며 미안한 표정을 지었다.

"죄송해요. 제가 지금 급히 가 봐야 할 일이 생겨서요. 대신 저녁 같이 먹을까요?"

"어휴, 바쁜 일이면 어서 가야지! 빨리 가요, 빨리. 자, 물도 좀 마시고."

"고맙습니다, 아주머니. 엄마 잘 부탁드릴게요."

"그럼, 걱정하지 말고."

머리가 땅에 닿도록 인사한 그녀는 서둘러 병실을 나왔다. 쌀쌀해진 날씨 때문인지 복도에 감도는 공기 온도가 차다.

'궐아, 무슨 일 있는 거 아니지?'

웃!

순간 무언가 가슴을 할퀴었다. 숨이 막히는 통증이 스치고 지나간다.

승강기 앞에 선 유연은 문이 열리길 기다리며 불안한 마음에 손톱을 뜯었다. 당장 궐로 가고 싶다. 아니면 안부라도 알고 싶었다. 유연은 건에게 연락을 했지만, 그 역시 연락이 되지 않는다.

초조한 마음이 머릿속에 불을 질렀다. 여자의 직감이라고 해야 할까? 분명 궐에 무슨 일이 있다. 시큰거리며 몸을 타고 흘러내리는 기운이 선명하다. 상처에 소금물을 들이붓는 것처럼 끔찍한 통증도 함께 느껴졌다.

이 문이 열렸을 때, 궐이었으면 얼마나 좋을까. 그곳에 건이 있다면. 그리고 궐이가 있다면. 사람에게 타임 워프의 능력이 있다면, 이렇게 가슴 졸일 일도 없을 텐데.

어느덧 승강기가 도착한 건지 가벼운 알림음이 울렸다. 무겁고 아픈 어깨를 움켜쥔 그녀가 문이 열리는 승강기 안으로 한걸음 발을 디디려 할 때였다. 푸른 안개와 푸른 스파크가 사방에 몰아치는 지옥과도 같은 광경이 눈앞에 펼쳐졌다. 좁고 긴 통로 같은 전각 내부, 검을 휘두른 건의 머리 위로 수백 마리의 이매가 쏟아져 내린다.

유연은 헛바람을 들이켜며 양손으로 입을 가렸다. 콰르릉 소릴 내며 천지가 진동하고, 검은 이매들이 쏟아진 자리에 푸른 기운이 폭발하듯 터져 나왔다.

-주인아!

놀라 굳어 있던 유연은 자신을 부르는 궐의 목소리에 놀라 정신을 차렸다.

—이곳이 너무 시끄러워 주인의 목소릴 듣지 못했다.

'이, 이게 대체……'

—청송의 힘이다. 귀멸자가 위험하다. 어서!

궐이 말하는 귀멸자는 건이었다. 그녀는 눈앞에 펼쳐진 장면이 꿈이 아니라는 것을 깨달았다. 그리고 구석에 몸을 웅크린 채 패닉에 빠진 이태와 사방에 흩어진 액자 파편. 바닥을 엉망으로 만든 오랏줄을 발견했다.

'혹시, 지금 이거 꿈……'

—아니! 주인아!

순간, 건의 뒤로 집채만 한 형체가 상체를 기울인 채 나타났다. 시뻘건 눈, 거대한 거인의 형태를 가진 이매를 보는 그녀의 눈이 떨린다.

'선배. 아니…… 왕세자 저하. 저하는 정말 저것들을 소멸시킬 수 있나요?'

기억에 없는 자신의 음성이 머릿속을 스쳐 지나갔다.

건을 내려다보는 이매의 눈빛이 형형하다. 검은 정장을 입고 있어 잘 보이진 않으나, 그는 이미 많이 다친 상황. 다른 사람들은 어째서 보이지 않는 걸까?

유연은 용기를 내어 한 걸음, 한 걸음 딛다가 종국에는 뛰기 시작했다. 거인 같은 도깨비가 솥뚜껑 같은 손을 휘두른다. 그 외에도 수백 마리의 이매가 건을 향해 날아들었다. 푸른 안개가 발을 휘감고, 청아한 솔향이 코끝을 찌른다. 궐이 말한 청매의 힘이 피부 안으로 스며드는 기분이 들었다.

몸이 붕 뜨는가 싶더니, 발밑에 반듯한 나무 마루가 닿는다. 100번을 의심해도, 이곳은 병원이 아니었다.

쾅!

전각을 울리는 요란한 폭음. 유연은 그대로 건에게 뛰었다. 그녀의 기운을 느낀 이매들이 건에게 달려들다 말고 기이한 비명을 내지르며 흩어진다.

'큘아!'

뛰어든 유연은 웅크린 그를 감싸듯 끌어안았다. 그의 몸이 축축하다. 땀인지 피인지 모를 것들로, 상처투성이였다. 유연은 제가 느꼈던 통증을 떠올리며 깊은 상처들을 더듬었다. 가쁜 숨을 몰아쉬던 건의 눈이 화등잔만 해지고, 몸에선 시퍼런 기운이 폭주하듯 요란하게 뻗쳐 나왔다.

"조유연…… 네가 여길 어떻게."

"나도 몰라요. 눈 뜨니까 여기야!"

"하, 젠장."

욕설을 내뱉은 그가 그녀를 한 팔로 감싸 안으며 고개를 들었다. 그런데 이상했다. 조금 전까지만 해도 정신없이 공격하던 놈들이 유연의 등장 이후, 겁먹은 아이처럼 주춤거린다. 유연은 그럴수록 건을 더욱 꽉 끌어안았다.

"여긴 수정전 지하야. 나가고 싶어도 문이 열리지 않더군. 그러니 내 옆에서 떨어지지 마."

가쁜 숨을 몰아쉬며 검을 고쳐 쥔 그가 안심하라는 듯 미소 짓는다. 그녀가 애써 고개를 끄덕일 때였다.

콰과광!

엄청난 폭음과 함께 검은 범과 푸른 매가 수정전 안으로 날아든다.

—주인아, 어지러울지도 모른다. 미안하다.

'궐아, 나 아무렇지도 않…….'

그녀는 말을 하다 말고 핑 도는 이마를 짚었다. 천장을 뒤덮을 만큼 거대해진 매가 만든 장막에 이매들이 갇혔다. 그리고 그 안에 검은 범이 열 마리. 아니, 스무 마리.

"미쳤군, 김궐."

건의 들릴 듯 말 듯한 중얼거림과 함께, 아가리를 벌린 범이 이매들을 물어뜯기 시작했다. 비명 한번 지르지 못한 이매들이 범의 아가리 안으로 사라진다. 푸른 연기와 검은 연기가 뒤엉키고 사방에서 폭음이 이어졌다.

휘청거리는 그녀를 품에 안은 건이, 장막을 노려보며 다시 한번 욕설을 내뱉는다. 유연은 그 형형한 목소릴 들으며 까무룩 정신을 잃었다.

익숙한 향기, 손길. 그리고 누군가와 통화하는 목소리도 위화감이 없는 곳.

유연은 자신이 눈 뜬 곳이 건의 침실이라는 걸 어렴풋이 깨달았다. 하지만 머리가 너무 지끈거려서 다시 눈을 감을 수밖에 없었다.

꿈속에서 건은 누군가를 문책했고 다그쳤다. 그러곤 이따금 자신의 이마를 짚거나, 달콤한 냄새를 풍겼다.

-주인아, 미안하다.

잠결에 들은 궐이의 음성에 유연은 눈을 깜빡였다.

'네가 왜.'

-나 때문에 주인이 쓰러졌다.

'다시 내 호칭이 주인이 된 거야? 유연이 아니라?'

-유연아.

'궐아, 나 괜찮아. 그러니까 좀 더 잘게. 자고 일어나면 더 괜찮아질 것 같아.'

-그래, 나 아무 데도 가지 않는다. 목소리가 들리는 곳에 있다. 유연아.

으이구, 또 뚱한 얼굴로 미안해하고 있나 보네.

유연은 피식피식 웃으며 다시 깊은 잠에 빠져들었다. 안심되고, 마음 편해지는 향기에 둘러싸인 채였다.

"어디 있지."

건이 선득한 표정으로 걸음을 내디디며 묻자, 뒤따른 우혁이 답한다.

"집경당으로 모셨습니다."

"다친 곳은."

"태의께서 직접 보시긴 하셨습니다만, 병증에 대한 건 잘 모르겠습니다."

고개를 끄덕인 그는 자선당을 빠져나와 곧장 북쪽으로 걸었다. 다행히 궁궐의 피해는 거의 없었기에 전시는 예정대로 진행되었다. 애초에 궐 사람들의 시선을 돌리는 것이 목적이었다. 화매의 수로 밀어붙여 RSA의 혼을 쏙 빼놓은 뒤, 수정전 내부에서 무언가를 찾으려 했다.

무엇일까. 어째서 그 위험을 감수해가면서 이태는 무엇을 찾으려 했을까.

"세자 저하를 뵙습니다."

집경당 입구를 지키던 내금위들이 건을 발견하곤 예를 갖춘다. 건은 고개를 끄덕여 보인 뒤 내의녀들로 부산한 마당을 가로질렀다. 세자의 등장으로 소란스러웠던 전각 내부에 싸늘한 정적이 감돈다.

"아버지도 계신가."

"예, 저하."

그리 경고를 했음에도, 혈육에 대한 미련을 떨치지 못하신 건가. 입안이 쓰다.

이매에게 직접적인 화를 입은 것은 그 역시도 처음이나 다름없었다. 수정전 내부에 봉인해 둔 놈들이 떼로 덤벼들어 살갗을 물어뜯고, 뼈를 부러트렸다. 하지만 신기하게도 이매를 모두 봉인한 뒤, 빠른 속도로 상처가 아물었다. 그것을 본 김궐이란 고양이 놈이 어찌나 버럭버럭 화를 내던지. 혹, 그것도 조유연의 능력일까?

"태야, 무어라 말을 해 보아라. 정말로 네가 화매를 만들어낸 것이냐?"

문지방 너머 들려온 주상의 음성. 실소한 건은 노크도 없이 문을 열었다. 그러자 침대맡에 앉아 있던 이숙이 고개를 튼다. 멀쩡한 건을 보며 이숙은 안도했다.

"건이 왔구나. 몸은."

"괜찮습니다. 소헌군은 정신이 들었습니까?"

"그래. 한데…… 말을 하지 않는구나."

건은 몸을 웅크린 채 이불을 뒤집어쓴 이태에게 다가갔다. 20대 후반이라더니, 하는 짓은 영락없이 치기 어린 10대 같다.

건은 말을 거는 대신 덮어쓰고 있던 이불을 잡아 벗겨 버렸다. 그러자 소스라치게 놀라 두 눈을 창황하게 뜬 이태가 부들부들 떤다.

"다쳤군. 아버지, 소헌군과 둘이 대화하고 싶습니다."

"너무 몰아붙이지는 말거라. 나는 분명 연유가 있다고 믿는다."

"그 연유, 제게도 꼭 알려 주셔야 할 겁니다."

주상은 야속하게 말하는 아들을 째려본 뒤 상선과 함께 안채를 나섰다. 몇 번이고 돌아보는 상선의 애틋한 시선이 가시처럼 걸렸다.

"사랑받는 왕자군이시군."

건의 비아냥에 이태가 몸을 일으키며 창백해진 얼굴로 고개를 숙인다.

"형님을 다치게 했습니다. 죄송…… 합니다."

"진심인가?"

"진심입니다."

"넌 처음부터 거짓말을 너무 많이 했어. 지금도 마찬가지."

건은 시트를 짚은 이태의 손을 당겼다. 그러곤 팔꿈치까지 소매를 걷어 올리자 뱀처럼 돋아난 비늘 사이로 피와 고름이 떨어지고 있었다.

"엉망이군."

"형님의 눈에도 보이십니까……?"

"왜, 넌 안 보여?"

"안 보입니다."

"네 팔이 썩어 가고 있어. 아마, 업보겠지. 화매는 업과 과보를 쌓는 능력이라고 하더군. 네가 화매를 많이 부릴수록, 팔이 썩고 결국엔 네 몸 전체가 곰팡이에 휩싸일 거다."

건은 한숨을 내쉬며 이태의 팔을 놓아주었다. 그러자 소매를 내린 이태가 고통스러운지 이를 깨물며 몸을 떤다. 눈물까지 찔끔 맺힌 얼굴을 보자 짜증과 함께 답답함이 밀려들었다.

"네 사정이 무엇인지는 묻지 않겠다. 너 또한 녹록지 않은 삶을 살아왔다는 걸 아니까. 하지만, 지금부터라도 깊이 생각하고 신중하게 행동해. 눈과 귀를 막고 무엇이 진실인지 들여다볼 시간이 필요하겠더군."

"형님은 모르십니다. 제가! 어떤 삶을 살았는지……."

"당연히 모르지. 너와 나는 다른 삶을 살았고, 나는 네 존재조차 몰랐으니까. 하면, 넌……. 너는 알아? 내가 어떤 세상에서 살아왔는지."

"형님은 호의호식하며, 궐의 주인으로 사셨잖습니까! 저는……저는 항상 목숨을 위협받으며 살았습니다. 어떻게 같습니까!"

이태를 응시하는 눈빛에 휘감기는 권태와 환멸. 건은 그런데도 미소 짓고 있었다. 타인의 삶의 무게를 자신의 잣대로 계산하는 짓 따위는 하지 말아야 한다. 나보다 당신의 삶이 더 행복하니, 그대가 내게 희생하라는. 말도 안 되는 궤변을 늘어놓는 것이나 다름없기 때문이다.

건은 몸을 일으켰다. 그러곤 협탁에 올려진 작은 단지를 열었다. 그 안에는 막 만들어낸 연고 같은 것이 가득 들어 있었다. 그것을 찍어 향을 맡은 건이 쓸쓸하게 웃었다.

"기억나는 약이군. 매달, 대비전에 가면 이 향기가 났지. 돌아가시기 직전까지 맡았던 향인데……. 이게 무엇인지 알아?"

이태는 시뻘겋게 충혈된 눈을 질끈 감으며 고개를 틀었다. 건은 단지의 뚜껑을 닫은 뒤 손에 묻은 연고를 이태의 뺨에 쓱 문질렀다.

"반성해. 그게 네가 살 길이니."

"형님."

돌아서던 건은 옷깃을 잡는 이태를 돌아보았다.

"그것들은 무엇입니까? 그 매와 범, 혹…… 형님이 부리시는 이매입니까?"

이매란 물음에 실소한 건이 잡힌 소매를 빼내곤 고개를 틀었다.

"이매가 아니라, 조선이자 궁궐이다. 네가 있는 이곳. 바로 이곳이 그들이야. 그러니 감히 이매라 부르며 하대하지 마라. 내 식구들이니."

집경당을 나선 건은 마루에 앉아 있는 이숙을 지나 곧장 마당으로 내려섰다. 그러자 무릎을 양손으로 짚은 이숙이 한숨을 내쉬며 건을 부른다.

"건아, 오늘 저녁 같이하자꾸나. 우리가 상을 두고 마주 앉은 것도, 너무 오래되었어."

"그러겠습니다."

"동궁으로 가느냐."

"예. 중요한 걸 두고 와서요."

이숙은 고개를 끄덕이며 새파란 하늘을 올려다보았다. 구름 한 점 없는 창공의 빛이 뚜렷하다. 오전의 그 요란한 소란에도, 여전히 굳건하였다.

"주인님! 접니다, 청송입니다!"

방싯방싯, 탱글탱글, 쫀득쫀득, 말랑말랑.

유연은 아이의 모습을 한 청송을 보며, 양손으로 입을 가렸다.

귀여워. 귀엽다고! 왜 귀여워?

"혹시, 그 매가……."

"보셨습니까? 부끄럽습니다. 그래도 이, 청송! 주인님의 힘을 최소한으로 썼습니다? 주인님께서 졸도하신 건, 다 궐이 형님 때문이지 말입니다."

"청송이라고 불러도 돼?"

"그럼요! 너무 좋아요, 주인님."

새초롬한 입가에 묻은 과자 가루를 털어 주자, 반짝반짝 눈을 빛낸 청송이 유연의 무릎 위로 폴짝 올라왔다. 그에 인상 쓴 궐이 청송의 귀를 잡아당긴다.

"내려와라, 병아리. 내 주인이라 하지 않았느냐."

"형님, 너무 합니다. 저도 주인님을 얼마나 기다렸는데요!"

"너는 그저 부를 때 나타나면 돼. 당장 내려와!"

"싫습니다! 주인님, 저 내려가야 하나요?"

삐죽삐죽, 도톰한 입술이 일그러진다. 당장에라도 눈물을 쏟을 듯한 표정에 유연이 궐을 혼냈다.

"궐아, 동생한테 그러면 안 되지. 그리고 청송이 너, 주인이라고 하지 마. 꼭 죄짓는 거 같단 말이야."

"그럼…… 누이라고 해도 될까요?"

"누나라고 해도 돼."

"힛, 누이!"

청송은 유연의 품으로 파고들며 기쁜 듯 발을 흔들었다. 혈압이 오른 궐이 이도 저도 못 하며 한숨만 푹푹 내쉴 때였다.

ー귀멸자다.

ー귀멸자네요. 쳇.

입구 쪽을 돌아본 청송과 궐이 아쉽다는 듯 혀를 차더니 연기로 변하기 시작했다. 유연은 궐이가 완전히 연기로 변해 버리기 전, 그 뺨을 쓰다듬었다.

"걱정하지 마, 나 괜찮아. 오히려 도와줘서 고마워, 궐아."

ー어서, 기운을 차려라. 주인아.

그녀의 손바닥에 얼굴을 비빈 궐이 사라지고 침실 문이 열렸다. 그녀가 깨어났다는 소식을 들은 건지, 문을 박차고 들어온 건이 어쩔 줄 몰라 한 표정으로 그녀의 뺨을 감싼다.

"괜찮아? 정신이 든 거야? 어디 아픈 곳은."

건은 그녀의 얼굴을 이리저리 살핀 뒤, 소매를 걷어 상처를 확인하고 자리에서 일으켜 빙 돌게 하는 등 무사함을 확인했다. 자리에서 한 바퀴 돈 그녀가 건의 목덜미를 끌어안으며 웃음을 터트렸다.

"괜찮아요. 아까 너무 놀라서 기절했나 봐요. 나는 분명 승강기를 탔는데, 눈앞에 저하가 있었잖아요. 귀신에 홀린 줄 알았어요."

"홀린 거 맞아. 나도 그 엘리베이터 타고 궐에 왔거든."

"정말요? 뭐였을까요……?"

청송의 힘이란 걸 알면서도 은근하게 묻자, 어깨를 으쓱 올린 그가 그녀를 들쳐 안았다.

"모르지. 내게 네가 필요할 것 같았나 보지."

"누가요?"

"누구겠어. 궁이지."

유연은 묘하게 설득되는 기분을 느끼며 생긋 웃었다. 그러다가 불현듯 그가 입은 상처가 생각났다. 다급해진 그녀가 건의 손을 잡아끌어 침대에 앉히더니, 재킷과 셔츠 단추를 풀기 시작했다.

"뭐 하는 거야? 나 잡아먹으려고?"

능글맞게 웃으며 그녀의 입술에 키스한 그가 작은 손을 잡아 벨트 위로 끌어 내린다. 그에 인상 쓴 유연은 냉큼 그의 상의를 벗겨 바닥으로 떨어트렸다.

"어……? 상처가."

없네요?

그의 몸은 정말로 깨끗했다. 분명 피칠을 해 너덜너덜해졌던 상처를 기억한다. 하지만 지금 그의 몸은 평소와 다름없이 지나치게 깨끗했다. 단단하게 여문 근육들이 보기 좋게 갈라졌고, 매끄러운 피부 결을 따라 음영이 진다. 허리로 갈수록 가늘어지는 선 하며, 만져 보고 싶을 만큼 탄력 있는 살결도 그대로였다.

상처를 입었던 그의 몸을 더듬거리던 그녀가 고개를 들자, 귀 끝을 빨갛게 붉힌 그가 마른침을 삼켰다.

"너무 자극적인데. 설마 이대로 끝?"

"어떻게 된 거예요?"

"글쎄. 그건 나도 모르지. 내 피가 아니었나 봐."

"거짓말! 진짜 상처가 있었는데……?"

당황한 얼굴로 그의 몸을 살피던 그녀의 손이 당겨졌다. 얼결에 건의 허벅지 위에 앉은 그녀의 목덜미로 닿은 말캉한 입술. 콩닥콩닥 맥박이 뛰는 그녀의 목덜미를 잘게 깨문 그가 귓불을 입술로 물고는 말했다.

"점심 먹기 전에, 우리 중요한 대화를 좀 나눠야 할 것 같아."

"네? 무, 무슨……."

간질이는 숨결에 어깨를 움츠린 그녀의 블라우스 안으로 그의 손이 부드럽게 타고 오른다.

건은 그녀의 뒷머릴 감싸 당기며 귓가에 속삭였다. 그녀의 눈이 점점 커지고, 입술이 벌어진다. 잘 익은 복숭앗빛이었던 뺨이 홍옥처럼 붉어졌다.

"안 돼요! 저, 치과 가야 해요."

어깨를 짚는 힘에 고개를 뺀 그의 미간이 마뜩잖게 구겨진다.

"치과?"

"예약해 뒀단 말이에요. 사랑니 빼는 날이에요."

"젠장, 그럼 같이 가. 어딘데."

"아니, 아니. 민주랑 갈 거예요! 그러니까……."

그녀의 붉은 입술이 달싹이다가 그의 뺨 위에 닿아 미끄러지듯 움직인다.

"이따가 밤에요. 우리 집에서. 여긴…… 안 될 것 같아요."

"어서 오세요, 성함이요?"

치과 특유의 소독약 냄새와 소름 끼치는 기계 소리에 겁먹은 유연이 데스크로 다가갔다.

"조유연이에요."

"아, 조유연 씨. 잠시만요. 사랑니 발치 예약하셨죠?"

"네."

"지금 선생님 마무리 중이시니까, 5분 정도만 기다리세요."

유연은 조금 늦어진다는 민주의 메시지를 확인한 뒤 소파에 앉았다. 오늘은 사랑니 발치를 핑계로 많은 것을 물어볼 생각이었다. 그래서 우준 선생님에게 보여드릴 자료를 꺼내 무릎에 올려 두었다. 최대한 간결하게 정리했음에도, 질문지는 물음표로 가득했다. 약에 관한 중요한 것들은 제중원에서 확인해 알려 주기로 했으니, 오늘 필요한 건 서화제약 자체의 정보였다. 내부 정보가 아닌 외부 정보. 정보를 얻기 위해, 사랑니를 뽑는 고통쯤이야……

마른침을 꼴깍 삼키는데, 안쪽에서 아이 울음소리가 요란하게 울린다. 무섭다며 엄마를 부르는 소리에 어쩐지 웃음이 났다. 얼마나 무서울까 싶으면서도, 저럴 때 꼭 잡아 주는 엄마의 손이 얼마나 위로가 되는지 알고 있었으니까.

"조유연 씨, 들어오세요."

차트를 품에 안고 나온 간호사가 그녀를 부른다. 유연은 전쟁터에 나가는 사람처럼 심호흡한 뒤 치료실에 들어갔다.

"흠, 많이 아프시죠? 마취 풀리면 더 아플 텐데, 오늘 진통제 두 번

드셔야 할 거예요."

남자는 지난번 술집에서 만났을 때보다 훨씬 더 말끔한 인상을 주었다. 상대를 편안하게 하는 음성에 다정한 표정. 게다가 유난히 흰 피부를 보자 이유 없이 궐이가 생각났다. 물론, 세자 저하도.

"시간 내주셔서 감사해요. 민주가 좀 늦는다고 해서요. 그냥 저희끼리 대화해도 될까요?"

"그럼요, 저는 좋죠. 그런데 안 좋은 일이 있으시다고요."

"궁금한 게 있어서요."

부어 버린 입안이 자꾸 씹혔지만, 유연은 열심히 자신의 상황을 설명했다.

"13년간 다른 사람이 제 어머니의 보호자로 지냈어요. 물론, 병원비도 그쪽에서 책임졌는데 문제는 그 사람이 병원 관계자라는 거예요. 불법 임상 시험을 했고, 일부러 치료를 늦췄어요. 게다가 차트는 거짓으로 작성했고요. 이런 경우, 의료계에서는 어떤 처벌을 받나요?"

"흠, 사실 의료계에서는 퇴출이나 다름없지만 얼마나 큰 기업이냐에 따라 달라요. 게다가 13년간 병원비를 납입한 증거까지 있으면, 법적으로 유연 씨가 불리할 겁니다. 혹시 어머니의 건강에 큰 악영향을 끼쳤나요?"

"네. 6개월 만에 깨어날 수 있던 분을, 13년간 잠들어 있게 했어요. 게다가 증거인멸을 위해 안락사를 지시했고요. 증거는 없고, 증인만 있는 상황이에요."

"하, 곤란하네요."

우준은 혀를 차며 그녀가 가져온 자료를 꼼꼼하게 살폈다.

"저는 일개 개원의라 사실 할 수 있는 건 많이 없어요. 대신 동문과 교수님께 조언을 구해 보겠습니다. 이 약물인 거죠? 처음 보는 데…… 마약성 진통제인가?"

"아마도요. 신약인 것 같아요."

"서화제약인 거죠?"

유연은 대답하지 않았지만, 우준은 다 안다는 듯 고개를 끄덕였다. 그러곤 그녀가 가져온 자료를 잘 챙겨 서랍에 넣은 뒤 시간을 확인한다.

"저녁 같이하고 싶지만, 오늘은 치료하셨으니 참을게요. 이번 주 토요일에 민주 씨랑 동현이 결혼식인 거 아시죠?"

"그럼요."

"그럼 그때 같이 만나서 가는 게 어때요? 어차피 축의금도 두둑이 내겠다, 뷔페에서 같이 밥 먹어요."

거절할 수 없이 산뜻한 제안에 유연은 대수롭지 않게 승낙했다. 어차피 결혼식장에 가면, 이래저래 많은 친구를 만나게 될 테니까. 둘이 따로 만나는 것보다는 덜 부담스러웠다.

"그럼 오늘은 이만 가 보겠습니다. 혹시 서화제약 소문이 돌기 시작하면, 제게 꼭 알려 주세요."

"그럴게요."

승강기 앞까지 배웅 나온 우준과 헤어진 뒤 유연은 곧장 차를 끌고 이동했다. 집으로 가던 길, 위염에 걸렸을 때마다 애용하던 죽집에 들러 호박죽을 주문한 그녀의 뒤로 불쑥 궐의 목소리가 들렸다.

"나도 전복죽을 먹고 싶다."

놀란 얼굴로 돌아본 유연은 시큰둥하게 서 있는 궐이를 발견했다.

"많이 먹을 거야? 그럼 특대로 두 개 주문한다?"

"모르지만, 좋다."

"사장님, 전복 많이 넣어서 특대 두 개 추가해 주세요."

대체 언제 사람으로 변해 따라온 건지. 아직 경복궁에 있는 줄 알았는데…….

유연은 궐이의 손을 잡고 창가 좌석에 마주 앉았다. 그러자 그녀를 빤히 보던 궐이 불쑥 손을 뻗어 부어 있는 뺨을 감싼다.

"아프냐."

"응, 그래서 죽이라도 먹고 약 먹게."

"손잡아 줄 걸 그랬다."

"의사 선생님이 너 무서워서 사랑니 뽑기나 하시겠니?"

"나는 무섭지 않다."

유연은 웃음을 터트리며 궐이의 손을 떼어 냈다. 때마침 나온 죽그릇을 내려놓는 아주머니가 훤칠한 남자친구라며 칭찬을 늘어놓으신다. 제 눈에는 검은 호랑이였지만, 사람들의 눈에 궐이는 사람이었다. 그래서 다들 애인이냐고 묻는 걸까?

머쓱해진 그녀는 수저로 새알심을 한 알 뜨며 물었다.

"그런데 청송이는 같이 안 나왔어?"

"녀석은 너무 시끄럽고, 손이 많이 간다. 그리고 네 무릎에 올라앉는 것이 싫다."

"꼬맹이잖아. 하나도 안 무거워."

"300살 먹은 꼬맹이잖냐."

"아, 맞다."

그래도 쪼그만 게 너무 귀여운걸?

그녀는 뜨거운지 제대로 먹질 못하는 궐이의 죽을 덜어 호호 불어

준 뒤 앞에 놓아주었다. 그제야 전복죽의 참맛을 알게 된 궐이 눈을 빛내며 두 그릇을 게 눈 감추듯 비운다.

식사를 마친 유연은 연기로 화하려는 궐이를 붙들어 차에 태웠다. 염라의 영루와 오전 중 궐을 엉망으로 만든 뱀들에 관해 물을 요량이었다. 어설프게 안전띠를 맨 궐이 그녀의 머릿속을 읽은 건지 먼저 선수를 친다.

"그 뱀들은 그림에서 나온 화매다. 경회루에 샀된 것들이 배수진을 쳐 놓았지. 하지만 이상하게 왜인의 냄새가 났다."

"그럼, 혹시…… 저하께서도 너희를 봤어?"

"보았지. 하지만 궐의 신수로만 알 것이다. 주인과 관련이 있다고는……."

답지 않게 말끝을 흐린 궐이 시선을 피했다. 그 반응이 무엇인지 알기에, 심장이 쿵 내려앉는다.

"의심하고 계시는구나?"

"아마도."

"하긴. 너무 티 나게 의심스럽긴 했어."

움직이는 차가 무서운지, 천장 손잡이를 잡은 궐이의 낯빛이 파래진다. 유연은 은근슬쩍 염라의 영루에 대해서도 물었다.

"어떻게 구해야 해? 저하밖에 못 구한다고?"

"치웅이 있어야 한다. 수호부가 모두 모여야만, 염라의 영루를 가진 이매가 만들어진다. 주인아, 세상은 균형과 조화로 움직인다. 수호부의 힘이 세지는 만큼, 그만한 적수가 나오는 법."

"끝판왕 같은 건가."

"이매의 왕이라면 왕이겠지."

"넌 염라의 영루를 어떻게 아는 건데?"

대수롭지 않은 질문에 궐이는 잠시 입술을 꾹 다물었다. 그러더니 오래도록 생각을 이어나가다가 가을바람처럼 쓸쓸한 음성으로 답했다.

"구하고 싶었다. 살리고 싶었으나 살리지 못하였다. 난 그저…… 약하고 여린 주인이 오래도록 살아 내길 바랐을 뿐이다."

담배를 비벼 끈 준일이 고개를 들어 4층 창문을 노려보았다. 오늘 서화제약 서버를 마비시킨 장본인이 바로 조유연이란 사실을 듣는 순간, 그간의 애정이 씻은 듯 사라졌다.

"다들 올라가서 노트북부터 찾으십시오. 조유연이 있으면, 휴대 전화를 빼앗으셔도 되고요."

지시를 받은 검은 정장의 남자들이 우르르 계단을 오른다.

준일은 지난날의 치욕에 몸을 떨었다. 살면서 처음 느껴본 공포였다. 고작해야 슬리퍼에 트레이닝복 차림의 어린놈에게 죽음의 공포를 느꼈다는 것이, 그를 치욕스럽게 만들었다.

새 담배를 꺼내 입에 문 그가 달칵달칵 불을 붙인다. 4층 창문이 열리더니 지시를 받은 남자가 고개를 내밀었다. 아무도 없다는 뜻으로 X 표시를 해 보인 남자가 사라진 뒤 준일은 비서실에 연락했다.

"서버 복구는요."

[죄송합니다. 보안 단계가 너무 높다고 합니다. 대신 서버가 있는 필리핀에 연락해 보기로 했습니다.]

"빨리빨리 하란 말입니다! 그거 하나 복구 못 하고 뭐 하는 겁니까? 그러게 왜! 개인의 앞으로 서버를 해 놓으셨냐고요!"

[회장님 지시였습니다, 상무님.]

"하, 젠장……."

제 꾀에 제가 넘어간 꼴이다. 짜증스러운 욕설을 내뱉은 준일이 담배 연기를 연거푸 뿜어낼 때였다. 눈앞에 멈춰 선 소형차 한 대. 창문 너머 준일을 발견한 유연이 차에서 뛰어내렸다.

"뭐 하는 거예요, 여기서?"

대뜸 따져 묻는 유연의 태도에 준일도 지지 않고 쏘아붙였다.

"너야말로 무슨 짓이야! 진짜 전과자 되고 싶어? 잘됐네, 가자. 가서! 서버 풀어."

유연은 제 팔을 잡아채려는 준일의 손을 뿌리쳤다.

"내가 왜? 너희 엿 먹으라고 한 짓인데, 내가 왜 굳이 그래야 해?"

"조유연, 미친 짓 하지 마. 네가 아무리 발버둥 쳐도 결국 못 이겨. 그러니 좋은 말로 할 때 서버 풀어."

"정말 염치도 없고 뻔뻔하고, 쓰레기 같은 놈이구나? 너."

"뭐?"

유연의 입에서 상상할 수 없는 욕설이 나오자 준일의 가면이 깨어졌다. 숨을 씩씩 몰아쉬던 그가 그녀의 팔을 잡아챈다.

"너 진짜 정신이 나갔어? 세자도 모자라서, 어린놈이랑 양다리를 걸치더니! 하, 이렇게 문란한 애였나?"

"이건 또 무슨 헛소리야."

두 눈을 부릅뜬 그녀가 이를 갈자, 실성한 듯 웃어 보인 준일이 잡은 팔에 힘을 주었다.

"야, 나도 끼워 주라. 너 원래 이런 앤 줄 알았으면, 나도 너한테 진심으로 굴지 않았을 텐데."

"진심? 하!"

헛웃음을 흘린 그녀가 고개를 숙이더니 싸늘하게 말했다.

"손 떼. 좋은 말로 할 때."

하지만 코웃음 친 준일은 더욱 힘을 주었다. 이 가느다란 팔을 부러트리고 목이라도 조르면 나아질까 싶었다. 유연이 세자와 깊은 사이라는 소문에도 애써 태연했고, 어린놈과 동거 중이란 사실에도 마음이 흔들리지 않았다. 하지만 서버를 건드린 순간, 철저하게 농락당했다는 생각밖에 들지 않았다.

"조유연, 넌 진짜 쓰레기야."

준일의 읊조림에 그녀가 고개를 치켜들 때였다. 준일의 손가락이 하나하나 펴지더니, 반대로 휘어진다.

"아악!"

이어 무지막지한 힘에 완전히 뒤로 꺾였다. 우두둑, 뼈와 근육이 분리되는 소릴 내며 젖혀진 손가락. 비명을 내지른 준일은 완전히 너덜너덜해진 양손을 허공에 들고 새파랗게 질려 비명조차 내지르지 못했다.

과호흡이 온 사람처럼 숨만 달싹이는 준일을 내려다본 유연이 주먹을 말아 쥐더니, 그 눈을 똑바로 응시하며 뇌까렸다.

"내가 둘을 만나든, 셋을 만나든 신경 쓰지 마. 나랑은 비교도 안 되는 사람들이니까. 한 번만 더 내 눈에 띄면, 그때는 진짜……. 살생부 적을 줄 알아. 쓰레기는 내가 아니라 너희야."

그제야 창황하게 눈을 떨던 준일이 비명을 내지른다. 4층에 올라갔던 이들이 우르르 내려왔다. 품에 안은 노트북을 발견한 그녀는 한숨을 내쉬며 경호원에게 다가갔다.

"나 누군지 알죠? 내놔요."

"저, 저기, 조 과장님."

"내놔."

유연이 내민 손 위에 경호원은 눈치를 보며 노트북을 돌려주었다. 그것을 들고 터덜터덜 올라가는 그녀를 따라 센서 등이 켜진다. 열 손가락이 모두 부러져 버린 준일을 병원으로 데려가기 위해 집 앞을 점거했던 차들이 모조리 빠져나갔다.

계단 창밖으로 멀어져 가는 차들을 노려보던 그녀는 망가져 버린 현관문을 열고 안으로 들어섰다. 마치 도둑이라도 든 것처럼 집안 전체가 엉망이었다. 사방에 찍힌 구둣발 자국, 뒤집혀 버린 서랍, 깨져버린 유리창.

홀로 집안으로 들어선 그녀는 만신창이가 된 집안 정돈을 시작했다. 유리를 치우고, 옷가지와 이불을 개어 넣은 뒤, 떨어진 책들을 주웠다. 그러다가 발견한 오래된 앨범. 학창 시절 이후, 꺼내 본 적 없던 앨범이다. 제가 청송이만 할 때 찍어 둔, 가족사진으로 가득한 앨범.

바닥에 주저앉은 유연은 아주 오랜만에 사진 속 아빠의 얼굴을 들여다보았다. 아빠는 여전히 변한 게 없는데, 사진 속 작은 아이였던 자신은 벌써 이만큼 커 버렸다. 치과에 다녀오면 직접 단호박을 삶아 죽을 끓여 주던 투박한 애정이 오늘따라 절절하게 와닿는다.

몸을 웅크린 채 이마를 무릎에 댔다. 뜻하지 않은 순간 찾아온 그리움에 눈물이 멈추지 않아 두렵다. 이대로 파묻혀 물이 되어 흘러갈까, 무서워졌다.

상 가득 오색 진미가 펼쳐졌지만, 건은 그저 술잔만 기울였다.

이제는 낮보다 밤이 길어지는 계절. 관람객들이 모두 떠난 뒤. 왕실은 모든 전시 일정을 취소하고 다시금 광화문을 닫았다. 한 달 내내 전시가 이어질 줄 알았던 사람들은 아쉬움을 토로했으나, 문제를 일으킨 작품들을 그냥 두기엔 너무도 위험했다.

"이송은 그날 밤 나를 찾아와 칼을 휘둘렀어. 왜 그랬는지는 모른다. 오해가 있었으나, 녀석은 듣지 않았어. 그리 순했던 놈이 어찌⋯⋯."

이숙의 쓸쓸한 말에 건은 달빛이 고인 술을 들여다보며 표면을 문질렀다.

"그 모습을 할머니께 들킨 거군요."

"그래. 어머니는 노발대발하셨지. 왜냐면, 워낙 평소에 송이를 아끼셨기 때문이야. 그런 데다가 하필 귀안을 가진 여인이 송이를 택했단다."

"꼬장꼬장했던 우리 할머니가 화나실 만하네요."

"어머니는 분명 내가 모르는 모습을 송이에게 보이셨을 거야. 의언군이 서운해했던 것도 이해한다. 하지만 누군가 잘못된 사실을 주입했어. 누구인지, 그것이 궁금할 따름이야."

"아버지는 의언군과 이태가 그렇게 애틋하십니까?"

건의 물음에 이숙이 고민 없이 고개를 크게 끄덕였다.

"당연한 것 아니냐. 내 아우인데, 어찌 핏줄을⋯⋯."

"그럼, 어머니는요. 잠시나마 귀안을 가졌었지만, 결국 할머니에게 들켜 쫓겨난. 어머니는요."

"어허! 쫓겨난 것이 아니라, 네 어미는 제 발로 자유를 찾아간 것이야."

"그럴 수도 있겠지만, 제 눈엔 아니었습니다. 궐 밖으로 나가는 즉시 어머니는 평생 제 앞에 나타나서는 안 된다는 협박을 받으셨거든요. 어린 나이가 아니었기에, 기억하고 있습니다."

이숙은 눈을 떨며 고개를 푹 숙였다. 달그림자가 담긴 술을 한입에 삼킨 건이 자리를 털며 일어났다.

"아버지, 효도도 중요하지만 저는 저밖에 의지할 곳 없는 사람을, 더 보듬고 아낄 생각입니다."

"건아."

"제가 지금부터 효도하지 못한다고 아쉬워하지 마십시오. 아버지는 어머니의 바짓가랑이라도 잡고 매달리셨어야 합니다. 할머니를 말리셨어야 해요. 물론, 국본을 시해하려 한 죄. 엄히 다스리는 것 또한 동의하는 바입니다."

깊게 허릴 숙인 건이 돌아서자, 가지런히 신을 놓아준 서 상궁이 딱딱한 미소를 지었다. 건은 서 상궁과 함께 강녕전을 나와 사온서 방향으로 걸었다. 이어 중간에 사온서의 주조장인 상온이 합류하고, 그 뒤로 세자익위사들이 따라붙는다.

"저하, 술을 바꿔치기한 자를 축출하였습니다."

"수고하셨습니다. 누굽니까?"

"아뢰옵기 황공하오나, 김 상궁과 사온서의 양 상궁입니다."

"김 상궁이면 서 상궁님의 바로 아랫사람 아닙니까?"

"맞습니다. 하여, 저 또한 심히 마음이 좋지 않습니다."

사온서와 대비전 사이, 추국장이 설치되었다. 그곳에 앉아 기다리고 있던 김 상궁과 양 상궁이 일어나 건을 맞는다.

건은 겁에 질린 두 여자 주위를 천천히 맴돌았다. 그들이 궐을 배신한 것인지, 그저 최 회장을 돕고자 했던 것인지에 따라 형량이 결정될 터.

"변명은 충분히 들은 듯하니, 출궁을 명합니다. 그리고 감히 왕실의 물건에 함부로 손을 댄 죄. 모든 처분은 서 상궁님과 상온 영감께 맡깁니다."

추국장을 나온 건은 침전으로 가는 대신 곧장 주차장을 찾았다.

시간이 너무 늦었다. 평소엔 그토록 더디게 흐르던 시간이 어째서 오늘따라 이렇게 빨리 움직이는지. 함께 저녁 식사를 하자고 해 놓고, 약속을 지키지도 못했다. 치과 치료는 잘 받았는지, 아프다고 울지는 않았는지. 이가 아픈데 끼니는 제대로 챙겼는지. 모든 것이 걱정이다.

"모시겠습니다."

차량 뒷문을 연 은호의 말에 건은 부탁한다는 듯 싱긋 웃었다.

"서두르죠."

어둑한 빌라 계단을 오른 건은 고장 난 현관문을 보며 불길한 예감에 휩싸였다.

끼익, 현관문을 돌려 연 그는 어두컴컴한 집안을 둘러보며 걸음을 내디뎠다. 평소처럼 단정하지만, 묘하게 어수선한 기분이 든다.

"휴대 전화도 그대론데……."

대체 어딜 간 거지.

전원이 꺼진 그녀의 휴대 전화를 내려놓은 그는 부엌 구석에 켜진 미등을 발견했다. 그곳은 옥상으로 향하는 계단이 있는 곳이다. 혹 지난번처럼 고양이 놈을 앉혀 놓고 고기라도 먹이고 있는 걸까?

차라리 그랬으면 좋겠네.

건은 주머니에 손을 넣은 채 저벅저벅 계단을 올랐다. 알루미늄 문을 열자 탁 트인 야경이 펼쳐졌다. 그리고 예상했던 것과는 조금 다른 모습의 그녀가 있었다. 야경이 가장 잘 보이는 자리에 의자를 가져다 놓은 채, 팩 소주를 홀짝이는 그녀가.

어쩐지 익숙한 모습이었다. 북악산 정상에 앉아 아버지의 기일을 챙기던 그날의 모습을 빼닮았다.

건은 말없이 다가가 그녀를 뒤에서 끌어안았다. 흠칫 놀란 유연이 고개를 튼다. 그녀에게서 알싸한 술 냄새가 났다.

"치과 치료 받아 놓고, 웬 술이야. 덧나면 어쩌려고."

그러자 배시시 웃어 보인 그녀가 그의 뺨에 입술을 비빈다.

"오늘은 좀 취하고 싶었어요."

"보니까 도둑이라도 들은 것 같던데?"

"도둑 들었었죠. 나 잡으러……."

"흠, 실패했나 봐. 큰일 날 뻔했네. 너 잡아갔으면, 내가 죽였을 테니까."

"그랬으면 좋겠다."

술이 좀 오른 건지, 발긋한 뺨이 사랑스럽다. 건은 따끈한 몸을 좀 더 세게 끌어안으며 그녀의 목덜미에 입술을 눌렀다.

“유연아.”

“네.”

“유연아아.”

“왜요.”

“네가 너무 좋아, 유연아.”

“저도 저하 좋아해요.”

그 빤한 말투에 그는 웃었다. 사랑한다고 말하면 그러지 말라며 질색하려나? 그런데도 이따금 불쑥불쑥 튀어나오려 한다. 하지만 억누르게 만드는 단 한 가지는, 알량하게 남은 미안한 마음이었다. 죄책감과 죄의식의 중간, 나만이 너를 소유해 너의 행복을 찾아 주고 싶다는 기막힌 자신감.

건은 조금 더 안은 팔에 힘을 주었다.

“그러니까 날 혼자 두지 마, 유연아.”

쥐어뜯듯이 끌어내린 옷깃 너머 하얀 어깨가 드러났다. 탐식하듯 잇자국을 남기며 빨아들이다가 이내 모두 벗겨 버렸다. 현관문이 고장 난 걸 알면서도 고치지 않았다. 누구든 들어올 테면 들어와 보라는 저급한 패기였다.

그는 한 손에 잡히고도 남는 그녀의 손목을 누르며 진창 같은 쾌감을 찾아 움직였다. 동강이 나 거칠게 새어 나오는 숨결, 치밀하게 차오르는 고양감, 사물의 그림자에 뒤덮인 나신은 백일하에 선 것처럼 선명하고 아름답다.

그녀의 모든 것이 제 것이었으면 하는 소유욕이 들끓는다. 그러면 안 된다며 다그치다가도, 이제는 이 품 없이는 잠들 수 없다는 사실이 두려울 지경이었다.

사람이 사람을. 제가 누군가를 이토록 원하게 될 줄이야.

발작하듯 떨리는 몸을 강하게 끌어안고, 네가 좋다고 속삭이며 밤을 밀어냈다. 진실에 근접해 갈수록 그녀는 강해지고 있었지만, 반면 괴로워하고 있다.

'저하, 박혜란 씨의 몸에서 이매의 상흔이 발견되었습니다. 온전히 책임이 없다고는 할 수 없을 듯싶습니다.'

'그럼…….'

'타이밍이 좋지 않았습니다. 13년간 잠든 건 약물 때문이지만, 사고 자체는…… 현신한 이매 때문입니다.'

차라리 달콤한 거짓을 진실로 포장해 입에 넣어주고, 달게 삼켜주기를. 훗날 그 달콤함을 잊지 못해 네가 나를 용서하기를, 버리지 말아 주기를, 도망치지 않기를.

거친 숨을 몰아쉬며 움직이던 그는 땀이 맺힌 그녀의 이마에 입술을 눌렀다. 헐떡이던 짐승의 얼굴 위에, 다정한 남자의 가면을 덧씌우고 그녀의 입술을 찾아 더듬어 내려갔다.

차마 버리지 말아 달라는 부탁 대신. 내 곁에 있으라고 속삭이며 그녀의 여린 마음을 움켜쥐었다.

'아, 어제 어떻게 된 거지.'

이른 아침 습관처럼 눈이 떠졌다. 그녀는 환한 햇살이 쏟아지는 창밖을 멍하니 바라보다 제 옆에서 잠든 남자를 발견하곤 배시시 웃었다.

엎드려 잠든 남자의 곤한 숨결이 사랑스럽다. 그래서 그의 뒤에 포개지듯 엎어져 뺨에 입술을 눌렀다. 그러자 힘겹게 눈을 뜬 그가, 피식 웃음을 흘린다.

"키스를 하지 그래."

"아침엔 참아 달라니까요."

천천히 돌아누운 그가 품 안 가득 그녀를 끌어안은 채 이마와 뺨에 입 맞췄다. 그러곤 지난밤 제가 남긴 흔적들을 찾아 천천히 아래로 내려갔다.

유연은 천장을 향해 누운 채 입술을 깨물며 그의 머리카락 사이에 손가락을 밀어 넣었다. 더운 숨결이 살갗을 간질인다. 그는 가장 짙은 자국이 남은 피부를 핥으며 속삭였다.

"우리가 만났던, 그 모든 우연 중 단 하나라도 없었다면…… 과연 네가 날 이렇게 봐주었을까?"

건의 중얼거림에 상체를 세운 그녀가 인상을 찌푸리며 팔을 잡아끌었다. 젖은 입술을 핥으며 올라온 그가 그녀의 가슴뼈에 입 맞췄다.

"어제부터 이상해요. 무슨 일 있었어요?"

"아니, 아무 일도."

"근데 왜 이렇게 울적해 보이지?"

부드럽게 흘러내린 그녀의 머리카락을 쓸어 넘겨준 그가, 대뜸 이마를 콩 때렸다.

"아야!"

"네가 웃어야 내가 웃지. 팩 소주나 마시면서 사람 미치게 한 게 누군데."

"아, 그렇다고 아프게!"

"아파?"

"빨갛잖아요."

"어디 봐봐."

본인이 때려놓고 안절부절못한 그가 무릎을 꿇더니 빨개진 이마에 쪽쪽 입술을 누른다. 그러며 다시금 천천히 그녀를 눕혔다.

"그럼, 아프게 했으니까 보상할게. 응? 보상하게 해 줘."

유연은 얄미운 그 얼굴을 확 밀어 버리며 웃음을 터트렸다. 햇살이 맑다. 기분 좋은 하루가 시작될 것만 같았다.

[나야, 미란 아줌마. 우리 좀 만나자, 유연아.]

청송이 고른 아이스크림을 계산대에 올리던 그녀가 눈살을 찌푸렸다.

"죄송해요. 제가 만날 일 없을 것 같은데요."

편의점 직원은 유연과 쾌자를 걸친 청송을 흘끔대며 아이스크림 바코드를 찍었다. 청송은 처음 먹어보는 아이스크림에 눈을 빛내며 침까지 꼴깍꼴깍 삼키는 중.

[설아, 도와줬다며. 그 방법, 나 좀 알려 줘. 요즘 아주…… 하, 사람 피를 말려. 네가 최우식한테 무슨 짓을 했건 상관없어. 유연아, 그리고…… 네 아빠에 대해 내가 알려 줄게. 그러니까 내 딸 좀 살려

주라. 응?]

계산을 마친 아이스크림을 들고 편의점 파라솔 아래 테이블을 두고 마주 앉았다. 아이스크림을 한입 베어 문 청송이 발을 동동 구르며 기쁨에 겨워한다.

"누이! 너무 맛있습니다. 달콤하고, 시원해요. 너무너무 맛있어요."

눈물까지 글썽이는 청송의 입가를 닦아 준 유연은 애써 웃으며 통화를 계속했다.

시간을 내 청송이에게 세상 구경을 시켜주러 나왔건만, 계속해 미란에게 시달리는 중이었다.

"아빠가 왜요. 엄마 죽이려던 것도 모자라서, 아빠도 죽였다고 하시게요? 증거 있어요? 제가 지금 증거가 없어서 너무 힘들거든요. 그러니까 사모님…… 설아 살리고 싶으면, 증거 갖고 저 부르세요."

제가 생각해도 악당 같은 멘트였다. 어떻게 이렇게 못되게 말할 수 있는 건지 새삼 놀라 아이스커피를 한 모금 삼키자, 머리 위로 커다란 그림자가 진다.

퀼이다. 퀼이가 그녀의 어깨를 지그시 움켜쥐더니 뜨거운 볕을 가려 준다.

[유연아, 만나. 증거? 내가 찾아다 줄게. 그러니까……. 만나자, 우리.]

"아아악!"

발악하며 몸을 뒤트는 설아의 양쪽 손목을 침대 가장자리에 묶었다. 미란은 그런 설아의 다리를 잡아 누르고 입술을 짓씹으며 소리쳤다.

"다리도 묶어요, 빨리!"

"아악! 놔! 놓으라고!"

"설아야, 너 정신 차려. 정신병원 들어가기 싫으면 정신 좀 차리라고! 김 원장은 왜 아직 감감무소식인데!"

그에 재익이 달려와 설아의 다리를 잡아 누른다.

"제가 할게요, 사모님."

며칠째 잠을 못 자 퀭한 얼굴을 하고도, 설아를 보는 눈에서 꿀 같은 애정과 슬픔이 뚝뚝 떨어졌다. 미란은 그 모습에 혀를 차며 이마에서 흐른 땀을 닦았다.

설아의 상태는 엉망이었다. 의사도, 음악도. 하물며 무당의 힘을 빌려도 소용이 없다. 의사는 안정제 투여 말고는 해 줄 수 있는 게 없다며 말을 아꼈고, 무당은 현관문도 열기 전에 도망쳤다.

산신께서 노하셨다며 어찌나 살벌하게 경고하던지, 무당의 뒤에 대고 미란은 소금을 뿌렸다. 발악하며 거품을 뱉는 설아의 모습에 가슴이 무너져 눈물이 날 것 같았다.

부모의 죄가 자식에게 업이 되고 있었다. 그렇지 않다면 준일의 열 손가락이 이유 없이 분질러질 일도, 설아가 이상한 것에 씌어 이렇게 미쳐 날뛸 일도 없었을 것이다.

처참한 기분에 사로잡힌 미란은 1층으로 내려가 차가운 물을 벌컥벌컥 들이켰다. 그러자 헐레벌떡 뛰어들어 서는 의사의 뒤로 양손을 동여맨 준일의 걸음이 이어졌다.

"준일이, 너! 이리 좀 와."

어찌하여 자식은 아무리 나이를 먹어도 어리고 어리석게만 느껴지는 걸까.

경호원들에게 들은 바로는, 준일은 유연의 집을 찾아갔다가 봉변을 당했다고 했다. 그것도 본인들이 자리를 비운 사이 유연이 손을 부러뜨린 게 아니겠냐며 말을 흐렸다. 하지만 미란은 믿지 않았다. 차라리 준일이 혼자 분을 이기지 못해 제 손을 부러뜨렸다는 것이 더욱 수긍이 간다.

"너 그 손 어떻게 된 건지, 솔직히 말해."

"연아 들어올 거예요. 불편한 이야기라면, 다음에 하시죠."

"연아가 왜."

"손이 이래서 아무것도 못 하잖아요. 먹는 것도, 씻는 것도 안 되니 도와준다고요."

말 끝나기 무섭게 사용인 둘을 이끌고 서연아가 들어섰다. 제게 조유연을 아랫사람으로 달라던 때는 언제고 생글생글 웃으며 다가온 연아가 준일을 부축한다.

"어머니, 오랜만에 봬요. 그런데 설아는 왜……."

"연아 왔니. 설아는 글쎄. 스트레스를 많이 받았나 봐. 도와준다니 고맙다. 호텔이 더 편할 텐데……."

"조유연 씨 때문에 회사 뒤집혔다면서요. 일하기엔 집이 낫다네요? 그럼 올라가 보겠습니다."

쟤는 속이 없는 것인지, 있는 것인지, 의뭉스러운 것인지. 그래, 끼리끼리 만나야 잘 살지.

준일과 연아가 2층으로 올라간 뒤 심기일전한 얼굴로 남편의 서재 문을 열었다. 이곳은 최우식의 보물창고다. 수십억을 호가하는 예술 작품들로 한쪽 벽을 채운 최우식은 귀하고 값비싼 것에 둘러싸여 있는 것을 낙으로 삼았다. 하지만 미란의 눈엔 주인을 잘못 만난 예술 작품들의 무덤으로 보일 뿐.

유연이 회사를 뒤집어엎는 바람에 최우식은 정신없이 이곳저곳 돌아다니며 사람들을 만나는 중이었다. 대체 뭐가 그리 겁이 나고, 숨긴 것이 많아서.

'내 언젠가 이럴 줄 알았지.'

결백을 증명할 자신이 있다면, 더러운 짓을 하지 않고도 충분히 조유연을 처벌할 수 있었을 것이다. 하지만 최우식은 너무 멀리 왔다. 애초에 세자빈의 자격이 없는 아이가, 세자빈이 될 수 있다고 믿었을 때부터가 문제였다.

'중전도 원래는 눈을 갖지 않았다고 해. 하지만 누군가의 도움으로 눈을 갖게 되었고, 중전이 되었어. 그러니 입양은 물 건너갔어도, 유연이를 설아 곁에 두어야 해. 그래야 그 애에게 가는 연을 설아에게 붙일 수 있는 거야. 사람은 약게 살아야 해! 언제까지 운명 같은 거에 순응하며 사나? 어디 두고 봐. 로열패밀리 소리, 듣게 해 줄 테니까.'

그까짓 로열패밀리.

부글부글 끓는 속을 가다듬은 미란은 서재를 뒤지기 시작했다. 최우식은 본인의 결백을 증명하진 못하더라도 타인의 죄를 증명할 방법을 아는 사람이었다. 솔직히 말하자면, 남들의 약점을 손에 쥐고 흔들기를 즐기는 변태 새끼.

어딘가에 분명, 김 원장의 죄를 증명할 무언가가 남아 있을 것이다.

'사모님, 회장님을 말려 주십시오. 의사로서 너무 치욕스럽습니

다. 안락사라뇨. 그것도…… 멀쩡히 살아 있는 사람을.'

하지만 말린다고 그만둘 최우식이 아니었다. 불도저처럼 밀어붙인 최우식은 결국 유연의 부친을 죽였다.

그래, 살인이다. 그러니 지금 찾아야 하는 건 조유연의 아버지가 살아 있었다는 첫 소견서. 그게 바로 최우식이 움켜쥔 김 원장의 약점이었다. 컴퓨터를 제대로 다루지 못하는 치였으니, 실물을 갖고 있을 터.

정신없이 서재를 뒤지던 미란은 오싹한 예감에 고개를 틀었다. 그곳엔 담담한 표정의 연아가 자신을 바라보고 서 있었다. 사방에 떨어진 책을 훑은 연아가 구석을 눈짓하며 생긋 웃는다.

"어머니, 감시 카메라가 있는 거 잊으셨나 봐요."

미란은 흠칫 놀라 떨어진 책들을 주워 다시 꽂은 뒤 제일 구석에 있는 책을 한 권 꺼냈다. 읽은 흔적이라곤 보이지 않는 히폴리트 텐의 서적이었다. 그러자 다가온 연아가 그것을 받아들곤 고개를 깊게 숙인다.

"제가 어머니 편들어 드릴게요. 뭘 찾으시는지 몰라도, 저랑 얘기하죠?"

"연아, 너."

그러더니 생긋 웃으며 미란에게 팔짱을 끼운다. 미란은 기가 차 헛웃음을 흘리며 연아와 함께 서재를 나섰다.

"아버님께서 회사를 말아먹으려 작정하신 것 같다고, 저희 부모님이 걱정하세요. 이럴 거면, 차라리 경영 승계를 빨리하는 편이 낫지 않을까요? 어머니는 어떻게 생각하세요?"

차갑게 굳어 버린 유연의 손등에 쿨의 온기가 더해진다. 아이스크림을 두 개나 해치운 청송도 걱정스러운 얼굴로 유연의 곁을 맴돌았다.

"주인아, 아마…… 여자의 몸에 들어간 영루가 소화되지 않고 폭주한 모양이다. 체한 것이나 다름없지."

유연은 얼굴을 감싸 비볐다. 볕이 뜨겁고 바람이 찬 전형적인 가을 날씨. 그녀는 조금 전 미란이 한 말을 곱씹으며 말없이 테이블 모서리를 노려보았다.

증거가 있다는 것은, 고의로 아빠를 살해했다는 뜻이다. 그렇다는 건, 지금껏 생각보다 더 멍청한 짓을 하고 있었다는 것. 내 부모를 망가트린 사람의 밑에서 호의호식하는 삶을 누려 왔다는 생각에 몸이 떨린다.

고개를 숙인 그녀의 눈가가 시큰하게 달아오르자 안절부절못하던 청송이 불쑥 안겨 왔다.

"누이, 울지 마세요. 내가 가만 안 둘 겁니다! 누이를 슬프게 한 인간들의 피를 말리고, 그 입을 찢어 평생 말 못 하는 치로 살게 할 것입니다! 그러니 울지 마세요, 누이."

유연은 헛웃음을 흘리며 청송의 머리를 쓰다듬었다.

"괜찮아. 아주 몰랐던 일도 아니야. 그냥 믿고 싶지 않았던 일인 거지……."

"세상에 어찌, 금수보다 못한 인간들이 이리도 많단 말입니까. 나는 누이의 눈에서 옥구슬 같은 눈물 한 방울도 보고 싶지 않습니다.

형님! 앞장서세요. 나, 청송이 가만두지 않을 겁니다!"

입술을 깨문 그녀는 뾰로통한 얼굴로 쩌렁쩌렁 소리치는 청송을 꼭 끌어안았다. 부드럽고 말랑한, 달콤한 존재가 폭 안겨 와 등을 다독인다.

"어휴, 우리 청송이. 어디서 이렇게 귀여운 게 나왔을까? 응?"

"누이, 이제 안 울 거죠?"

입술을 삐죽거리는 청송의 눈이 글썽거렸다. 그 모습을 지켜보던 궐이 한숨을 내쉬더니 청송의 머릴 콱 쥐어박는다.

"그만해라, 이놈아."

"아픕니다, 형님!"

"유연이가 곤란하잖아. 어리광은 그만 피워."

"형님도 어리광부리시잖아요! 저 다 봤거든요? 혼자만 누이 무릎 차지하고, 막 비비적거리고!"

"그건 이유가 다 있었어!"

"쳇, 자꾸 그러시면 치웅 누님 찾는 거 안 도울 겁니다?"

"너!"

쫑긋하며 궐이의 머리 위로 동글한 귀가 튀어나온다. 놀란 유연이 쓰고 있던 모자를 벗어 궐이의 머리 위에 불쑥 씌웠다. 하지만 곧, 꼬리도 튀어나와 바닥을 때릴 기세. 청송의 엉덩이에도 꽁지 털이 곤두서고, 매와 범이 으르렁거리며 기 싸움을 시작했다.

유연은 육아 중인 엄마들의 고충을 실감했다.

"둘 다 그만. 청송아, 미안한데 우리 이제 가야 할 거 같아. 나 생각을 좀 해야 해. 조용한 곳으로 가고 싶어."

그렇게 말한 유연이 차 키와 지갑을 챙겨 일어날 때였다. 그녀의 손을 잡은 청송이 들뜬 표정으로 건물 출입구를 가리킨다.

"제가 모시겠습니다, 누이."

"응?"

"형님께서 그러잖아도 치웅 누님을 찾아 달라고 하셨거든요. 부끄럽지만, 제가 청매입니다. 인세에서 가장 빠르고 용맹한 새죠. 하하, 귀신같이 찾아낼 수 있습니다."

영문을 몰라 어리둥절한 표정의 그녀가 궐이를 보며 어깨를 으쓱 올렸다. 그러자 한숨을 내쉰 궐이 모자를 벗더니 다시금 유연의 머리 위에 씌운다.

"송이가 치웅의 흔적을 찾을 수 있다. 경복궁 수정전 지하에 그 답이 있다. 하지만 주인의 힘이 필요하다. 같이 가자, 주인아."

유연은 얼마 전, 승강기 문 너머 펼쳐진 지옥도를 떠올리며 본능적으로 몸을 떨었다.

"나는…… 내게 어떤 힘이 있는지 몰라."

그러자 어깨를 감싼 궐이 시선을 맞추듯 상체를 숙이더니 진지한 투로 말했다.

"우리도 모른다. 하지만 분명 다르다. 그러니 더욱 치웅을 찾아야 한다. 놈이라면, 널 도울 수 있을 것이다."

"그럼 염라의 영루라는 것도……?"

"그래."

"하나만 더. 설아 어떻게 해? 저대로 두면 어떻게 되는 건데."

표정을 굳힌 궐이 그녀를 내려다보며 일견 냉정해진 눈빛으로 답했다.

"벌을 받는 것이니, 신경 쓰지 마라. 모든 행동에는 결과가 있는 법. 본인이 뱉고 행한 것들은, 결국 본인의 화로 돌아가는 것이니. 그 아이가 겪는 일 또한, 본인이 행한 행동의 결과다."

이토록 싸늘한 궐의 목소린 처음 들었다.

유연은 앞서 걷는 청송을 따라 건물 안으로 들어갔다. 지하 계단 앞에 선 청송의 눈이 푸른빛에 휘감긴다.

"그래도 궐아⋯⋯. 네 말대로라면, 알면서도 모른 척한 나한테 화가 돌아온다는 소리야. 몰랐으면 괜찮았겠지만, 난 알고 있잖아. 알면서도 고통받게 두면, 결국 내가 더 괴로워진다는 뜻 아닐까?"

정면을 응시하며 한숨을 내쉰 궐이 그녀의 등을 가볍게 민다. 지하의 어둠이 쩍 갈라지는가 싶더니, 푸른 연기로 뒤덮인 공간이 눈앞에 펼쳐졌다.

"걱정하지 마라, 주인아. 내가 돕는다. 그 어떤 화도 네게 닿지 않을 것이야."

균형을 잃은 그녀는 열린 공간 안으로 떠밀리듯 들어섰다. 그때와 같은 울렁거림과 함께 익숙한 실내에 발이 닿았다. 하지만 고작해야 30걸음 밖에 서 있는 무리를 발견한 순간, 유연은 청송의 어깨를 잡아채며 다급히 속삭였다.

"다, 다른 곳으로 가!"

"귀멸자다."

"귀멸자구나."

등줄기를 타고 흐르는 식은땀. 스무 명 남짓한 사람들과 테이블에 둘러서서 무언가를 지시 중인 남자는 이건이었다. 어깨에 걸친 용포가 흔들리더니, 곁에 서 있던 우혁의 어깨를 강하게 잡는다.

청송은 그 틈을 놓치지 않고 곧장 다른 통로를 열었다. 푸른 연기가 사라진 자리, 석고처럼 굳어 버린 우혁이 태연한 건을 보며 입술을 달싹인다.

"저, 저하. 지금 저기에……."

"모른 척해, 이 실장."

"예? 아니, 저하! 지금 저기 분명 그 꼬마와 저기, 조유연 씨가."

쓰읍, 숨을 들이켜며 두 눈을 치켜뜬 건은 수정전 복구계획안을 지그시 누르며 고개를 저었다.

"아니, 이우혁. 넌 아무것도 못 본 거야. 피로가 과하군. 휴가 좀 줄까?"

"저하!"

"그만."

매의 기운이 완전히 사라진 뒤에야 건은 조금 전 통로가 열렸던 자리를 돌아보았다.

그곳을 노려보는 건의 입매가 뒤틀린다. 그러곤 마른세수를 하며 궐에게 말을 걸었다.

'숨바꼭질하자는 건가? 어디 한번 해 봐. 이 고양아.'

―궐이다. 그리고 귀멸자야, 부탁이 있다.

'무슨 부탁! 그렇게 함부로 유연이를 끌고 다니면, 건강이 어떻게 되겠어! 그러다가 다치면, 네놈이 책임질 건가? 지금 하는 짓거리가 얼마나 멀미 나는지 아느냔 말이다!'

―멀미했구나, 귀멸자야.

태연한 대꾸에 약이 오른 건은 주먹을 말아 쥐었다. 눈앞에 있었다면, 놈의 얼굴에 주먹을 내다 꽂았을 것이다.

―주인이 비밀을 알게 된 것 같다.

'무슨 소리야.'

—아비의 죽음에 대해 알고 싶어 한다.

정면을 노려보는 건의 뒤로 우혁이 다가왔다. 건은 퀼의 말에 대답하지 않은 채 오른쪽에 놓인 일월오악도를 돌아보았다.

—그러니, 머리를 식히고 돌아오겠다.

'뭐?'

—주인의 차가 근처에 세워져 있다. 귀멸자야, 잘 부탁한다.

'야, 김퀼! 대체 어디로 바람을 쐬러 간단 말이야!'

—열쇠는 근처에 떨어트려 놓았다.

뭐라고?

설마 차량 픽업을 제게 부탁하는 건가? 기가 막혀 어이가 없어 헛웃음이 난다.

욕지거리가 튀어나올 것처럼 입안이 마른다. 마른세수한 그가 수정전 복구 계획서를 품에 안은 우혁을 돌아보며 고개를 까딱였다.

"차 좀 가지러 가지. 나랑."

더 캐슬

VOL. 2   The Castle

CHAPTER 14

치웅

14

치웅

수정전을 나선 건은 곧장 유연에게 전화를 걸었다. 하지만 연결이 되지 않는 전화. 그의 미간이 사납게 구겨진다.

대체 어디로 바람을 쐬러 가기에, 궐을 거쳐 간단 말인가? 그것이 아니라면 수정전에 볼일이 있었던 걸까?

건은 궁궐의 수호부들 주제에 밖으로만 도는 녀석들을 떠올리며 이를 갈았다.

"망량주도 거의 익었겠다, 삼간택을 열지."

"괜찮으시겠습니까?"

"뭐가."

"굳이 지금 최설아 씨를 궐에 들여 좋을 게 없을 것 같습니다."

"누가 최설아를 들인다고 했나? 최설아는 망량주조에서 탈락이야. 술을 바꿔치기했으니, 당연히 삼간택엔 조유연만 참석하는 줄 알았는데."

뻔뻔하게 느껴질 만치 태연한 답에 기가 찬 우혁이 시큰둥하게 대

324

꾸했다.

"그럼 지금처럼 편하게 외박하시는 편이 좋지 않으시겠습니까? 궐에는 보는 눈이 많습니다. 만일 궐에서 애정 행각을 벌이신다면, 최고가의 파파라치 사진이 등장할지도 모르는 일입니다."

"어차피 다 알면서도 쉬쉬하는 거야. 이렇게 계속 세자빈 후보의 얼굴이 밝혀지지 않아야, 혼례 때 찍은 사진을 기막힌 가격에 팔아 치울 수 있을 테니까."

결국 혼례 때까지 참지 않겠다는 말을 퍽, 빙빙 돌려 잘도 한다.

절레절레 고개를 저은 우혁이 시선을 들 때였다. 단정한 챙 모자를 쓴 중년 남성이 뿌듯한 얼굴로 주위를 둘러보며 걸음을 내딛는 게 보였다. 남자가 향하는 곳은 경회루 외곽, 문경전 방향이었다.

"오늘 일반인에게 궐내 출입을 허가했던가요?"

"그걸 왜 나한테 물어."

"저 사람은 궁인이 아닙니다."

건의 시선이 우혁이 가리킨 중년 남성을 향해 움직인다. 상대도 시선을 눈치챈 것인지, 생글거리는 얼굴로 돌아섰다. 그러고는 양손을 모아 예를 갖추었다.

순간, 창백한 얼굴로 나타난 이태가 급히 남자의 팔을 당긴다. 집경당에서 수정전까지는 제법 먼 거리였다. 그런데 한달음에 달려와, 손님을 맞는다? 말소리가 들리진 않았지만, 곤란한 기색이 역력한 것으로 보아 모른 척 넘어갈 일이 아니란 걸 짐작했다.

"이태의 손님이군."

"알아볼까요?"

"아니, 내가 직접."

궐에 들러붙은 삿된 것. 검은 호랑이가 말한 그것들은 하루아침에 생겨난 것이 아니다. 오랜 세월, 세상이 변해 가는 만큼 궁궐 또한 변해 왔다. 그간 방치되고 손길이 닿지 못한 곳에 생겨난 균열. 그 틈으로 뿌리내린 역병 같은 존재들이 궐 안에 가득하다.

건은 무거운 걸음을 내디뎠다. 우혁은 뒤따르는 이들을 최소한으로 줄이고, 서둘러 외부인에 대해 알아 오라는 지시를 내렸다. 하지만 돌아온 답은 '금일 방문한 객은 없다.'였다.

문경전으로 향하는 세 갈래 길. 건의 앞을 불쑥 막아선 차 내관이 깊게 고개를 숙인다.

"세자 저하를 뵙사옵니다."

"상선 영감."

건은 어디서 튀어나온 건지 모를 차 내관을 노려보며 우혁에게 손짓했다. 자신을 대신해 이태를 뒤따르란 뜻이었으나, 기함한 상선이 양팔을 벌려 그 앞을 막아선다.

"저하, 아니 되옵니다!"

"무엇이."

"저자를 뒤따르면, 아니 되옵니다. 저하. 저하를 꾀려는 수입니다!"

건은 납작 엎드리려는 상선의 팔을 급히 잡았다.

"아는군, 저놈이 누구인지."

건은 싸늘하게 비소했다. 그러자 고개를 숙인 차 내관이 덜덜 떨리는 손으로 건의 손을 맞잡는다.

"저하, 저하께옵서 용서하셔야 합니다. 소헌군 마마를 용서하시고, 믿어 주십시오. 쇤네, 마지막으로 이리 부탁드립니다."

노인의 목소리가 거친 바람처럼 갈라지고 흩어졌다. 핏기 없이 창백한 얼굴과 손. 마치 죄를 지은 사람처럼 덜덜 떠는 모습에 불쑥 짜증이 치밀었다.

"이유를 말하십시오. 그 이유가 날 설득하지 못한다면, 저 사람과 독대를 나누어 볼 생각이니."

"저하! 저, 저자는 오래전 중전마마께옵서 삼간택 날 동행하셨던 자입니다. 그리고 저는 중전마마의 절실함을, 의언군 마마의 간절함을 돕고자 하였을 뿐이옵니다. 저하…… 모두 말씀드리겠나이다. 쇤네를 용서하옵소서."

어머니가……?

상선의 팔을 움켜쥔 손에 힘이 들어간다. 고통을 느낀 노인이 앓는 소릴 내자, 지켜보던 우혁과 익위들이 그를 말렸다. 눌러 문 이가 지끈거리며 아파진다.

건은 다시금 경회루 방향으로 돌아섰다. 그러곤 얼음장 같은 말투로 명했다.

"따라와."

"아가씨, 사진 한 장 찍어 줄까? 남매끼리 여행 왔나 보네! 아이고, 휜칠해라! 요놈은 또 왜 이리 귀여워? 응?"

등산복을 입은 아주머니가 시원한 웃음을 터트리며 궐의 팔을 찰싹찰싹 때렸다. 뒤이어 아주머니의 일행으로 보이는 또 다른 아주머니들이 한마디씩 하며 세 사람을 지나쳤다.

"근데 옷이 너무 얇은 거 아니가, 느그들."

"꼭 우리 손주 닮지 않았어요? 명절도 아닌데 한복 입은 거 보면, 얼라 모델인가?"

"서울서 왔나 보네."

"금산 쥑이죠? 여기가 보리암인 건 알아요? 여기가 태조 이성계가 200번 절해가, 조선을 세운 곳이잖아요."

유연은 환하게 웃으며 이를 물고, 복화술을 했다.

"궐아, 우리가 왜 여기 있어……? 으응? 여기가 조용한 곳이야?"

"이럴 줄 몰랐다. 300년 전만 해도 이곳은…….."

"됐고. 청송아, 네가 말해 봐."

"누이, 저도 몰랐습니다. 대체 왜 이리 사람이 많은 겁니까?"

되레 당황해 어찌할 줄 몰라 하는 청송의 반응에 절로 한숨이 새어 나온다.

경상남도 상주면의 금산. 경복궁 수정전 지하에서 건에게 들킬 뻔한 청송이 길을 연 곳은, 만경창파가 한눈에 내려다보이는 금산 꼭대기였다. 허공에 발을 디딘 듯 창백하게 드리운 바다와 드문드문 고개를 내민 봉우리들이 그림처럼 펼쳐진 곳.

눈부시게 아름다운 경치에 넋을 놓은 것도 잠시, 여러 무리의 등산객이 왁자지껄한 소릴 내며 세 사람의 주위를 가득 채웠다. 유연은 당황하는 둘을 번갈아 보며 웃음을 꾹 참고는 가까운 벤치에 털썩 주저앉았다.

"하, 경치 좋다. 너희도 앉아. 서 있으면 더 눈에 띄어."

궐이 고개를 까딱이자 청송의 주위로 새파란 장막이 펼쳐져 세 사람을 감싼다. 순식간에 사람들의 소리가 차단되었다. 마치 노이즈 캔슬링 기능의 이어폰을 귀에 꽂은 것처럼 바람과 물소리만이 선명하게 들려왔다.

"조용하니 좀 낫네. 처음부터 이렇게 하지 그랬어."

유연의 칭찬에 머릴 긁적인 청송이 부끄러운 듯 뺨을 붉혔다.

"누이의 힘을 쓰는 것이 영 미안해서요."

"내 힘을 썼다고? 난 아무렇지 않은데?"

"그건, 누이의 힘이 워낙에 큰 그릇에 담겨 있기 때문입니다. 다른 주인들은 제가 조금만 힘을 써도 픽픽 쓰러졌었단 말이죠."

다른 주인. 자신을 주인이라 부르는 이들에게서, 다른 주인이란 말을 듣는 건 기분이 이상했다. 저 말고도 다른 이에게 이토록 다정한 애정을 쏟았던 걸까? 하긴…… 어려 보이는 청송의 나이는 300살이 넘었고, 종종 애인 취급받는 호랑이의 나이는 가늠조차 할 수 없으니 이상할 일도 아니다.

흐음, 하며 고개를 끄덕인 유연은 찬란한 바다를 응시하며 숨을 크게 들이켰다.

"그래도 좋네. 수정전에서 도망친 곳이 이렇게 예쁜 곳이라니."

"누이, 근데 귀멸자를 어찌 피하십니까?"

"아, 그게……."

"숨긴다고 숨겨지지 않을 겁니다. 서로에게 영향을 줍니다. 어쩌면, 귀멸자는 종종 잠신한 이매를 볼 것이고 누이께서는 이매를 소멸시키실 수도 있을 테고요. 정을 나누고 마음이 깊어지는 만큼, 힘이 뒤섞입니다."

그렇게 말한 청송이 그녀의 손목을 잡아 맥을 짚듯 검지와 중지를 댄다. 그러고는 고운 미간을 찌푸리며 고개를 주억였다.

"역시, 힘이 섞여 있습니다. 실은, 저도 이렇게 고르게 섞인 기운은 처음 봅니다. 역대 귀멸자들은…… 사실, 귀안을 가진 여인을 비로 맞았으나 깊이 사랑하진 않았습니다. 평범한 여인을 후궁으로 들이고, 귀안의 여인을 권력의 일부로 대하였지요. 저는 항시 안타까웠습니다."

눈물까지 글썽인 청송이 콧물을 훌쩍인다. 유연은 머쓱해진 마음에 잡힌 손을 빼내곤 청송의 머릴 쓰다듬었다.

"내가 저하에게 힘을 숨기는 이유는 사실 별거 아니야. 처음엔 나쁜 생각을 했었어. 눈을 숨기고, 다른 사람을 세자빈 자리에 앉히려 했거든."

"누이! 어찌 그런, 끔찍한 소릴 하십니까?"

"들어 봐. 쉿."

검지로 입술을 누르는 유연을 따라, 고사리 같은 손으로 본인의 입술을 누른 청송이 눈을 반짝였다.

"그런데 시간이 지날수록 욕심이 생기더라. 실망하게 하고 싶지 않다는 생각도 들고, 아빠의 말도 자꾸 마음에 걸리고. 그러다가 점점 좋아하게 될수록, 나는 나였으면 하는 마음이 생겼어. 이 눈이 아니더라도, 내게 아무런 힘이 없다 해도…… 그 남자가 나를 좋아해 줬으면. 그리고! 아, 실은 타이밍을 못 맞추겠어. 창피해. 인제 와서 나 눈 가졌어요, 하는 거."

배시시 웃음을 터트린 그녀의 어깨에 궐의 손이 올라왔다. 어깨를 움켜쥔 궐이 그대로 이마를 내린다.

"하지만 주인의 힘이 아니었다면, 우리는 존재하지 못한다. 여전히 잠들어 깨어나지 못했을 것이다. 힘을 드러내 주어 고맙다, 유연아."

"저도요!"

"아니, 뭘 또 이렇게 오글거리게⋯⋯."

낯간지러운 말에 어색하게 웃던 그녀는 순간, 보리암에서 번진 묵직한 고동을 느꼈다. 누군가의 심장을 손에 쥔 것처럼 맹렬하게 뛰어 대는 고동이 피부를 울린다.

유연이 고개를 치켜들자, 어느새 자리에서 일어난 궐과 청송이 애틋한 표정으로 화엄봉 아래를 바라보고 서 있었다.

"이게 무슨⋯⋯."

"주인아, 웅녀를 아는가."

"웅녀? 환웅의 아내가 된, 웅녀?"

"그래, 하지만 쑥과 마늘을 먹고 사람이 되었다는 것은 사실이 아니다. 산과 땅을 다스리는 지모신(地母神)이었던 치웅은 어느 인간을 사랑하게 되었고, 자신의 힘 일부를 인간이 낳은 자식에게 주었다. 고조선의 첫 귀멸자가 태어난 이유이지."

첫 귀멸자. 왕실의 힘을 이어받은 자만이 가질 수 있는 힘. 쿵쾅거리는 두근거림에 속이 울렁거릴 지경이다. 이어 화엄봉 틈새로 짙은 갈색빛을 띠는 형체가 일렁거린다. 연기가 모여 형태가 되더니, 집채만 한 곰 한 마리가 네발로 걸어 나와 그들을 내려다보며 서 있었다.

유연은 궐이를 능가하는 기운에 짓눌리지 않으려 부단히도 애썼다. 손을 모아 잡고 우아한 걸음으로 다가오는 곰을 보며 입술을 깨물었다.

-치웅.

-누님.

궐과 청송의 몸이 순식간에 연기가 되더니 범과 청매로 현신한다.

압도적인 힘이 금산을 짓누르고, 공기를 팽팽하게 당겼다. 유연은 결국 뒷걸음질 쳐 벤치 위로 털썩 무너졌다.

"하! 미치겠네……."

혼잣말을 뇌까린 그녀를 둘러싼 세 마리의 짐승. 그녀를 빤히 응시하던 곰이 다가오더니 얼굴을 불쑥 들이민다. 축축한 코가 뺨에 닿고, 이어 날름하며 혀가 닿았다.

−넌 얼굴은 반반하니 봐 줄 만한데, 왜 이리 더러운 걸 묻히고 다니니? 냄새나게.

쩡한 여인의 목소리가 머릿속을 울린다. 놀란 유연은 입술을 달싹이다가 힘겹게 한마디를 뱉었다.

"치웅…… 언니?"

왜 갑자기 그렇게 말했을까. 하지만 언니란 말을 듣는 순간, 곰의 입매가 조금 올라간 것처럼 보이는 것은 착각이었을까?

−귀엽네? 주인아, 너구나. 끔찍하게 강한 힘으로 나를 깨운 게.

"제, 제가요?"

−네가 아니라면, 어떤 십장생이 날 깨워? 퀄이, 너니?

휙 돌아본 곰을 향해 커다란 머릴 털레털레 턴 퀄이 슬그머니 다가와 치웅을 떼어 낸다.

−치웅, 말본새는 여전하군.

−흥, 네놈들처럼 온전한 그릇이 없어서 그래. 그런데 너무 오랜만에 나왔더니 세상이 왜 이리 산만해?

−그릇은 걱정하지 마라. 그 몸 찾아 주려고, 주인을 이곳까지 모신 것이니.

물러섰던 치웅이 다시금 서서히 돌아서서 유연을 빤히 본다. 까맣고 차가운 눈빛에 붉은 기운이 맴돌았다.

-네가, 내 몸을?

유연은 저도 모르게 고개를 끄덕였다. 그러자 순간 기세를 낮춘 곰이 생긋, 눈매를 휘며 웃는다.

-이런…… 우리 귀여운 주인께서 그릇을 찾아 준다면, 이 언니가 널 위해 이 한 몸 바쳐 주마. 주인아, 그런데 그릇이 어디 있는지는 알고?

경회루 낙양각 너머 궐내각사의 기와지붕이 너울처럼 이어진다. 우아한 선과 품위, 궁궐이란 존재가 가진 무게가 고스란히 느껴지는 풍경이었다.

건은 무심한 눈빛으로 먼 곳을 응시하며 물었다.

"계속하십시오, 상선."

감정 없이 단조로운 질문에 무릎 꿇은 상선의 고개가 더욱 깊이 숙여진다.

"저자는 중전마마께옵서 삼간택에 동행한 인물입니다. 마마께옵서는 주상전하를 진정으로 사랑하셨습니다. 하오나…… 눈을 갖지 못하셨으니, 대비마마의 선택을 받을 수 없었지요. 하여 지푸라기라도 잡는 심정이셨을 겁니다. 저자가 제게 제안을 하였습니다. 궐에 있는 영루를 가져다주면, 마마께서도 귀안을 가질 수 있다고 하였습니다."

건의 미간이 서서히 좁혀지고, 균열이 진다. 이 뒤의 이야기는 들지 않아도 답을 알 것 같았다. 아버지를 사랑했던 어머니는 영루를 이용해 귀안을 갖는 방법을 택하셨을 것이다. 최설아가 선택했던 바로 그 방법. 그리고 그 방법을 아는 자가 소헌군과 연결이 되어 있다면……. 엉망으로 흐트러졌던 퍼즐이 맞춰져 가는 것이 두려울 지경이다.

건은 마른 바람을 맞으며 눈을 감았다.

"그래서 제가 영루를 훔쳤습니다. 훔친 영루를 저자에게 가져다주고, 중전마마께옵서 귀안을 가질 수 있도록 도와 달라 하였습니다."

"왜. 어째서 그런 짓까지 했습니까."

"……마마께옵서는 성빈 차 씨를 닮으셨습니다. 저하, 성빈 차 씨는 의언군 마마의 모후이시며, 제 누이였습니다. 제 누이 역시 눈을 갖지 못하였으나 선왕 전하를 진심으로 은애하였었지요."

빌어먹을.

몰랐던 사실이다. 건은 나직하게 욕설을 읊조리며 이를 갈았다.

차 내관은 바닥에 이마를 대고 흐느끼기 시작했다. 건은 어째서 상선이 그토록 이태를 아끼고 걱정했는지 이유를 알 것 같았다. 이태의 진외종조부. 대가 끊겨 버린 차 내관 집안의 유일하게 남은 핏줄이 소헌군이었을 줄이야.

"그래서 돕고 싶었습니다. 저자는 많은 것을 알고 있었습니다. 의언군 마마의 손이 망가지기 시작한 이유에 대해서도 알려 주었지요. 그러니 저는 믿을 수밖에 없었습니다."

"그는 누굽니까."

"일본에 정착한 조선인의 자손으로, 지금은 켄이치 이마무라라고 불립니다. 직업은 화공입니다."

마지막 퍼즐이 맞춰졌다. 프랑스에서 보았던 설야와 호텔 복도에 걸려 있던 설야. 그림의 주인은 화가가 오래전 요절했다고 하였지만, 그것은 어쩌면 이송의 작품을 켄이치 이마무라가 유통했기에 벌어진 해프닝일 터. 이태가 궐내에 화매를 불러들일 수 있었던 이유 같은 것들이 어렵지 않게 머릿속에 펼쳐졌다.

건은 엎드려 어깨를 떠는 차 내관을 향해 돌아섰다.

"아버지도 알고 계십니까?"

"주상 전하께서는 모르고 계십니다. 하오나, 대비마마께옵서는 알고 계셨습니다. 어찌 제가 그분의 눈을 속일 수가 있겠습니까."

결국 답은 어머니와 이태. 그리고 켄이치 이마무라 본인에게 들어야겠군.

검은 호랑이가 말했던 궐내의 삿된 것이란, 어쩌면 인간이다. 누군가를 생각하는 마음과 욕심, 갈망 혹은 원망 같은 것들이 얽히고 뒤섞여 궐을 엉망으로 만들었다. 하지만 저라고 다를 것이 있던가? 조유연이 눈을 가졌든, 갖지 못했든 상관없다고 마음먹었던 것이 엊그제 같았다. 그저 자신의 마음이 가장 중요했다.

"상선, 쌓이고 덩치를 불린 거짓이 모여 어떤 결과를 낳는지 직접 눈으로 보셨으니……. 본인의 입으로 아버지께 알리십시오. 그것이 업을 털어 내는 유일한 방도입니다."

"저하…… 세자 저하!"

"여기까지만 하죠. 또한, 세자로서 명합니다. 켄이치 이마무라를 추포합니다. 금일, 놈은 궐 밖으로 못 나갑니다. 그 잘난 낯짝을 직접 봐야겠습니다."

"저, 저하!"

건의 말이 끝나기 무섭게 경회루 아래 대기 중이던 익위사들이 명을 받든다. 특히나 우혁의 눈빛은 그 어느 때보다도 더욱 매섭게 빛났다. 건은 궐 곳곳으로 흩어지는 그들을 내려다보며 난간을 움켜쥐었다.

"상선께서는 어머니가 어디 계시는지 알고 계시겠군요."

천천히 고개를 든 차 내관의 눈동자가 창황하게 떨렸다.

"기회는 이제 한 번 남았습니다. 어디 계십니까."

이상하게 식은땀이 난다. 산꼭대기의 매서운 바람을 맞으면서도, 속이 뜨겁고 신물이 오르는 기분이었다. 창백해진 유연의 낯빛을 살피며 청송이 말을 이어 나갔다.

"궐이 형님의 그릇은 경복궁이고, 저는 정조필 청송도가 그려진 족자입니다. 그리고 망량 영감님의 그릇은 주조장에 있는 백자 주병이지요."

"그럼, 치웅은?"

"청동거울입니다."

어쩐지 예상했던 답이었다. 고조선의 상징인 청동거울을 비롯하여, 비파형 동검과 민무늬토기 같은 것들은 대부분 출토되어 크고 작은 박물관에 전시되어 있었다. 하지만 그 많은 거울 중, 어떤 것이 치웅의 것인지는 알 수가 없다. 고민에 빠진 유연의 모습에 지켜보던 궐이 상체를 숙여 눈을 맞춘다.

"너무 어렵게 생각하지 마라. 주인은 바로 알아볼 것이다. 한데……. 아프냐, 유연아."

"응?"

그녀는 지친 얼굴로 고개를 들었다. 그러자 두 눈을 빤히 응시하던 궐이 청송을 부른다.

"돌아가야겠다. 문을 열어라, 청송."

"치웅 누님이랑 이렇게 바로 헤어지라고요? 형님, 묻고 싶은 게 너무 많습니다."

"그럼, 너는 천천히 와. 나는 주인과 돌아가겠다."

궐이 벌떡 일어나 그녀의 손을 잡아끌었다. 그러자 목덜미를 긁던 치웅이 느릿하게 움직여 궐의 앞을 막는다.

─궐이 네놈도 남아. 굳이 잘 자고 있던 나를 찾아와 깨운 진짜 연유를 들어야겠으니. 게다가…….

고개를 쭉 뺀 치웅이 궐이의 귀에 대고 소곤거렸다.

─네 녀석은 코가 막혔느냐? 귀멸자의 냄새가 보리암 전체에 솔솔 풍기는구나. 주인을 보내지 않으면 놈이 직접 문을 넘을 기세인데……. 지금 마주치면, 너와 귀멸자 두 놈 모두 약속의 인장이 깨질 것이야. 아주, 엿 되는 거지. 알았니, 고양아?

인장까지 알아본 것인가? 역시 치웅의 눈을 속일 수는 없다. 궐은 치웅의 의미심장한 눈길에 유연의 손을 놓았다.

─게다가 우리 청송이 생각도 해야 하지 않겠니, 이놈아.

치웅의 힘은 진실을 뜻한다. 아무리 잠신해 있는 이매라 한들, 치웅의 눈을 피할 수 없다.

귀멸의 힘을 가진 범, 귀안의 눈을 가진 곰. 그리고 화매의 능력을 갖춘 망량과 수호의 힘을 가진 청매. 궐은 천천히 자신과 닮은 수호부들을 둘러보며 힘을 풀었다. 어린아이의 모습을 한 청송이 온전히 힘을 얻기 위해선, 수호의 힘을 가진 생명이 탄생해야 한다. 그리고 수호의 힘은 귀멸자와 주인 사이에서만 탄생했다.

"나도 안다. 굳이……. 상기해 줄 필요 없다, 치웅."

혀를 찬 치웅은 시무룩한 궐의 머릴 쓰다듬고는 이어 유연의 허리춤에 머릴 비볐다.

-주인아, 어서 가렴. 그리고 귀멸자에게 전해 주련. 내 조만간, 네 지아비 될 그대를 벗겨 먹으러 가겠다고.

"버, 벗겨요?"

치웅은 당황한 유연의 허리를 툭 밀었다. 그러자 균형을 잃은 그녀의 몸이 허공으로 붕 뜬다.

"꺅!"

놀란 그녀가 헛바람을 들이켜자, 허방을 디딘 것처럼 까마득한 절벽 아래로 추락하기 시작했다.

-쯧, 기세를 보아하니……. 이번 귀멸자는 한 성깔 하겠구나. 네가 고생이 많다, 주인아. 그리고 이 언니는, 딸이 좋다고 꼭 일러두어라.

머릿속으로 밀려드는 치웅의 말에 반박하기도 전, 발이 땅에 닿았다. 균형을 잃고 뒷걸음질 친 그녀의 눈앞에 보이는 것은, 궐이와 함께 내려갔던 지하 계단이었다.

조용한 건물 내부, 익숙한 생활 소음이 이어진다. 누군가 아이를 부르는 소리, 저녁 식사를 걱정하는 소리, 편의점에서 계산을 마치고 나서는 누군가의 발소리 같은 것들이 가슴을 쓸어내렸다.

다시, 서울이다. 바닥에 쪼그려 앉은 그녀는 울렁거리는 가슴을 누르며 안도의 한숨을 내쉬었다.

이제 더는 꿈이라고 치부할 수 없다. 하지만 끝을 알 수 없는 억 겁의 굴레에 발 들인 것처럼 여전히 실감이 나지 않는다. 그러나 아 무리 발버둥 치고 외면해 보아도, 결국 눈을 뜨면 현실이 기다리고 있다.

유연은 이유 없이 젖은 눈가를 훔치며 걸음을 내디뎠다. 상가의 얼룩덜룩한 유리문을 열자, 초저녁 바람이 불어온다. 그리고 파란색 의 플라스틱 테이블을 앞에 두고 앉아 있던 남자가 고개를 들었다.

"아……."

건은 말없이 유연을 가만히 바라보기만 했다. 한 손을 바지 주머 니에 꽂아 넣은 채로 다리를 꼬아 앉아 있던 그가 다른 쪽 손가락을 까딱인다.

순간 주머니 안에서 울리는 수십 건의 알림음. 지금까지는 전파가 통하지 않는 곳에 있었던 것인지, 각종 알림과 메시지들이 쏟아지듯 도착했다.

유연은 모자를 더욱 푹 눌러쓰곤 그에게 다가갔다. 얼굴을 드러낸 세자가 호위도 없이 편의점 야외 테이블에 앉아 있는 모습은, 위화 감이 드는 정도가 아니었다. 이상하고 괴상하며, 어울리지 않는다. 그래서인지 사람들도 쉽게 다가오지 못하고 멀찍이 서서 세자의 동 태만 살피는 중이었다.

"설마, 혼자 나오신 거예요?"

"어디 있었어."

"아, 저기……. 이 건물에요."

"PC방?"

삐딱하게 눈을 치켜뜬 그가 PC방의 빨간 간판을 가리킨다. 유연은 어색하게 웃으며 고개를 끄덕였다.

"네."

"그래? 그래서 전화도 안 받고, 나를 피했다?"

"아이, 피한 거 아니에요. 저도 몰랐어요. 전파가 안 통하는 곳이더라고요."

그러며 억울하다는 표정으로 휴대 전화를 꺼내 수십 건의 광고 메시지로 가득한 화면을 내보였다. 그중에 건의 연락은 단 두 건.

그는 유연의 전화기를 엎어 버린 뒤, 그대로 손목을 잡아당겼다. 테이블 중앙으로 끌려온 그녀의 얼굴이 발긋하게 달아오른다. 곳곳에 산재된 눈길이 삽시간에 쏠렸다.

"나는 종일 네 생각을 했는데, 넌. 무슨 게임을 했지?"

굳어 있던 그의 입매가 풀어지고 나른하게 올라간다. 눈을 떼지 못하던 그녀가 헛기침하며 시선을 피했다.

"게임한 거 아니고, 정보를 좀……."

"이제 서화제약 서버는 풀어 줘도 돼. 이미 사람을 시켜서 왕실 서버로 옮겨 뒀으니까."

"어? 정말요?"

고개를 끄덕인 그가 환해진 그녀의 뺨을 조심스레 어루만진다. 그러고는 꼭 잡고 있던 손등으로 입술을 내렸다. 왼손 약지에 눌리는 부드러운 입술이 피부를 데우는 것만 같다.

입술 안쪽을 잘근 깨문 그녀는 천천히 맞닿은 시선 끝자락에서부터 열이 오르는 것을 느꼈다.

"만약, 어머니께서 깨어나신다면. 넌 제일 먼저 어떤 말을 하고 싫어?"

"엄마가 깨어나면요……? 글쎄요. 할 말이 너무 많아서, 아무 말도 생각나지 않을 것 같은데……. 너무 오랜만이라. 처음엔 아마도 나 이렇게 잘 컸다고. 내 얼굴 기억하냐고, 물어볼 것 같아요."

고개를 몇 번 끄덕인 그가 그녀의 손등에 이마를 댄다. 수정전에서 보았던 모습과는 너무나 달라진 그였다. 혹 제가 없는 사이 무슨 일이 있었던 건 아닌지 유연은 걱정스러운 표정으로 그의 귓가를 감쌌다.

"무슨 일 있어요……?"

"아니. 그냥 네가 너무 보고 싶었어."

"그런 거 말고, 거짓말도 하지 말고요."

"진심이야. 정말로, 네 목소리가 듣고 싶었는데 연락이 되어야지."

"그게……."

"그래서 이왕 집수리를 하는 김에, 삼간택을 열까 하는데."

느릿하게 고개를 든 그가 단정한 눈가를 휘어 미소 짓는다.

"널 세자빈으로 간택하겠다는 뜻이기도 해. 조유연, 편의점 테이블 앞에서 하는 프러포즈는 너무 누추한가?"

그는 누추한 프러포즈라고 했지만, 그 어떤 그럴싸한 고백보다 가슴이 더 거세게 뛰어 댔다. 얼굴을 빨갛게 붉힌 그녀가 적나라한 그의 시선을 피하며 테이블에 괸 손으로 입가를 가린다.

"왜 피해. 설마 거절이야?"

"얼굴이 터질 것 같아서요."

"창피해서?"

"이런 건! 그러니까, 이런 건……. 창피하다는 게 아니라, 쑥스럽다는 거예요."

그녀의 손등을 천천히 어루만지던 그가 상체를 앞으로 기울인다. 느른하게 휘어 올라간 입꼬리 끝에 희미한 즐거움이 맺혀 있었다.

"그래서 답은?"

"대답 안 할 거예요."

"그래? 좋아, 그럼 다음번에 다시 하지."

"다음에요? 하, 저기요. 지금 사람들은 여전히 저하가 최설아와 혼인할 거라고 알고 있던데요?"

"누가."

약 오른 마음에 대답 대신 어깨를 으쓱 올리자 티 나게 삐딱해진 시선의 그가 눈살을 찌푸린다.

"내가 지금 네 손에 입 맞추고, 이렇게 꿀 떨어지는 눈으로 널 보는데도, 그런 소릴 하는 사람들이 있다고?"

되묻듯이 말을 멈춘 그는 숨을 한번 들이켰다가 내쉬며 몸을 일으켰다. 그리곤 자연스럽게 들린 그녀의 얼굴을 내려다보며 깊게 눌러쓴 모자를 툭, 벗겼다. 유연은 그의 손에 들린 모자를 보며 저도 모르게 얼굴을 가리려 했다.

"가리지 마. 키스할 거니까."

미쳤어.

맞닿은 눈빛이 어지러이 뒤섞이고, 뜨거운 바람이 가슴 안으로 불어 든다. 얼이 빠진 얼굴로 그를 올려다보는 그녀의 눈동자가 흔들렸다.

숨이 벅찬 사람처럼 서서히 가빠지는 호흡. 테이블을 짚어 상체를 숙인 그의 손등 위로 푸릇한 핏대가 선다. 유연은 건과 가까워지는 것도 의식하지 못한 채 제 귀를 의심하며 멍하니 눈만 깜빡였다.

"여기서 키스하면, 내 뺨을 후려칠 건가?"

"왜 그렇게 말을……!"

"버림받고 싶지 않으니까."

그녀의 긴 속눈썹이 느릿하게 닫혔다가 뜨이길 반복하고, 도톰한 입술 위엔 더운 숨이 포개졌다.

"그래서 애원하는 거잖아, 유연아."

입술이 틈 없이 맞붙은 순간, 그의 커다란 손이 그녀의 손등을 덮었다.

나는 당신을 버리지 않는다. 아니, 버릴 수 없다. 당신을 잃는다는 것은 상상조차 되지 않을 만큼, 이미 너무 많은 길을 함께 걸었다. 이미 그는 자신의 삶 일부가 되었고, 그의 삶 속에도 제가 있기를 바란다.

그것은 낯간지러운 단어들을 모조리 끌어모아 하나로 조합한 문장처럼 낯설었다.

그가 좋다.

가끔은 가파른 내리막길을 전속력으로 질주하는 것 같은 감정 변화가 두려울 때도 있었다. 이러다 천 길 낭떠러지로 추락해 다시는 보듬을 수 없을 만큼 부서져 버리는 건 아닌지 두려워서 심장이 덜컹 내려앉았다. 하지만 그저 두려움뿐인 감정이 전부였다면, 처음부터 그가 내민 손을 잡지 못했을 것이다. 애초에, 나는 겁쟁이였으니까.

질끈 감았던 눈을 뜬 그녀의 손은 어느새 그의 팔을 동아줄처럼 움켜쥔 채 떨고 있었다.

"이것 봐……. 버리긴 누가 버려요. 있는 힘껏 잡아도, 이렇게 떨리는데……."

"그건 조금은 내 멋대로 굴어도 된다는 뜻인가?"

이 다정하고 천진한 미소가 얄궂다. 분명 고개를 끄덕여 주길 바라며 건넨 질문이다. 부드럽게 말려 올라간 입술 끝에 손톱 같은 보조개가 얄미워 그의 뺨을 쿡 찔렀다.

"완전 제멋대로 굴고 있으면서……. 저하는 진짜로, 성격이 별로 좋지 않아요."

[실장님, 세자 저하 관련 기사 떴습니다. 확인하시고 조처 부탁드립니다.]

홍보실 배현주 담당의 목소리에 피로감이 가득하다. 전화를 끊은 우혁은 배 담당이 보내온 기사들을 하나씩 확인했다. 모두 몇 분 전, 조유연의 집 근처 편의점 앞에서 찍힌 사진들을 토대로 낸 기사였다. 게다가 얼마나 급히 내보냈으면, 제목과 사진만 있고 내용이 없는 기사가 태반이다. 〈세자의 연인〉, 〈세자의 키스를 받은 여인〉, 〈키스 사진은 합성 의혹〉 등등의 한심한 제목들의 기사 속엔 조유연에게 입 맞추는 건의 옆얼굴이 찍혀 있었다.

우혁은 능숙하게 언론사 대표들에게 단체 메시지를 전송했다.

-세자 저하의 얼굴이 45도 각도로 나온 것들로 사진 교체 바랍니다. 이왕이면 오른쪽 얼굴로 부탁드립니다.

전 같으면 당장에 사진부터 내리라며 압박했겠지만, 이번엔 경우가 달랐다. 이렇게 당당히 얼굴을 드러낼 때는 항상 모종의 이유가 있었다. 어쩌면, 이번 일은 조유연을 지키기 위해서일지도.

우혁은 휴대 전화를 재킷 안쪽 주머니에 넣은 뒤 궁궐 북쪽에 쳐진 붉은 줄을 보며 그 너머에 있는 남자와 눈을 맞추었다. 일본 국적의 켄이치 이마무라. 뒷짐을 진 그가 느긋하게 주위를 둘러보며 다가온다.

"「오랜만에 보는군요. 궐 전체에 쳐진 붉은 줄이라니. 이 시간부로 누구도 궐 밖으로 나갈 수 없는 겁니까?」"

남자는 무취였다. 말 그대로 선악이 구별되지 않는 기이한 남자의 질문에 생긋 미소 지은 우혁이 답했다.

"정확하게 알고 계시는군요. 설명을 덧붙이자면, 금줄은 선생님께서 계신 곳의 반경 200m에 설치되었습니다."

"「오호, 일본어를 능숙하게 알아들으시는군요. 저는 한국어를 잘 알아듣지 못합니다. 내 나라의 언어로 부탁드려도 될까요?」"

"이런, 못 알아들으신다니 안타깝습니다. 번역 앱이라도 소개해드릴까요?"

"「허허, 젊은 선생이 아주 유쾌하네요.」"

"켄이치 이마무라 씨. 당신은 궐내에 무단으로 침입한 혐의로 구류된 상황입니다. 경복궁은 외국인 보호법이 통하지 않는 지역이니, 세자 저하의 처분을 조용히 기다리시지요."

"「처분이 아니라, 면담이겠지요. 저하를 속히 뵙고 싶네요. 얼마나 장성하셨을지……. 내 눈으로 직접 보고, 받을 건 받아 가야겠습니다.」"

우혁은 미소를 지우지 않은 채 이마무라와 마주 섰다. 눈앞의 사내는 어쩌면, 지난번 궐을 만신창이로 만들었던 일의 배후일지도 모른다. 이매를 볼 수는 없지만 누구보다 예민한 촉을 가진 우혁은 놈의 목을 조르고 싶어졌다.

며칠 전, 현신한 이매의 모습을 본 RSA의 박 팀장은 하얀 구렁이 한 마리가 궐을 무너트리려 했다며 치를 떨었다.

흰 구렁이.

'네 부모님을 해친 것은 흰 뱀이야. 내가 책임지고, 그 복수를 해 줄게. 그러니까 이우혁, 너 내 사람 해라.'

처음엔 멀끔하게 생긴 동갑내기 사이코가 아닐까 생각했다. 그가 왕세자라는 것을 알기 전까지는.

"「젊은 선생은 아무것도 보이지 않는 범인이군요. 쯧, 난 또……. 괜히 상대했습니다.」"

자신을 지그시 노려보는 우혁의 무심한 시선에 이마무라가 고개 를 내저으며 돌아선다.

우혁은 티 나지 않게 주먹을 말아 쥐곤, 놈의 뒤통수를 노려보았 다. 이매를 볼 수는 없어도, 그들을 어찌 소멸시키는지는 안다. 놈들 이 어떤 식으로 환동하고, 현신하여 사고를 치는지도. 누구보다 빠 르게 분석해 대한민국 곳곳에서 일어나는 사고를 최소한으로 줄여 내는 역할을 해냈다. 너 같은 놈들에게서, 나의 사람들을 지켰다.

울렁거리며 치밀어 오른 분을 토해내려 할 때였다.

"쯧, 어린놈이 화매 좀 부린다고 기고만장하구나. 예 어디라고 뚫 린 주둥아리로 저리 나불댈꼬."

누군가의 실소와 함께 옅은 담배 연기가 흩어지듯 닿는다. 우혁은 자신을 유유히 스쳐 지나가는 하얀 도포의 사내를 발견하곤 두 눈을 크게 떴다. 긴 곰방대를 물고 갓을 쓴 사내는 허리에 붉은 줄을 둘렀 고, 뒷짐 진 손에는 부채를 쥐고 있었다.

30대 이상으로는 절대 보이지 않는 사내가 오랏줄에 닿지 않게 몸을 숙이더니, 이마무라를 향해 걸어간다. 돌아선 이마무라는 귀신이라도 본 것처럼 뻣뻣하게 굳어 주춤주춤 물러서고 있었다.

"저, 저기 누구십니까!"

궐내에 대체 어느 미친놈이 도포에 갓을 쓰고 돌아다닌단 말인가. 게다가 궐내는 금연 구역이었다. 오만상을 찌푸린 우혁은 들은 체도 않는 사내에게로 재차 소리쳤다.

"이보십시오!"

그제야 걸음을 멈춘 사내가 곰방대를 문 채로 비스듬히 돌아보더니 깔아보듯 시선을 내리뜬다.

"인간은 빠져라. 나는 나의 영루를 훔쳐 간, 도둑놈의 새끼를 잡으러 온 거니까."

히죽 올라가는 입꼬리가 선득하다. 묘하게 사내의 주위로 검은 연기가 휘몰아치는 느낌도 들었다.

"누, 누구십니까."

우혁의 질문에 목을 긁적인 사내가 이마무라를 내려다보며 말려 올라갔던 입매를 비튼다.

"망량이다. 이놈이 훔쳐 간 영루의 주인이지. 화매를 부리는 놈의 기운이 느껴져 와 보았는데……."

백광을 흘리는 눈동자를 올려다보는 이마무라의 목울대가 크게 울렁인다. 식은땀이 흐르고, 입술엔 아교가 들러붙은 듯 한마디도 할 수 없었다.

망량의 주위로 피어난 연기가 서서히 형체를 갖춘다. 검은 털을 가진 표범들의 송곳니가 위협적으로 자라났다.

"놈들이 모두 마실 나가 심심하던 차에 아주 잘 되었구나. 네놈이 나랑 놀아줘야겠다. 겁도 없이 제 발로 굴을 찾은 네 팔자다."

벌떡 일어난 유연이 침대에서 내려가려 하자 뻗어 나온 손이 발목을 붙든다.

"꺅!"

그녀는 비명을 지르며 다시 침대 위에 엎어졌다. 그러자 키들거리며 웃은 그가 울상이 된 그녀를 끌어당겨 품에 안으며 입술을 포갰다. 벌어진 입술 사이로 파고든 말캉함에 눈이 감기고, 어쩔 수 없다는 듯 목덜미를 끌어안았다.

왜 이렇게 어리광이 늘어 버린 건지. 답지 않게 느껴졌지만, 제게 의지하는 것 같아서 실없는 웃음이 났다.

"자, 잠깐만요. 옷 좀 꺼내 놔야 해요."

그의 가슴팍을 밀어내며 힘주어 버틴 그녀가 품에서 빠져나가려 바르작거렸다. 그러자 이번엔 허릴 강하게 감싸 안아 버린 그가 어깨를 잘근 깨물며 눈만 치켜뜬다.

"무슨 옷. 이 밤에 어딜 가려고."

"내일 민주 결혼식이란 말이에요."

"결혼식?"

"네. 그러니까 옷이 구겨지지 않게 꺼내 놔야 해요."

벌떡 일어난 그녀는 주섬주섬 셔츠를 걸치곤 침실을 나갔다. 건은 열린 방문 너머로 들리게끔 소리쳤다.

"삼겹살 같이 먹은 사인데, 나는!"

그러자 부직포 옷걸이에 포장된 원피스를 팔에 건 그녀가 고개를 빼꼼히 내밀더니 쯧쯧 혀를 찬다.

"유치하게. 결혼식은 저 혼자 다녀올 거예요. 저하랑 같이 가면 사람들이 다 쳐다볼 텐데. 신랑·신부한테 못 할 짓이잖아요."

"뭐야, 내가 민폐란 소리야? 그런 거야?"

"저기요오, 민폐는 아니지만, 아주 아니라고도 할 수는 없지 않나……?"

건은 어처구니없는 웃음을 흘리며 침대 위에 털썩 드러누웠다. 부산한 기척이 이어지더니 통화를 하는지 옥상 방향으로 소리가 멀어졌다. 프러포즈도 답 안 해 놓고, 남의 결혼식? 마뜩잖은 눈빛으로 천장을 노려보던 건이 피식 웃으며 입술을 늘렸다.

"김궐."

건의 나직한 부름에 침대 밑에 검은 연기가 일렁인다. 거대한 호랑이 한 마리가 시큰둥한 얼굴로 건을 노려보며 꼬리로 바닥을 치며 대꾸했다.

─날이 춥다. 옷을 걸치거라, 귀멸자야.

"어차피 다시 벗을 거야."

─누추한 혼약을 약조하더니, 걸인처럼 벗고 다닐 셈이구나. 쯧, 왕세자의 체면을 챙겨라.

"시비 걸지 말고, 이봐. 너."

건이 비스듬히 일어나며 바닥에 앉은 궐에게 나지막이 속삭였다.

"내가 네 부탁을 들어주었으니, 너도 내 부탁을 들어줘야겠다."

─좋다.

어쩐지 선뜻 승낙하는 태도에 입가를 문지른 건이 고개를 기울인다.

"나랑 호캉스 좀 하자."

-호캉스? 그게 무엇이냐. 혹, 먹는 것이냐?

"먹는 것도 포함되어 있지. 그것도 네가 성에 찰 때까지, 얼마든지. 주류 포함."

범의 호박색 눈동자가 반짝이는가 싶더니, 고개를 홱 돌리며 마지못한 듯 까딱였다.

-좋다. 원래 식사는 혼자 하는 것이 아니니, 내 함께 수저를 들어 주는 것뿐이다.

"그런데 듣자 하니, 궐에 망량 영감이 현신한 것 같은데. 대체 무슨 일이야? 이 실장 말은 제대로 알아들을 수가 있어야지."

일어난 건은 옷도 걸치지 않은 채로 주방으로 가 냉장고에서 생수를 꺼내 왔다. 그러자 오만상을 찌푸린 궐이 쯧쯧 혀를 차더니 삐죽삐죽 솟아난 수염을 앞으로 모았다.

-걱정하지 마라. 영감은 장난이 심한 거지, 인간을 함부로 죽이거나 하진 않으니. 물론······ 때에 따라 다르지만, 네놈이 궐에 갖고 놀기 좋은 장난감을 들인 탓 아닌가.

파루가 울린다. 파루는 과거와 달리 궐내에서만 유유히 울려 퍼지며 아침의 시작을 알렸다. 주상이 기침하는 기척에 차 내관은 탕약을 쟁반에 받쳐 안으로 들어갔다.

긴 밤이었다. 세자의 명으로 집경당 반경 200m 밖으로 홍줄이

쳐졌다. 상선은 그 안에서 어떤 일이 벌어지는지 알지 못하였으나, 밤새도록 누군가의 비명이나 고통에 겨운 소리가 울려 퍼지는 걸 들었다. 하지만 세자는 자리를 비운 상황. 대체 누가 세자를 대신하여 켄이치 이마무라를 문초한단 말인가.

침전의 문을 열자, 이미 기침한 이숙이 수척한 얼굴로 상선을 맞았다.

"저하, 밤사이 강녕하셨나이까."

"요즘 꿈자리가 좋지 않아 잠을 설쳤네."

"탕약을 달리 올릴까요."

"아니, 괜찮소."

이숙은 상선이 가져온 탕약을 마신 뒤, 물로 쓴맛을 가시게 했다. 그러곤 늦게까지 들여다보던 서류를 꺼내 탁자 위에 내려놓았다.

"내 며칠 동안 세자에게 올라갔던 보고를 모두 확인하였네. 혼자 퍽 힘들었겠어."

"세자 저하께옵서는 귀멸자의 이름을 받으신 이후, 단 하루도 편히 주무신 적이 없사옵니다."

"그래, 그거야 내가 아주 잘 알지. 그래서 하루빨리 짝을 지어 주려 한 건데, 오히려 마음의 짐을 얹어 주었네."

건은 지금껏 홀로 싸우고 있었다. 소헌군의 미국 행적을 낱낱이 파헤치고, 이송의 죽음 또한 깊숙하게 파고들어 알맹이가 드러나기 직전이다.

지난밤, 제중원과 서화제약의 유착관계 조사를 지시하는 문건을 발견한 이숙은 눈앞이 캄캄해졌다. 왕실의 녹을 먹는 제중원에도 외부세력이 힘을 쓰고 있었단 사실에 자신의 무능을 실감했다.

"상선, 난 이만 물러날 때가 된 것 같네. 판단이 흐려지고 마음이 약해져 더는 중한 일을 맡을 수 없을 것 같소만."

"전하, 그렇지 않습니다. 여전히 세자 저하께는 전하의 도움이 필요합니다."

"그대도 보았잖은가. 궐과 청송이 현신하였네. 그들은 전설 속 수호부들일세. 그들에게 주인으로 인정받기 위해, 어머니 또한 얼마나 많은 힘을 들이셨는지 알지 않는가. 하지만 얻지 못하셨지. 하물며, 그들이 따르는 것은 내가 아니라 세자일세."

"전하……."

상선은 고개를 조아리며 목구멍까지 차오른 말을 삼켰다. 세자 저하께옵서 중전마마를 찾으려 한다는. 어쩌면 지금쯤 찾으셨을지도 모른다는 말이 입안을 맴돌았다.

"채비하게. 내 오늘은 소헌군과 담판을 지어야겠어. 집경당이 구류된 이유 또한 알아야겠고 말이야. 내가 도와야지. 하나뿐인 아들놈을 믿어야 하지 않겠는가."

오전 11시 40분. 토요일 점심 시간대의 한남동 일대는 여가를 즐기러 나온 사람들로 북적였다.

H 호텔 밀튼 홀에 마련된 신부대기실을 찾은 유연은 눈부시게 예쁜 민주를 보며 입을 쩍 벌렸다.

"조유연! 왜 이제 와. 하, 진짜 결혼식 두 번은 못 하겠다."

"그래, 두 번은 못 할 짓이지. 그러니까 한 번만 해서 오래오래 지지고 볶고 잘 살아. 오늘 내 친구 진짜 예쁘네."

"지지배, 네가 더 예뻐. 근데 혼자 왔어?"

민주의 눈빛에 은근한 기대감이 차올랐다. 분명 삼겹살 동맹을 꿈꾸는 거겠지. 하지만 미안하게도 오늘은 동맹군 해체의 날이다.

"치과 쌤이랑 같이 왔어. 동현 씨랑 입구에 계시던데?"

"정말? 너 우준 쌤이랑 왔다고?"

"응. 고맙게도 데리러 오셨더라고. 그래서 같이 왔지."

"미쳤어……. 야, 너 애인 두고 우준 쌤이랑 오면 어떻게 해! 차라리 우리 김귈이라도 데리고 왔어야지!"

"귈이도 저하도 바빠. 어엄청 바쁘셔."

민주는 입술을 몇 번 삐죽거렸지만, 이내 포기하곤 카메라를 바라보며 환하게 웃었다.

신부와의 기념촬영을 마친 유연은 코트를 여미며 우준이 기다리는 곳으로 향했다. 유쾌한 신랑·신부답게 하객들로 인산인해인 식장. 동현과 하객들을 맞이하던 우준이 유연을 발견하곤 손을 흔든다.

"여기예요, 유연 씨."

"선생님. 민주 보셨어요? 엄청 예뻐요."

"아직 못 봤는데, 저도 가서 사진 한 장 찍고 올까요?"

의사 가운 차림이 아닌 정장을 입은 우준은 훤칠하고 서글서글한 얼굴로 웃었다.

유연은 우준을 신부대기실로 보낸 뒤 웨딩 사진을 구경하며 시간을 보냈다. 이른 아침, 건은 제가 눈 뜨기도 전 집을 나섰다. 밤사이 귈에 일이라도 생긴 걸까? 걱정스러운 마음이 앞섰지만, 지금은 불쑥불쑥 나타나는 아는 얼굴들과 인사를 나누느라 정신이 없었다.

"역시, 웨딩드레스의 힘은 무시할 수 없네요. 민주 씨 진짜 예쁘던데요?"

"그쵸. 저도 엄청 놀랐어요."

"그럼 우리 이제 식장으로 들어갈까요?"

다가온 우준이 그녀의 곁에 섰다. 유연은 묘하게 제게 집중된 시선을 의식하며 고개를 끄덕였다.

"그럴까요? 그나저나 전에 치료해 주신 덕분에 너무 편하게 지내고 있어요."

"다행이에요. 워낙 건치라 다른 문제는 없더라고요. 그리고 그때 알려 주신 자료는 동문들과 공유했어요. 들어 보니 암암리에 서화제약에서 한 갑질이 보통 아니던데요?"

"그렇구나. 하긴, 영업부 쪽 상무님이 강경파이긴 하셨어요. 그런데…… 이상하게 사람들이 쳐다보는 느낌은 왜일까요?"

이곳엔 서화제약과 관련된 사람도, 제가 세자빈 후보라는 걸 의심할 만한 사람도 없었다. 그런데도 이렇게 대놓고 흘끔거린다는 건. 혹시 저 모르는 사이에 또 이상한 기사라도…….

유연은 불현듯 편의점 근처를 배회하던 몇몇을 떠올렸다. 그 사람들이 만약 기자들이었다면 지금쯤 포털 사이트의 메인에 누구의 얼굴이 공개되었을지는 불 보듯 뻔한 일.

유연은 직접 기사 따위를 확인할 용기가 없었다. 등줄기를 타고 식은땀이 주룩 흐른다. 지난밤 너무 순순히 물러서던 건의 태도가 신경 쓰였다.

'궐아.'

그녀는 우준과 함께 자리에 앉아 궐을 불러 보았다.

-주인아.

'혹시, 궐에 무슨 일 있어?'

-왜 묻지?

'저하가 뭐 하시나 궁금해서.'

-지금…… 제법 바빠 보이는구나.

'그래? 특별한 일은?'

-배가 고프다.

이런. 유연은 멋쩍은 얼굴로 입술을 문질렀다. 몇 마디를 더 나누고 싶었지만, 예식이 시작되는 바람에 유연은 입을 꾹 다물었다. 그러자 휴대 전화를 들여다보던 우준이 곤란한 표정으로 그녀의 귀에 속삭였다.

찬 몇 가지와 국. 그리고 쌀밥이 놓인 상을 받은 이마무라는 지치고 힘겨운 표정으로 눈앞의 사내를 노려보았다.

"「이리도 격한 환영 인사를 받을지 몰랐습니다, 세자 저하.」"

"밤새 즐거운 놀이를 하며 보냈다던데."

"「놀이요? 하하, 놀이라……. 하긴, 놀이라면 놀이겠지요. 움직여도 물어뜯고, 앞으로 내달려도 물어뜯고. 술래잡기하자더니, 내 화매들을 모조리 소멸시킬 작정이더군요.」"

이마무라의 눈빛은 건의 대각선 뒤에 비스듬히 앉아 있는 망량에게 닿았다. 하지만 눈이 마주치자 저도 모르게 흠칫 놀라 시선을 피했다. 제아무리 잘난 놈이라 한들, 화매의 근본인 망량의 힘 앞에선 어린아이의 장난질이나 다름없는 힘이었다.

화매가 소멸하면, 화매를 부리는 인간에게도 그 고통이 전이된다. 밤새 시달린 이마무라의 팔은 시커멓게 죽어 손톱 끝부터 썩어 들어가는 중이었다.

이유 없이 이리저리 내던져진 흰 뱀들의 사체로 가득한 마당. 주병을 기울이던 망량의 머리 위로 밤새 자신을 괴롭힌 흑표범 두 마리가 어슬렁거리며 배회한다.

망량은 이를 가는 이마무라를 보며 싸늘하게 코웃음 쳤다.

－천인공노할 놈이구나. 귀멸자야, 저놈이 훔쳐 간 영루가 어디 있는지 묻거라. 아주 기막힌 소릴 지껄일 것이야. 자, 너희는 가서 뱀고기나 실컷 먹거라.

망량의 말에 화매들이 밖으로 뛰쳐나가 흰 뱀들을 짓밟고 물어뜯는다. 침음을 내뱉는 이마무라를 바라보던 건의 눈썹이 비스듬히 치켜졌다.

"수저를 들지 않을 거라면 상을 무르지. 아, 손이 없어 들질 못하나? 이런 안타깝군. 아무리 죄인이라도 배곯지 않게 하려 노력하였건만."

건은 뻔뻔하게 웃으며 우혁에게 고개를 까딱였다.

의도적인 조롱이다. 부러 집경당에 이마무라를 가두어 둔 뒤, 죽지 않을 만큼의 자유를 주었다. 망량이 직접 현신하여 이마무라와 술래잡기를 할 줄은 몰랐지만, 덕분에 일이 수월해졌다.

"「중전마마를 참으로 많이 닮으셨습니다, 저하.」"

건은 우묵하게 팬 미간을 문지르며 고개를 끄덕였다.

"그런 말을 종종 듣는 편이지. 그럼, 이제 대답해 볼까? 어떤 연유로 경복궁을 찾았으며, 어찌하여 영루를 훔쳤는지. 그리고…… 남은 것들은 어디에 있는지도.”

숨을 몰아쉬며 피식 웃은 이마무라가 고개를 든다.

“「이해가 잘 되지 않는군요. 어찌 제게 그 영루를 물으시는 겁니까. 세자 저하, 이미 그 귀한 영루는…… 그대의 품 안에서 무럭무럭 자라나고 있지 않습니까? 아, 내 이제 생각났어요. 이렇게 자라난 영루를 무엇이라 부르는지.」”

이마무라가 입꼬리를 히죽거린다.

“「염라의 영루가 무엇인지 아십니까? 저하.」”

발 넓은 동현의 지인이 호텔 식음료팀 팀장이라고 했다. 그래서 좋은 가격에 H 호텔의 최고급 뷔페 음식을 마음껏 먹을 수 있는 몇 안 되는 기회라던 민주의 너스레가 머릿속을 둥둥 떠다닌다.

유연은 우준이 한가득 퍼다 준 음식을 앞에 두고도 도무지 집중하지 못했다. 그러자 주위에 모여 앉은 동기들이 한마디씩 거든다.

“유연아, 왜 안 먹어?”

“어휴, 애 마른 거 봐. 너 서화제약 퇴사했다며? 지금 백수야?”

“에이, 설마 유연이가 백수겠어? 나도 유연이처럼 워라밸 챙겨 가면서 살고 싶네. 에휴.”

“야야, 조유연이니까 되는 거야. 얜 뭐든 잘했잖아. 근데 유연아, 너 혹시…… 간택제에 나간 그 여자가 너야?”

올 것이 왔다. 식 도중 우준이 보여 준 건 그녀가 우려했던 바로 그 기사였다. 편의점 앞에서 찍힌 두 사람의 모습이 언론을 통해 뿌려졌다. 어느 정도 예상도 했고 각오도 했지만, 이렇게 직격탄을 맞을 줄이야.

"에이, 민주 결혼식에 갑자기 왕실 얘기를 해요? 자자, 다들 한잔하죠?"

지켜보던 우준이 나서서 수습해 보려 했지만, 기사까지 나간 이상 발뺌은 사실 부질없는 짓이었다.

서둘러 자리를 뜨고 싶은 생각에 그 좋아하는 고기 요리를 포크로 뒤적거릴 때였다. 호텔의 가든 테라스 안으로 하나둘 들어오는 커다란 화환. 그것도 귀한 품종의 우아한 꽃들로 채운 화려한 화환들이 신랑·신부의 자리를 에워싼다.

다수의 시선이 화환에 쏠린 사이, 호텔 지배인으로 보이는 남자가 누군가에게 정중하게 고개를 숙인다. 그리고 뒤이어 들어서는 세 명의 남자를 발견한 사람들의 입에서 환성이 터졌다.

무심결에 돌아본 유연의 손에 들린 포크가 바닥으로 툭 떨어진다. 산뜻한 바이올린 선율과 세 명의 남자는 지독하게 어울리지 않았다. 선두에 선 사람은 타이 없는 셔츠에 슬랙스, 코트를 걸친 건이었고, 그 뒤로 피곤한 낯빛의 이우혁이 뒤따랐다. 하지만 그녀를 가장 놀라게 한 사람은, 아니 동물은……? 아니, 존재는 궐이었다. 하이넥의 얇고 검은 셔츠에 검정 진을 입고 카멜색 코트를 걸친 궐은 영락없이 방금 귀국한 외국인처럼 보였다.

'김궐!'

유연은 저도 모르게 버럭 소리쳤다. 그러자 우혁을 따라 걷던 궐이 흠칫 놀라 걸음을 멈춘다. 그러곤 주위를 슬그머니 둘러보더니,

유연을 발견하곤 무심했던 얼굴에 함박웃음을 지었다.

-주인아!

'아, 아아니! 아니, 오지 마!'

당장에라도 뛰어들려 하던 궐이의 눈썹이 씰룩인다. 자리에 멈춰 선 궐의 어깨에 되돌아온 건이 팔을 두른다. 그러곤 나긋한 미소를 띤 채 궐의 귀에 속삭였다.

사방에서 들려온 헛바람 들이켜는 소리. 얼굴을 붉힌 궐이 고개를 끄덕이자, 세자가 잘했다는 듯 머릴 쓰다듬는다. 그러곤 건은 궐의 손을 잡고 안내된 룸 안으로 들어갔다. 오래도록 이어진 정적 속에서 유일하게 바이올린 선율만이 감미롭게 제 할 일에 충실했다.

"미안해, 유연아. 우리가 착각했나 봐. 어, 음……. 역시 그 기사는 합성인가 보네. 그치?"

"어후, 저 위험한 분위기 어쩔 거야."

"근데 누구야? 아니, 진짜 세자 맞아? 와, 대박."

헛웃음을 흘린 그녀는 입술을 깨문 채 고기가 가득 담긴 접시로 시선을 내렸다. 조금 전까지만 해도 없던 식욕이 무럭무럭 자라난다. 속이 쓰리기 시작했다.

"먹자, 애들아."

"필요한 게 있으시면, 언제든 불러 주십시오."

총지배인의 깍듯한 태도에 대외용 미소를 머금은 이건이 감사의 뜻을 표했다.

"신경 써 주셔서 감사합니다. 친우와 편안한 시간을 보내고 싶으니 주위를 물려 주시겠습니까?"

"그럼요, 모든 녹화 장치를 작동 중지시켜 놓았습니다. 그럼, 좋은 시간 보내시길 바랍니다."

지배인은 능숙하게 호기심의 시선을 갈무리한 뒤 룸을 나갔다. 그제야 우혁이 재킷 주머니에서 꺼낸 감청 확인 장치로 룸 전체를 훑었다.

"의심이 너무 많아, 이 실장은."

"의심해서 나쁠 거 없죠."

"그래, 뭐든 철저한 게 좋지."

룸 내부가 안전하다는 걸 확인한 우혁이 자리에 앉았다. 하지만 퀄의 표정은 썩 좋지 않았다. 입구에서부터 침을 꼴깍꼴깍 삼키더니, 음식이 하나도 없는 방으로 들어온 게 퍽 마음에 들지 않는 눈치다.

"배고프다, 귀멸자야."

벌써 코트까지 벗은 퀄은 음식 냄새가 솔솔 풍기는 입구에 서 있었다. 그에 건이 관자놀이를 문지르며 손가락을 까딱인다. 가까이 오라는 제스처였지만, 퀄은 당당히 거부했다.

"하여튼 말 안 듣는 고양이."

"나는 주인이 아닌 이상 따르지 않는다."

"그래, 그럼 딱 세 가지만 명심해. 네 주인에게 알은체하지 말 것, 음식은 한 번에 한 접시씩. 마지막으로 우린 호텔 입구에서 만난 거야. 나는 우혁과 식사를 하기 위해, 김퀄은 주인이 보고 싶어서."

자신의 제안이 마음에 들지 않는지 퀄의 눈썹이 삐딱하게 올라간다. 가뜩이나 약속의 인장을 깨느라 제법 많은 힘을 쓴 탓에 움직일 때마다 배 속에서 꼬르륵 소리가 나는 궐이었다.

"왜 그런 눈으로 봐? 이제 밥 먹게 해 줄 건데."

"귀멸자야. 놈이 가진 멸첩을 회수해라."

느긋했던 건의 얼굴이 일순 굳었다. 대답 없이 미간을 문지르는 건의 앞으로 궐의 얼굴이 불쑥 가까워진다. 테이블을 짚은 궐이 호박색 눈을 빛내며 재차 다짐을 받아 내려 했다.

"대답해라. 기필코 놈이 가진 멸첩을 회수해야 한다."

"알았어. 잔소리는 그만."

"멸첩은 나의 일기다. 나의 치부이며, 놈의 말은 사실이 아니다."

"그래, 알았다고. 김궐."

단호한 답을 들은 뒤에야 궐은 우혁에게 고개를 까딱였다. 두 사람의 대화를 지켜보던 우혁이 몸을 일으켜 말없이 뒤따른다. 그제야 건은 얼굴에서 미소를 지우고 창밖으로 시선을 옮겼다.

'놈이, 나의 일기를 갖고 있다. 놈이 염라의 영루가 무엇인지를 알고 있다는 것이 그 증좌다.'

'제대로 설명해. 무슨 소린지.'

'……내 오래전 인간에게 영루를 먹였다. 주인을 살리기 위해 염라의 영루가 필요했고 태기가 있던 소의 장 씨에게 영루를 먹게 했다. 무엇이든 해야 했고, 무모하기까지 했지. 나는 광증에 시달리던 이매나 다름없었다. 소의가 희빈이 되고 이윤이 태어나 원자가 되었지만, 영루는 변하지 않고 그대로였다. 염라의 영루는 그렇게 얻을 수 있는 것이 아니었어.'

'그럼 저놈은 왜 그렇게 믿고 있는 거지?'

'내가 일기를 쓰다가 말았거든.'

그 태연하고 뻔뻔한 답에 하마터면 멱살을 잡을 뻔했다.

'뭐?'

'……나의 주인이 목숨을 잃었다. 그리고 나는 그대로 잠들었으니, 일기를 마무리할 수 없었지.'

'그럼, 내 몸 안에 영루가 있다는 건?'

'네 어미가 태기가 있는 채로 영루를 먹은 모양이다.'

지금껏 손댈 수 없이 엉켜 있던 실타래는 어렵지 않게 풀렸다. 왜인의 도움을 받아서라도 어머니가 비의 자리에 올랐어야 하는 이유. 그것은 바로 자신이었다.

그 절실함을 알게 된 놈은 어머니를 이용해 궐에 들어왔고, 시간과 공을 들여 오늘을 준비했다. 더불어 켄이치 이마무라는 소헌군을 이용해 왕실을 혼란스럽게 만든 것도 모자라 이지를 가진 화매를 만들어 자신을 죽이려 했다. 그 모든 것이 염라의 영루를 얻기 위해 설계된 놈의 오랜 계략이라면, 지금껏 아주 꼴사납게 이용당했다는 뜻이다.

도심을 내려다보는 그의 눈동자에 농도 짙은 분노가 넘실댄다. 만일 비식거리며 웃는 놈의 팔을 망량의 화매가 물어뜯지 않았다면, 제가 놈의 숨통을 끊어 버렸을지도 모른다.

'망량.'

건은 이마무라를 감시하고 있을 망량 영감을 불렀다.

—아주, 개나 소나 나를 불러 대는구나. 왜 부르느냐, 귀멸자야.

'이제 놈을 풀어 줘. 이참에 끝을 봐야겠으니.'

—에잉, 좀 더 갖고 놀다 버리면 아니 되겠느냐?

'억하심정이 많군.'

-네놈만 할까.

'그럼 아주 잠깐이다.'

-시간이 얼마 없으니 더욱 열심히 갖고 놀아야겠구나.

건은 피식 웃으며 문 열리는 소리에 고개를 들었다. 양손 가득 챙겨온 음식을 궐의 자리에 내려놓은 우혁이 문을 닫는다. 그 틈으로 사람들 틈바구니에 끼어 있던 그녀가 보였다.

건은 이마무라와의 일로 생각이 많아진 우혁에게 말했다.

"휴가 줄 테니까 스위트룸에서 동물농장 한편 찍어 봐. 온수풀에서 수영도 하고, 룸서비스도 먹고. 흥청망청하게."

"그럼 저하는 누가 돌봅니까?"

"내가 꼭 돌봐야만 하는 어린애는 아니지 않나?"

"아무리 생각해도 제가 보육을 떠맡은 기분인데요."

"그렇게 해서라도 머리 좀 비워. 나 못지않게 너도 휴식이 필요해."

여유를 되찾자 허기가 찾아왔다. 그녀와 소개팅을 했다던 치과 선생의 얼굴까지 확인했으니 소기의 목적은 달성한 터.

"저하, 그 일본인은 어떻게 하실 겁니까."

"풀어 줄 거야."

순간 우혁의 눈빛이 반항적으로 변했다. 건은 쯧, 하고 혀를 찼다.

"걱정 마, 멸첩을 찾으려는 거니까. 현재의 대한민국은 증거의 시대지. 증거…… 놈이 직접 증거를 만들어 가져올 테니 걱정하지 마. 놈의 처분은 왕실 권한으로 이우혁 실장이 맡게 될 거야."

그제야 우혁의 얼굴에 긴장이 풀어진다. 한숨 돌린 우혁이 생각난 것이 있는지 인상을 구기며 되물었다.

"그런데 동물농장이라뇨? 그게 무슨 괴상한 소리십니까?"

핸드백을 챙긴 유연이 일어났다. 유연은 따라 일어나려는 우준의 팔을 조심히 잡으며 어색하게 웃었다.

"화장실 좀 다녀올게요. 그리고 아는 얼굴을 봐서 인사도 하고요."

"빨리 오세요. 조금 이따가 꽃 나눠준다는 것 같은데."

"네, 그럴게요."

웃는 게 웃는 게 아니라는 모 가요의 가사가 머릿속을 맴돈다.

김궐, 김궐, 김궐!

은연중 녀석을 부른 것인지, 스테이크와 바닷가재를 산처럼 쌓던 궐이의 어깨가 움찔 굳었다.

유연은 두 눈을 가늘게 뜨곤 자리를 뜨려는 궐이에게 다가갔다.

"김궐 씨이⋯⋯."

오늘 궐이가 입은 건 건의 옷이었다. 어쩜 이렇게 딱 맞는지. 키와 체격이 비슷하다는 건 알고 있었지만, 사이즈가 이렇게 잘 맞을 줄 몰랐다. 고급 의류가 잘 어울리는 호랑이라니. 유연은 자신을 모른 척하는 궐이를 보며 헛웃음을 지었다.

"김궐, 너 나 모른 척할 거야?"

궐이가 한걸음 옮길 때마다 사방에서 시선이 들러붙는다. 차라리 개량 한복 같은 걸 입고 있을 때가 더 나았다. 그때는 그래도 이 정도까지는 아니었는데.

"궐이, 너."

"나는 이곳 입구에서 귀멸자를 만난 것이다. 유연아, 나는 네가 보고 싶어서 왔다."

뜬금없이 진지해진 말투와 표정에 그녀는 따져 물으려던 마음을 접어야 했다.

"내가 말을 말아야지. 너 그거 저하가 시켰어?"

까치발을 들고 귓속말을 하자 눈에 띄게 당황한 궐이 고개를 젓는다. 와중에도 음식이 든 접시는 흔들림조차 없었다.

"시켰구나."

"아니다. 정말로 네가 너무너무 보고 싶었다!"

"아이, 진짜! 소리 좀 낮추고."

이놈이 요즘 드라마에 푹 빠져 사는 것 같더라니, 연기력이 제법 늘었다.

"됐어, 너 오늘부터 나한테 말 걸지 마. 말 걸기만 해 봐?"

"주인아! 그런 법이……!"

"쓥, 유연 씨라고 하시죠."

"일단 내, 이 음식을 가져다 두고……."

"나 간다. 화장실 갈 거야. 따라오지 마."

유연은 잔뜩 골이 난 얼굴로 어서 들어가라며 손을 흔든 뒤 서둘러 자릴 뜨려 했다. 하지만 입구에서부터 요란하게 뛰어 들어오는 민주에 의해 그 자리에 멈춰 서고 말았다.

"꺄악, 김궐 씨!"

마치 연예인을 발견한 사람처럼 비명을 내지른 민주가 뛰어오더니 다짜고짜 그녀와 궐이의 팔짱을 끼워 잡았다.

"왕실에서 꽃다발이 왔다며! 세자 저하 안 온다더니, 순 거짓말쟁이! 내가 세자빈 될 친구를 둔 덕에 왕실에서 꽃다발도 받아보고,

하……여한이 없다, 친구야."

야, 박민주!

헛바람을 들이켠 유연은 사레들린 사람처럼 새빨개진 얼굴로 기침을 했다. 멈추지 않는 기침에 눈물까지 찔끔 난다. 이 악의 없이 밝고 유쾌한 친구가 원망스러울 지경이었다.

"어머, 유연아! 괜찮아? 어머, 어머!"

가까이에 있던 모든 사람, 궐이에게 눈길을 빼앗겼던 동기들과 뷔페 직원들의 시선까지 일제히 유연을 향한다.

"따뜻한 물, 가져오세요."

고통스럽게 기침을 쏟아 내던 그녀는 자신의 등을 따뜻하게 감싸는 손길에 놀라 고개를 돌렸다. 언제 룸에서 나온 것인지 그녀를 반쯤 안아 버린 세자가 직원에게 재차 요구한다.

"따뜻한 물수건도 부탁합니다."

당황해 입술을 달싹이던 직원이 부리나케 어디론가 향했다. 얼굴을 붉힌 채 뻣뻣하게 굳어 있는 그녀의 등을 쓸어내린 건이, 눈가에 맺힌 눈물을 엄지로 문지른다.

"이렇게 손이 많이 가니 눈을 뗄 수가 있나."

유연은 입술만 뻐끔거리며 직원이 가져온 따뜻한 물을 벌컥벌컥 마셨다. 다행히 기침은 멎었음에도, 그는 여전히 그녀의 어깨를 꽉 끌어안은 채였다.

"저기……."

"세자 저하! 어휴, 삼겹살 구워 드린 걸 이렇게 갚으시는 거예요? 최고예요, 최고!"

민주야, 제발.

"우리 김궐 씨도 고기 많이 먹어요. 어휴, 오늘도 잘생겼네! 둘이 그날 친해진 거예요? 근데 왜 유연이랑 같이 안 오시고? 아! 설마 애인 감시하러 따라오신 거예요?"

으아악!

유연은 민주의 입을 틀어막고 싶었지만, 화장이 너무 고와서 차마 이도 저도 못 한 채 동현에게 도움의 눈빛을 보냈다. 하지만 부창부수, 부부는 일심동체라고 했던가.

"에이, 어차피 유연 씨가 세자빈이 될 텐데 저하께서 그러셨겠어? 스케줄 때문에 엇갈리신 거겠지. 안 그렇습니까? 하하, 다시 한번 축하해 주셔서 감사합니다!"

유연은 핸드백으로 슬그머니 얼굴을 가렸다. 정수리 위로 웃음을 참는 그의 기척이 느껴졌다. 주먹으로 입가를 가린 채 터져 나오려는 웃음을 누른 건이 생긋 웃으며 동현에게 손을 내민다.

"당연히 축하드리러 와야죠. 그리고 저는 아직 프러포즈에 대한 답을 못 들었습니다. 그래서 잘 보이려고요. 그래야 조유연 씨가 세자빈이 되지 않겠습니까?"

건의 너스레에 다들 웃음을 터트렸으나, 유연은 연기가 되어 이 자리에서 사라지고 싶었다.

귀 끝까지 새빨개진 그녀의 옆얼굴로 고개를 기울인 그가 핸드백을 내리더니, 눈물이 그렁그렁한 눈을 응시하며 얄밉게 속삭였다.

"어쩌나, 내 성격이 좋지 않은 걸 또 들켜 버렸네."

"……진짜 미워요."

"끝까지 모른 척하려고 했어. 그러게 왜 거기서 기침을 하고, 사람을 걱정시켜?"

치웅

"와, 내 탓이다? 누구 때문에 기침했는데!"

욱하는 마음에 최대한 목소릴 낮춰 따져 묻는 그녀의 눈가에 부드러운 손끝이 닿는다. 그녀의 가슴 안쪽이 따끔거리며 뜨거워지기 시작했다.

"김궐 때문이지. 너라면 사족을 못 쓰는 네 남사친 때문에. 그렇지?"

아픈 팔을 부여잡은 이마무라는 미친 듯이 출구를 찾아 뛰었다. 진땀이 흘러 온몸이 축축하게 젖고, 목구멍으로는 신물이 넘어온다.

이마무라는 망량이 만든 미로 속에 갇힌 상태였다. 조금이라도 숨 돌릴 틈이 있었으면 괜찮았으련만, 숨이 차 걸음을 멈추면 어디선가 튀어나온 백사가 제 몸을 물어뜯었다.

모두 본인이 부리던 화매들이었다. 제가 부리던 화매들이 주인의 살점을 물어뜯고, 피를 쏟게 한다. 물어뜯긴 자리마다 피부가 썩어 들어가 시커멓게 죽어 버렸다.

"「그만하시게! 제발, 그만!」"

피를 토하는 심정으로 이마무라는 바닥을 기며 애원했다. 하지만 들려오는 건 망량의 코웃음뿐.

－아직 멀었다. 감히 나의 영루를 훔쳐 인간에게 먹여? 그것도 모자라, 감히 귀멸자의 몸에 영루를 심다니. 내 오래전 말 안 듣는 호랑이 한 마리가 그 짓을 하였을 때 이렇게 굴렸어야 했는데, 쯧!

망량의 목소리가 울릴 때마다 쭈뼛쭈뼛 털이 서고 소름이 돋는다. 이마무라는 자신을 괴롭히는 존재가 실존하는 망량이라는 것을 믿을 수 없었다. 그뿐인가? 대체 검은 범은 무엇이고, 말을 하는 청매는 대체 무엇이란 말인가.

'「설마, 왕실은 호락호락하지 않을 거라고 했던 말이, 이런 뜻이었나?」'

이마무라는 이태와의 대화를 곱씹으며 바닥의 흙을 움켜쥐었다.

"「나도, 나도 종친이오! 나도 왕실의 피를 이어받은 자란 말이오! 왜인의 씨를 뱄다 하여 조선에서 쫓겨난 왕손의 후손이란 말이오!」"

하지만 망량은 그의 애원에 답하지 않았다.

이마무라는 다시 도망치기 시작했다. 다리에 힘이 들어가지 않아 넘어지고 구르기를 반복하다 손에 닿는 누군가의 바짓단을 강하게 움켜쥐었다.

순간 사위를 가득 채웠던 안개가 순식간에 사라진다. 청량한 바람이 불어와 축축하게 젖은 이마를 쓸어 넘겼다.

이마무라가 붙든 건 창백하게 질린 이태의 바짓가랑이였다.

"「나 좀. 하아⋯⋯ 나 좀 살려 주시게.」"

만신창이가 된 이마무라를 내려다보던 이태는 입술을 덜덜 떨며 천천히 돌아섰다. 그곳엔 태평한 표정으로 누마루에 앉아 연초를 태우는 망량이 있었다.

자신을 지그시 응시하는 망량의 백안을 마주한 이태는 털썩 무릎을 꿇었다.

"그, 그만해 주십시오. 한낱 인간일 뿐입니다."

"왜놈의 편을 드는 것이냐."

"편을 드는 것이 아니라, 부탁드리는 겁니다. 제발."

"못난 놈."

망량이 연기를 흘리며 고개를 홱 돌린다.

"화매의 힘을 무시하지 마라. 나는 네놈들에게 이런 짓을 하라고 힘을 준 것이 아니다. 감히, 나의 힘을 의심하여 부족하다 여긴 것이더냐? 못난 것들. 귀멸의 힘과 화매의 힘은 다르지 않거늘 어찌 욕심을 부리는 것인지."

이태는 집경당 내에 가득한 힘에 눌려 고개를 들지 못했다. 지금껏 느껴 본 그 어떤 힘과도 비교할 수 없을 만큼 압도적인 위압감이다. 이런 존재를 인간이라 생각했던 제가 한심할 지경이었다.

이태의 바짓가랑이를 붙잡은 채 가쁜 숨만 몰아쉬던 이마무라는 기회를 틈타 도주를 시도했다. 한쪽 다리가 망가진 것인지 절뚝거리며 홍줄 밖으로 기어나가려던 때였다.

"그대가 어찌 이곳에……."

붉은 용포가 이마무라의 눈앞에 펄럭인다. 집경당을 찾아온 이숙의 등장에 이마무라는 혼비백산해 내달리기 시작했다. 그에 이숙은 이마무라를 뒤쫓으려는 내금위에게 자리를 지키라 명했다.

"소란 떨지 마라."

이숙은 홍줄을 걷고 안으로 걸어 들어갔다. 그러곤 고개도 들지 못한 채 덜덜 떠는 이태의 옆에 서서, 누마루에 앉은 망량에게 예를 갖추었다.

"망량을 뵙습니다."

주상의 경건한 태도에 뒤따르던 이들 모두 깊게 허릴 숙였다.

"오냐. 아주 오랜만에 제대로 된 인사를 받는구나."

"망량께서 현신하신 연유는 알지 못하나, 나의 아이를 용서해 주십시오."

"흥, 속도 없는 놈."

"집안일은 집안에서 해결해야 하는 법. 주신께 기회를 청합니다."

"네놈은 나를 알고 있구나."

"어찌 모르겠습니까. 사온서의 주인이신 망량 영감을."

망량은 쯧쯧 혀를 차며 몸을 일으켰다. 사뿐한 걸음으로 마당으로 내려와 이태의 소매를 곰방대로 걷어 올렸다.

"으윽……."

"고통스러우냐."

"예."

피고름으로 가득한 이태의 팔을 본 망량이 한심하다는 듯 고개를 젓는다.

"화매로 혈육을 해하려 하였으니, 이 꼴을 당하는 게다. 화매에는 다른 뜻이 있지. 재앙(禍)을 다루는 이매라는 뜻이야. 그리고 재앙은 주인의 명을 담보로 화(禍)를 행한다. 어리석은 것. 그래도 네놈들 덕분에 다들 모이게 되었으니, 오랜만에 아주 잘 놀아 봐야겠다."

부채를 살살 흔든 망량은 그대로 연기처럼 사라졌다. 그제야 이태는 가쁜 숨을 쏟아 내며 몸을 일으켰다. 눈앞이 핑 돌아 하얗게 질린다. 망량의 앞에선 제대로 숨도 쉬지 못했던 탓이었다.

이숙은 한숨을 내쉬며 조금 전 망량이 있던 마루에 털썩 앉았다.

"결국, 이리되는구나."

"저, 저는……."

"태야, 켄이치 이마무라. 놈은 이령 공주의 후손이지만, 극우주의에 빠져 왕실의 권위를 훼손하려 기회만 노리던 놈이다. 내가 그를 몰랐을 것 같으냐."

"이마무라가 극우주의자인 것은 몰랐습니다. 알았다면, 저도!"

"태야!"

황망히 떨리는 이태의 말을 끊어 버린 이숙이 주먹을 말아 쥔다. 드물게 엄한 눈빛을 한 주상의 목소리가 집경당을 채운다.

"나는 네가 송이의 아들이란 이유만으로 너를 품고 싶었다. 그저 품는 것만이 아우에게 진 빚을 갚는 길이라 생각했지. 하지만 세자는 너를 이해해 보려 노력했던 것 같구나. 하여, 마지막으로 네게 기회를 주마. 대체, 무슨 일이 있었던 것인지 네 입으로 실토하라. 부탁이다, 태야."

풀 빌라의 화려한 문을 열자마자 우혁의 눈에 보인 건, 솔솔 김이 오르는 온수풀과 룸 곳곳에 흩어져 늘어진 세 사람이었다. 우혁은 벌떡 일어나 옷을 벗기 시작하는 궐이를 보며 이맛살을 찌푸렸다.

"김궐 씨, 옷은 워킹 클로젯에서 벗어 주시죠."

그러자 흘끔 돌아본 궐이 코웃음을 치더니 홀딱 벗은 채로 외부와 연결된 문을 연다. 그러고는 그대로 온수풀에 다이빙했다.

다행히 풀 빌라는 외부의 시선에서 차단된 프라이빗한 공간이었다. 우혁은 반쯤 포기한 심정으로 바닥에 떨어진 옷을 주워 들었다. 그러자 쪼르르 다가온 꼬맹이가 우혁의 옷을 잡아끌었다.

"이보게, 요기할 것은 없나? 나는 달콤한 걸 원하네만."

"룸서비스 준비할 테니 기다리시죠."

"그것이 무엇인지 모르겠으나, 이곳은 참으로 멋진 곳이구나. 내 귀멸자에게 부탁해 종종 찾아야겠다."

주위를 둘러보며 눈을 빛낸 청송은 물 위에 둥둥 떠 있는 궐에게로 종종종 달려갔다. 그 모습을 심드렁하게 바라보던 우혁이 향한 곳엔 도포를 걸친 사내가 있었다.

우혁은 곰방대를 빼앗은 뒤 연기가 나지 않는 가짜 담배와 와인 한 병을 쥐여 주며 고개를 숙였다.

"호텔 내에서는 금연이니, 이것으로 만족하시지요."

"허, 네놈 제법 눈치가 좋구나."

"그날은 도와주셔서 감사합니다."

"너를 도운 것이 아니라 내 분풀이를 한 게야. 그런데 이 술은 무엇인고?"

와인을 처음 본 것인지 망량의 미간에 주름이 새겨진다. 제 또래의 사내가 노인 같은 말투를 구사하는 것에 위화감이 느껴지지 않는다는 것 또한 신기한 일이었다.

"와인이라는 겁니다. 과일을 이용해 만든 술인데, 그리 달지는 않습니다."

"흐음…… 우릴 다 여기로 불러들여 놓고 귀멸자는 대체 무엇을 하려는 것이지?"

"글쎄요. 하지만 제가 이곳에 있는 이유는 알 것 같네요."

우혁은 스위트룸에서 동물농장 한 편을 찍어 보라고 했던 건의 말을 곱씹으며 다시금 온수풀로 시선을 돌렸다. 그곳엔 막 물속으로 뛰어드는 청송과 멀찍이 도망치는 궐이 보였다. 모르는 사람이 보았을 땐 제법 한가롭고 평화로운 모습이겠지만, 우혁에게는 아니었다.

'휴식하라면서요, 저하.'

된통 당한 기분이다.

청송이 원하는 달달한 간식을 잔뜩 주문한 우혁은 답답한 재킷을 벗고 넥타이를 풀었다. 그러곤 셔츠를 벗으며 온수 풀장의 문을 열었다. 썩 마음에 드는 휴식은 아니었지만, 이 또한 자주 오는 기회는 아니었다. 피할 수 없으면 즐기란 말도 있지 않은가?

까르르 웃던 청송과 유유히 떠 있던 궐이 물 가장자리에 선 우혁을 올려다보며 눈을 깜빡인다. 벗은 옷을 베드 위에 가지런히 올린 우혁이 벨트를 당겨 풀며 말했다.

"같이 놉시다, 아주 건전하게."

꽃을 받았다. 식장을 가득 채웠던 꽃을 한 다발 품에 안은 유연의 앞으로 우준이 다가왔다. 유연은 멋쩍게 웃으며 우준과 마주 섰다.

"오늘 태워다 주셔서 감사했습니다."

"저도 유연 씨 봐서 좋았습니다. 그런데 이거."

우준은 코트 안쪽 주머니에 넣어 둔 작은 봉투 하나를 꺼냈다.

"지난번 물어보신 약품에 대한 겁니다. 100%는 아니지만 도움이 될 것 같아서 가져와 봤어요."

"고맙습니다. 정말로 감사해요."

그녀는 화색이 도는 얼굴로 우준이 내민 봉투를 받아들었다.

엄마의 치료를 제중원에서 도맡은 상태이긴 하지만, 여전히 직접 해결해야 할 일들이 가득하였다. 지푸라기라도 있으면 움켜쥐고 싶은 지금, 우준의 친절이 너무나 고마웠다.

"원래는 유연 씨한테 데이트 신청하려고 했는데, 완전 포기예요. 세자 저하를 적으로 두고 싶진 않네요."

"다음에 제가 진짜 맛있는 밥 살게요. 데이트 말고 미팅으로요. 너무 감사해서 꼭 보답하고 싶어요."

"그럴까요? 그럼, 기대해도 되는 거죠?"

"그럼요."

유연은 제게 집중된 관심의 눈길을 애써 무시하며 우준과 악수했다. 품에 안은 리시안셔스에서 풋풋한 향기가 난다.

신혼여행을 떠나는 민주를 우준과 함께 배웅하고, 다시 호텔 안으로 들어왔다. 그러자 가까이에 대기 중이던 세자익위사들이 다가오더니 예를 갖춘다.

모두 얼굴을 아는 사람들이었건만, 오늘따라 조금 경직된 느낌이 들었다. 이렇게 공개적인 자리에서 자신을 연인이라 발표했으니 그들로선 제가 좀 더 어려워졌겠지.

유연은 로비에 앉아 아는 얼굴들이 모두 사라지길 기다렸다.

건의 프러포즈에 답하지 않은 이유는 제법 많았다. 아직, 엄마가 눈을 뜨지 않았다. 게다가 하고 싶은 일도 많았고, 해결해야 할 일도 있었다. 제가 귀안을 가졌다는 것과는 별개로, 아직 자신의 삶에 큰 그림을 그리지도 못했다. 이런 어중간한 상황에서 혼인이란 제도 뒤로 도망치고 싶지 않았다.

어느덧 주변이 조용해진 걸 느낀 그녀는 꽃다발을 챙겨 몸을 일으켰다. 제법 침착해진 마음으로 승강기에 올라타 카드를 대자, 자동으로 층에 불이 들어왔다. 그녀는 승강기 중앙에 서서 꼭대기 층에 다다르길 기다렸다.

그나저나 궐이를 데리고 뷔페에 등장한 것 자체가 계획적이었다, 이거지?

'다 알면서.'

그녀의 굳게 다문 입술 사이로 작게 실소가 새어 나왔다. 게다가 혼자서는 올 수 없을 것 같으니, 궐이와 이우혁 실장까지 끌어들인 그가 귀여웠다.

빨간 입술을 잘근잘근 깨물며 웃음을 참은 유연은 멈춰 선 승강기에서 내려섰다. 카펫이 깔린 복도를 몇 걸음 내딛던 그녀는 커다란 양개문 앞에 비스듬히 기대서 있는 건을 발견했다.

그는 그녀가 다가오기를 기다리고 있었다. 제가 오기 전까지는 방문을 열어 보지도 않은 것인지 봉인 태그조차 그대로였다.

주머니에 넣었던 손을 뺀 그가 손가락을 까딱인다. 유연은 피식 실소하며 느긋한 걸음으로 다가갔다.

고작 한 걸음을 남겨 두고 그녀가 걸친 코트 안으로 들어온 손이 가느다란 허릴 감싼다. 그의 가슴팍에 짓눌린 리시안셔스의 꽃잎이 발밑으로 떨어지고, 가까워진 숨결이 삽시간에 그녀를 삼켰다.

구명줄처럼 끌어안고 있던 꽃다발이 뭉개지고, 떨어진 꽃잎들이 궤적을 그리듯 침대까지 이어진다. 마치 버진 로드에 뿌려진 장식처럼 보이기도 했다.

하얗게 드러난 살갗에서 풋내가 진동한다. 한 짝씩 벗겨진 구두가 카펫 위를 나뒹굴고, 바람의 계절답지 않게 지끈한 땀이 흘렀다.

"왜 이렇게 늦게 왔어."

푹신하고 부드러운 입술이 예민해진 피부 위를 더듬고, 새어 나온 숨결은 가슴을 간질인다.

"그냥. 괜씸해서요."

"네가 안 올까 봐 문 앞에서 기다리다가 애가 타 바스러지는 줄 알았어."

제 앞에서만 유일하게 드러내는 무방비한 그의 표정이 좋다.

어느 날인가부터 행복이 무엇인지 궁금해하지 않았다. 하루하루 살아 내기 급급했고, 타인의 행복에 관심조차 주지 않았다. 비교를 시작할 때 비로소 불행해진다는 것을 깨달은 탓이었다. 하지만 어째서 이제 와 궁금해지는 걸까. 이제 와 꿈이 생겼고, 이제 와 느린 걸음으로 걸음을 내디딜 수 있게 되었다.

겁쟁이인 주제에 강한 척 살았고, 사람을 무서워하면서도 미움받고 싶지 않아 누구와도 쉽게 친해졌다. 처음에는 나쁘지 않은 삶의 방식이라고 생각했다. 하지만 그것은 저 자신의 깊숙한 감정을 들여다보지 않았기에 내린 판단이었다.

나는 약하다. 약해 빠지고, 어리석다. 하지만 이 또한 이 사람을 만나지 않았다면 알지 못했을 감정이었다.

귀한 눈을 가졌다 한들 할 수 있는 일은 거의 없다. 그저 살아 있는 것. 그리고 그가 원할 때 도움을 주는 것이 제가 할 수 있는 일의 일부였다. 고작, 그뿐이었다.

그럼, 나는 쓸모를 증명해야 할까. 존재 가치를 찾아내야 할까. 그것도 아니면 행운처럼 손에 움켜쥔 지금의 행복에 안주해야 할까. 무엇이 답일까.

"하!"

급격하게 치밀어 오른 고양감에 저도 모르게 헛바람을 내뱉었다. 유연은 미끈거리는 그의 어깨를 움켜쥐며 고개를 젖혔다. 자신을 내

치웅

려다보는 남자의 흐트러진 얼굴로 손을 뻗었다. 땀에 젖은 이마를, 불거진 눈가를, 손톱으로 꾹 누른 것처럼 선이 그어진 그의 입술을 어루만졌다.

"조금만 더…… 숙여 봐요."

"응."

툭 터져 나온 숨을 내쉰 그가 발끝으로 시트를 밀어낸다. 몸을 웅크리듯 파고들어 와 그녀의 얼굴 가까이 고개를 기울였다.

팔꿈치로 시트를 짚어 상체를 조금 세운 그녀는 그의 젖은 입술을 깨물었다. 슬쩍 들러붙는가 싶더니 그녀의 목 뒤로 커다란 손이 파고들었다. 혈관이 비칠 만치 얇은 살갗조차도 방해가 된다고 느껴질 만큼, 입맞춤에 호흡이 가빠질 정도로 서로를 탐했다.

깊은 고민이 무색하게, 이 또한 놓아줄 수 없다는 욕망이 들끓는다. 이성을 지켜야 한다는 것도 알고 있지만, 이 남자가 너무 좋아서 애가 닳고 자꾸 눈물이 났다.

정말이지, 갈대가 된 것처럼 이리저리 흔들렸다.

"이러려고 여기 데려온 거죠?"

무릎을 모은 그녀는 가슴 높이에서 찰랑거리는 욕조 물을 손가락으로 튕겼다. 그러자 바닐라 아이스크림을 떠 그녀의 입에 넣어 준 그가 피식 웃는다.

"집에는 욕조가 없고, 내 침전에서는 절대로 한 욕실을 쓰지 않겠다고 못 박았으니까. 방법이 없잖아."

그의 기분 좋은 목소리가 제법 넓은 욕실 천장을 울린다. 물에서는 비 맞은 장미 향이 났다. 마당에 흐드러지게 피어난 장미 덩굴 아래에서 맡았던, 진짜 꽃냄새가.

달콤한 바닐라 아이스크림을 녹여 삼킨 그녀가 입술을 깨물자 가만히 보던 그가 짧은 침음을 뱉었다.

"네 가장 큰 문제는, 문제가 문제인지 모르는 게 문제야."

"그게 무슨 소리예요? 문제가 문제인지 모르는 게 문제라니. 말장난도 하세요?"

"그냥 그렇다고. 너랑 눈 마주칠 때마다 내 몸 어디가 고장 난 것 같아서 그래."

귀 뒤로 가지런히 넘긴 그녀의 머리카락 끝이 물에 잠겨 흔들린다. 무릎을 모은 채 턱을 괴고 있던 그녀가 슬그머니 그의 방향으로 몸을 기울였다. 그러자 아이스크림 스푼을 입에 문 그가 입술 끝을 끌어올리며 손을 뻗는다. 미끄러지듯 품으로 파고들어, 단단한 허벅지 위에 앉았다. 가느다란 허리를 감싼 그가 욕조 벽에 머릴 기대더니 제 위에 앉은 그녀를 올려다보았다.

건은 스푼을 고블릿에 걸쳐 놓은 뒤 욕조 가장자리에 팔을 걸쳤다.

"묻고 싶은 게 많은 얼굴인데."

"많아요."

"그럼, 공평하게 하나씩 질문할까?"

"전혀 공평해 보이지 않는데……."

"내가 무슨 말을 할 줄 알고."

"난 다 알 거 같은데, 저하는 모르겠어요?"

"응. 전혀 모르겠는데?"

거짓말이다.

그는 여유롭게 미소 지으며 그녀의 쇄골 아래 입 맞췄다. 간질이듯 핥은 뒤 잘근 깨물어 잇자국을 새긴 뒤에야 만족스러운 얼굴로 붉은 자국을 어루만진다. 그 간지러운 감각에 유연은 건의 목덜미로 이마를 댔다.

"얼굴 봐봐."

한쪽 손으로 뺨과 귓바퀴를 한 번에 감싼 그가 속삭였다.

"조유연. 이제 물어봐야지. 여긴 왜 왔는지, 왜 김궐과 함께 온 건지, 대체 무슨 꿍꿍이인지."

"물어보면 대답해 주실 거예요?"

고개를 든 그녀의 눈가가 일그러진다. 난감한 듯 자꾸만 아래를 내려다보며, 그의 팔을 움켜쥔 손에 힘을 주었다.

"대답해 줘야지. 네가 궁금하다면."

"그럼…… 아까 저하가 말씀하신 거 다 알려 주세요. 왜 온 것인지, 김궐은 어떻게 된 거고, 기사는 또 무엇인지도."

"음, 하나씩 하자니까."

그의 눈매가 가늘어지는가 싶더니, 물이 한번 크게 출렁거렸다.

"그, 그럼 궐이부터……."

마른침을 삼킨 그녀의 발끝이 바르르 곱아든다. 그녀의 등을 감싸듯 안은 그가 탄식을 내뱉으며 입술을 살짝 벌렸다. 지끈한 감각에 정신이 하나도 없었다.

"호텔 앞에서 만났어. 나야 당연히 널 보러 온 거고. 함께 식사하겠냐고 물었더니, 의심도 없이 따라오던데?"

거짓말.

움직일 때마다 욕조 물이 넘쳐 타일 바닥으로 쏟아져 내린다. 유연은 주먹으로 그의 가슴팍을 때렸지만, 그는 아랑곳없이 그녀를 몰아붙이기 시작했다.

"그리고 왕세자가 프러포즈했다는데, 언론사에서 가만히 있는 게 말이 안 되잖아."

그녀는 도망치듯 몸을 뺐다. 하지만 배를 감싸 몸을 붙여온 그가 그녀의 귀와 어깨를 차례로 깨물며 한쪽 손으로 맞은편 벽을 짚는다.

"그럼 이번엔 내 질문."

참을 수 없는 감각에 절로 눈가가 젖었다. 탁하게 가라앉은 음성이 피부를 통해 전해진다.

"당장에 프러포즈를 받아 주지 않을 거라면, 내 눈 닿는 곳에라도 있어. 예화로 들어와. 학예사 자격증이 있으니, 입사 요건도 충분해."

"예화요……?"

"예화가 싫으면 RSA로 들어와도 좋고. 하지만 분명, 미술관에서 일하는 게 꿈이라고 들었던 것 같은데. 내가 틀렸나?"

축축해진 눈가에 입 맞춘 그가 그녀를 돌려세우더니 번쩍 안아 든다. 젖은 몸을 닦을 틈도 없이 그대로 욕실을 나섰다. 워킹 클로젯과 이어진 침실의 커다란 침대 위에 그녀를 눕힌 그가, 무릎을 세워 올라왔다.

"대신, 네가 왜 대답하지 않는지. 김궐과 네 관계는 언제부터 시작된 치정인지. 치과 선생이 어째서 내 여자를 그렇게 애타는 눈으로 보았는지. 묻지 않을게."

덫이다.

제대로 말려들었다는 기분에 헛웃음을 흘리는 그녀의 **뺨**에 따뜻한 손이 닿는다. 손가락으로 입술을 문지르다가 틈새를 파고들어 반 듯한 치열을 훑었다.

여유로운 그 태도에 어처구니가 없어진 그녀는 이를 벌려 그의 손 가락을 콱 깨물었다.

"대답해야지, 이렇게 아무거나 막 물어 버리면 쓰나."

동그란 무릎이 잡혀 넓게 벌어졌다. 시선을 내린 그 나른한 눈빛 에 첨예한 욕망이 스며든다. 한층 더 짙어진 눈동자를 빛낸 그가 속 삭였다.

"응? 대답하라니까. 조유연."

누마루 기둥에 기대어 앉은 이태가 한참 만에 말문을 열었다.

"아버지는…… 대비의 저주로 죽었습니다."

"어찌 그리 생각했느냐?"

"제 눈에는 보이지 않았지만 팔다리가 모두 썩고, 눈이 녹아 형체 조차 알아보기 힘들었다고 했거든요. 그것은 대비의 저주였고, 이미 너무 오랜 시간 시달려 왔기에 의심조차 하지 않았습니다. 그 모습 을 본 어머니는 광증에 걸리셨습니다. 그것이 제가 한국을 찾은 이 유입니다."

이태는 주먹을 말아 쥐며 말끝을 흐렸다. 눈을 감은 채 가만히 생 각에 잠겨 버린 주상이 보인다.

이태가 켄이치 이마무라를 조금이나마 믿었던 이유는, 아버지의 친우였기 때문이다. 아버지는 대비에게 미움을 받을지언정, 항상 고국을 그리워하셨다. 그런 아버지가 극우세력과 어울렸을 거라고는 상상도 하지 못했다.

"궐내에 염라의 영루가 있다는 소식을 들었습니다. 그것은 불로장생의 묘약으로 알려졌지만, 실제로는 불치병을 고치는 데 쓰인다고요. 하지만 영루를 얻기 위해서는 형님이 방해가 될 거라고 하였습니다. 그래서……."

"세자를 해하려 하였나."

"부끄럽지만, 그렇습니다."

이태는 고개를 깊숙하게 숙였다.

이마무라는 종친을 박대하는 왕실에 대항하여 권리를 되찾자는 명목으로 접근해 왔다. 아버지의 죽음도, 대비의 패악에 대해 자세히 알려 준 것도 그였다.

그때는 눈이 멀었었다. 이미 결론을 내린 뒤, 정황을 끼워 맞추어 분노를 키워 나갔다. 더욱이 이마무라가 준 밀첩이란 것의 사본이 이태를 부추겼다.

"어머니의 패악에 힘들었을 네 가족에게 미안하구나. 하지만 어머니도 이유가 있으셨다. 그저 후궁의 아들이라 하여 의언군을 박대하였다면, 나 또한 반항했겠지."

이태는 무거운 고개를 서서히 들었다. 그러자 멀리 떨어져 있던 상선이 작은 단지를 들고 다가왔다.

"무엇에 홀린 것처럼, 송이가 나를 죽이려 했다. 어느 날은 시퍼런 칼을 들고, 그 어느 날은 독이 든 차를 권했으며, 그 어느 날은 내 목에 줄을 감았지."

"아버지가요……?"

이태는 믿지 못하겠다는 표정으로 두 눈을 크게 떴다.

"이것은 말이다, 해결하지 않고 마음 편히 덮으려고만 했던 과거가 내게 경고하는 것 같구나. 그저 모른 척, 마음 쓰지 않는 척, 나의 진심만을 알리면 된다고 생각했던 내 불찰이다."

어느새 다가온 상선이 이태의 옆에 앉아 조심조심 소매를 걷어 주었다. 그러곤 반투명한 묽은 연고를 피고름이 나는 곳마다 바른다.

"태야, 너는 네 아비의 복수를 하고자 한 것이냐. 네 어미를 살리고자 한 것이냐. 아니면 그저 이 왕실이 꼴 보기 싫었던 것이냐."

이태는 대답하지 못했다. 연고를 바르고 붕대로 감아 고정할 때까지, 이태는 주상의 옆얼굴을 창황한 눈빛으로 응시했다.

"나는 아직 이곳에 머물러 있는데, 내가 기억하는 것들은 쉼 없이 변하고 하염없이 멀어져만 가는구나."

씁쓸하게 뇌까린 주상이 몸을 일으킨다. 이송의 몸이 썩어 들어가 목숨마저 잃었다는 것은, 그간 자신을 괴롭혔던 것들 모두 의언군이 만들어 낸 화매라는 뜻이다. 그저 핏줄이란 이유로 어떻게든 품고자 하였던 아우는, 눈을 감기 직전까지 자신을 증오하였다.

잠시 휘청거렸지만 혼자 힘으로 꼿꼿하게 선 주상은 슬픈 얼굴을 한 상선에게 말했다.

"상선, 그대가 소헌군을 책임지고 보살피게. 그리고 상처부터 치료하고 난 뒤, 네 어미를 고칠 방도를 찾아보자꾸나."

꼿꼿한 걸음으로 집경당을 빠져나가는 왕의 그림자가 뒤따르듯 늘어진다. 말없이 아미산을 바라보며 걸음을 내딛던 이숙이 돌연 멈춰 서서 주먹을 말아 쥔다. 아주 오랜만에 단전 깊숙한 곳에서부터 치밀어 오른 분노에 이가 갈렸다.

"내금위장 들어라."

"예."

"궐 밖으로 도망친 켄이치 이마무라의 뒤를 쫓아라. 놈의 일거수
일투족을 내게 고하고, 조선 땅에 기생하는 놈들의 목에 오랏줄을
매달거라. 알았느냐?"

서슬 퍼런 주상의 명에 내금위장의 눈동자가 비장하게 빛났다.

"명, 받잡겠나이다."

더 캐슬

VOL 2   The Castle

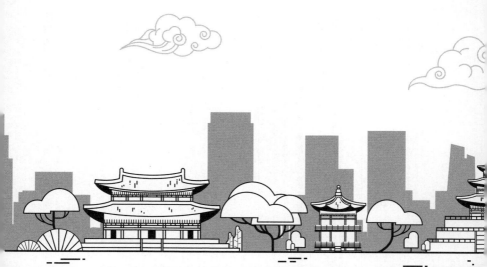

CHAPTER 15

예궐

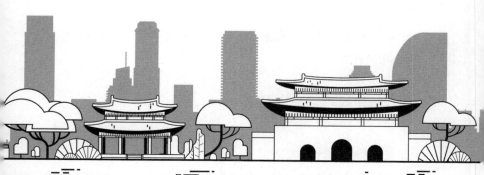

15

예궐

    미친 듯이 궐을 빠져나온 이마무라는 자신을 쫓는 이가 없다는 것에 더욱 큰 불안감을 느꼈다. 절뚝거리며 담장을 따라 걷는 그에게로 의아한 시선이 차례차례 쏠린다. 마치 망량 영감의 미로에서 빠져나오지 못한 기분도 들었다.

    파랗게 질린 그는 결국 도로로 뛰어들어 급히 멈춰 선 택시를 잡아탔다. 당황한 택시 기사가 위험하게 무엇 하는 짓이냐며 따져 물었지만, 그의 귀엔 아무것도 들리지 않았다.

    기사는 뒷좌석에 몸을 웅크린 채 덜덜 떠는 이마무라를 돌아보며 혀를 찼다.

    "거참, 이상한 사람이네? 어디 아파요? 병원으로 갈까요?"

    고개를 급히 저은 이마무라는 말을 하는 대신 주소가 적힌 쪽지 한 장을 내밀었다. 쪽지에 적힌 건, 이태의 주상복합 아파트 주소였다. 제법 고급 아파트 주소를 받아든 기사가 의외란 표정으로 택시를 출발시킨다.

이마무라는 종로에서 벗어난 뒤에야 웅크렸던 몸을 펼 수 있었다.

'「분명, 염라의 영루는 세자의 몸속에 있다고 했는데……..」'

멸첩에 따르면, 태기가 있던 소의 장 씨가 영루를 먹었고 원자를 출산하였다고 했다. 멸첩의 필자는 원자가 성인이 되기만을 기다렸다고도 적혀 있었다.

멸첩은 틀리지 않았다. 화매에 관한 것도, 영루를 이용해 잠시나마 귀안을 갖는 법도 모두 맞아떨어졌다. 그런데 가장 중요한 염라의 영루에 관한 내용이 잘못되었다? 아니다. 잘못된 것은 그들이라고 이마무라는 믿어 의심치 않았다.

"손님, 도착했습니다."

다리가 뜯겨 나가는 고통도 의식하지 못한 채 생각에 잠겨 있던 이마무라는 택시에서 내리자마자 건물 안으로 들어갔다. 주상이 직접 나선 이상, 더 이상 소헌군만 믿을 수는 없었다. 아무리 소헌군이 자신을 배신하지 않았다고 한들 주상과 세자의 감시를 받게 될 터. 소헌군 이태는 버린 카드나 다름없었다.

이마무라는 거침없이 이태의 현관 번호키를 열었다. 집안으로 들어서자 웅크리고 있던 화매들이 놀라 사방으로 흩어진다. 놈들은 의언군의 어진이 놓인 방에서 기어 나온 놈들이었다.

"「꺼져라, 네놈들!」"

그는 숨 돌릴 틈 없이 화매들을 무른 뒤, 거실 한편에 놓인 책장을 뒤지기 시작했다. 그가 찾는 것은 신의의 대가로 내어준 멸첩이었다.

'「대체 어디에 있는 것이야!」'

이마무라는 점점 수세에 몰리기 시작했다. 분명 마지막으로 보았던 곳을 이 잡듯이 뒤졌으나 어디에도 멸첩은 없었다. 이태를 버린 와중, 멸첩을 두고 갈 수는 없다.

눈을 시뻘겋게 붉히며 집안을 헤집던 때였다.

딩동-.

현관 초인종 울리는 소리에 등줄기로 식은땀이 주르륵 흐른다. 이 마무라는 하던 일을 멈춘 채, 절뚝거리며 인터폰 앞에 섰다. 화면 속 에는 낯익은 여자 한 명과 멀끔한 생김새의 남자 한 명이 서 있었다.

"「이게 누구야…….」"

쓰러질 것처럼 파리해진 여자가 재차 힘주어 초인종을 누른다. 여 객은 피아니스트 최설아였다. 소헌군이 오래전부터 지켜보던 여인 의 얼굴을 기억해 낸 이마무라는 고민 없이 현관문을 열었다.

"이태 씨, 계십니까!"

문을 열고 들어서자마자 소리친 남자가 이마무라를 발견하곤 어 리둥절한 표정을 짓는다.

"송재익, 비켜. 야, 이태……? 당신 누구야."

가쁜 숨을 몰아쉰 최설아가 황망한 표정으로 주위를 둘러보았다. 이마무라는 최설아의 전신에서 흘러나오는 영루의 기운을 느끼며, 쾌재를 내질렀다.

"「오호라…… 그래. 네년 몸에 영루를 심어 두었지. 내 그것을 깜 빡했구나.」"

"당신 누구야! 이태 어디 있어? 소헌군인지 뭔지 하는 스토커 새 끼 어디 있냐고!"

"「쯧, 고통스러울 만도 하지. 어찌, 내가 도와줄 수 있네만.」"

일본어를 알아들은 재익의 눈이 커다래졌다. 재익은 예민하게 날

뛰는 설아를 소파에 앉힌 뒤, 이마무라에게 다가왔다.

"「선생님, 설아를 도와주실 수 있으시다고요?」"

"「호오, 말이 통하는군요.」"

"「선생님께서는 누구십니까?」"

"「알 거 없소. 이대로 두면, 저 아가씨는 오늘 내로 죽게 될 겁니다. 검은 범이 목을 물어뜯을 거요. 내 도와줄까요?」"

이마무라는 생긋 웃으며 송재익의 결정을 기다렸다. 재익은 지푸라기라도 잡는 심정으로 이마무라의 손을 덥석 잡았다.

"「우, 우리 설아, 살려 주십시오. 선생님!」"

입매를 히죽 올린 이마무라는 기다렸다는 듯 최설아에게 달려들었다. 소파에 앉아 있던 설아는 달려드는 이마무라의 기세에 놀라 비명을 내질렀다. 하지만 그것도 잠시. 목이 졸린 설아의 얼굴이 파랗게 질리고, 당황한 재익이 말리려 들 때였다.

"「손대지 마시게!」"

"수, 숨…… 막…….'"

"「금방 끝날 것이오.」"

목을 조른 이마무라의 손에서 흰 뱀 한 마리가 기어 나온다. 뱀을 발견한 설아가 손톱을 세워 이마무라의 손등을 할퀴었다. 하지만 대리석이라도 되는 것처럼 단단한 피부엔 흠집 하나 생기지 않았다.

기어 나온 뱀이 벌어진 설아의 입안으로 스르륵 삼켜진다. 그녀의 가는 목울대가 꿀렁하며 두꺼워지고, 손을 놓자마자 설아는 바닥을 구르며 괴로워했다.

이마무라는 달려들려는 재익의 뒷덜미를 잡아 벽으로 내던졌다. 우당탕 소릴 내며 바닥을 구른 재익은 시커멓게 죽어 버린 설아의 얼굴을 보며 경악했다. 그러나 그것도 잠시, 다시금 그녀의 목울대가 꿀렁이더니 벌어진 입안에서 흰 뱀이 스멀스멀 기어 나온다. 이어 설아는 피 가래를 뱉어 내며 까무룩 정신을 잃었다.

"「이런, 이런. 영루 하나만 더 삼켰어도 나의 화매로 부려 주는 것인데.」"

이마무라는 뱀이 물고 나온 영루 세 조각을 받아들곤 미친 사람처럼 웃기 시작했다.

멍하니 앉아 있던 재익이 바닥을 기어 와 설아를 부축한다. 하지만 설아는 미약하게 숨만 내쉴 뿐, 정신을 차리지 못했다.

"「어서, 병원으로 옮기시게. 그리고 그 아가씨를 죽일 뻔한 건 말일세……. 바로, 왕실이라네. 그리고 살릴 수 있는 것도 왕실이지. 무엇 하는가? 저 여인이 죽는 꼴을 보고 싶지 않으면, 어서 이곳을 뜨게나.」"

「속보입니다. 서화제약의 최우식 회장이 금일 오전, 주주총회에 소환되었습니다.

회장 해임안을 꺼내든 건, 장남인 최준일 전무입니다. 현재 최우식 회장의 장녀 피아니스트 최설아 씨가 가사 상태에 빠져 있다는 소식도 앞서 전해 드렸었는데요. 최우식 회장의 해임안이 통과된다면 어떤 일이 벌어지는지 여상호 기자가 시뮬레이션해 보았습니다.」

유연은 티브이를 껐다. 민주의 결혼식이 끝나고 벌써 일주일. 우습게도 자신과 이건의 스캔들 기사를 막은 건, 서화제약 비리 사건 및 최우식 회장 해임안과 관련한 내용이었다.

최준일이 제 아버지의 목에 칼을 들이댔다? 최준일의 성격을 아는 그녀로선 믿을 수 없는 일이었다. 안정적인 경영 승계를 위해 지금껏 쥐 죽은 듯 살아온 최준일이다. 그런데 하루아침에 아버지에게 전쟁을 선포한다는 건, 누군가 그를 부추겼다는 뜻. 유연은 지금쯤 폭탄을 맞았을 옛 동료들을 떠올리며 착잡한 심정으로 재킷 단추를 끼웠다.

오늘은 예화에서 면접을 보기로 한 날이었다. 유연은 지난번 호텔에서 건이 건넨 제안을 받아들였다. 미술관에서 학예사로 일하는 것이 꿈이기도 했지만, 또 다른 이유는 치웅 때문이었다. 치웅의 청동 거울을 찾아내야 한다. 그러기 위해선 궁궐 내부를 자유롭게 돌아다닐 권한이 필요했다.

'이제는 속도전인가.'

의사의 말에 따르면, 몸에 축적된 약 기운이 모두 빠져나가야지만 엄마가 깨어난다고 했다. 발작을 일으키며 눈을 뜨는 건 정상적인 상태가 아니기에 기대하지 말아 달라고도 말했다.

비현실적인 상황에서 이성을 찾으라니. 결국 궐이의 말을 따를 수밖에 없는 순간이 왔다. 지난밤 출력해 둔 이력서까지 챙긴 유연은 방문을 열고 거실 소파에 앉아 있는 궐에게 다가갔다. 생각에 잠겨 있던 궐이 고개를 들더니 몸을 일으킨다.

"정말로 궁궐에 들어갈 생각이냐."

"응."

"한 번 발 들이면, 나오지 못할 수도 있다."

"무섭게 왜 그래?"

"그리고 궁궐에서 나는…… 인간의 모습을 할 수 없을 것이다."

묘하게 풀죽은 궐의 얼굴을 올려다보며 유연은 한숨 쉬며 뺨을 감쌌다.

"호랑이 모습이 어때서. 크고 얼마나 멋있는데."

하지만 시큰둥하게 시선을 피한 궐이의 꼬리가 아래로 축 늘어져 팔딱인다. 궐이가 인간의 모습으로 곁에 있고 싶어 하는 이유를 잘 알고 있다. 호랑이의 모습으로는 자신을 도울 방법이 많지 않다며 우울해하던 모습을 기억하고 있었다.

그녀는 궐이의 뺨을 죽 당겼다.

"게다가 치웅의 그릇을 찾아 달라며. 그래야 염라의 영루를 얻을 수 있다고 했잖아. 난 거기까지밖에 몰라. 혹시 또 숨기는 거 있어서 그래?"

그러자 팔짝 뛴 궐이가 절레절레 고개를 저었다.

"그렇지 않다! 그저 나는…… 인간의 몸이 마음에 든 것뿐이다. 그럼, 이제 이동해도 되는 것이냐."

분위기를 환기하는 듯한 질문에 그녀는 고개를 끄덕였다. 빌라 밖엔 곳곳에 숨은 기자들이 하이에나처럼 대기하고 있었다. 아마 일반적인 대중교통이나 자가용을 이용한다면 일거수일투족을 언론에 감시당하게 될 것이 분명했다. 그래서 그녀가 택한 건, 속도전.

유연은 엄마의 방문 앞에 섰다. 준비를 마쳤다는 뜻으로 다가온 궐이의 손을 잡자, 한숨 쉰 녀석이 방문을 연다.

유연은 푸른 안개에 휩싸인 공간을 응시하며 마른침을 삼켰다. 청송이 만들어낸 문 너머는 지난번 급히 도망쳐야 했던 수정전 지하. 이매들의 무덤이었다.

궐은 힘이 들어가는 그녀의 손등에 입술을 댔다. 흠칫 놀란 그녀가 이맛살을 찌푸리자, 심드렁하게 어깨를 으쓱 올린 궐이 걸음을 내디딘다.

"가자."

이건가.

수정전 지하에 다다른 그녀는 걸음이 움직이는 방향으로 정처 없이 걸었다. 이곳은 이상한 기운으로 가득했다. 강한 이매들이 봉인되었던 물건을 모아둔 곳이어서일까?

그녀는 어느덧 거대한 일월오악도 앞에 멈춰 섰다. 병풍 속 붉은 달이 두둥실 떠오르는 것만 같다. 다섯 개의 봉우리에서 느껴지는 수호부의 기운에, 그녀는 당혹감을 느꼈다.

"저 뒤에 있어."

그녀가 찾는 건 치웅의 청동거울이었다. 범으로 화한 궐이 병풍 뒤로 스며들더니, 깨진 조각 하나를 물고 나왔다. 궐이는 그것을 그녀의 손바닥에 올렸다.

─이 조각이 나머지가 어디 있는지 알려 줄 것이다. 주인아, 너만이 볼 수 있다.

믿을 수 없게도 궐이의 말은 사실이었다. 조각이 손바닥에 오름과 동시에 머릿속을 빠른 속도로 스쳐 지나가는 장면들이 있었다.

놀란 그녀가 두 눈을 동그랗게 뜨자, 온몸으로 그녀의 허리께를 쓸며 어슬렁거리던 궐이 답해 주었다.

-집 나간 수호부들이 보내는 신호다. 녀석들은 나나 청송, 치웅처럼 현신할 힘을 갖고 있진 않다. 하지만 그조차도 귀한 힘이지. 조선 땅의 수호부가 하나둘 돌아와 제자리를 찾으면 이 불균형은 사라질 것이다.

"이매가 사라진다는 뜻이야……?"

-그래. 그러니 모든 수호부가 모이기 전, 치웅의 그릇을 먼저 찾아야 한다. 그리하여야 염라의 영루를 얻을 수 있어. 놈은 최악의 불균형 상태일 때 현신하는 놈이니까.

"어렵지만, 알아들을 것 같아."

쉽게 말해 밸런스의 문제다. 한쪽이 기울어지면 다른 한쪽에 무게추를 더해 평행을 만들고자 하는 세상의 밸런스. 이매와 수호부만으로는 평행을 유지할 수 없으니, 그 섬세한 무게 균형을 환수한 문화재 속 수호부들이 조절한다는 뜻이다.

"이제 나갈까?"

청동거울 조각을 챙긴 그녀는 궐이를 따라 지하실 문 앞에 다시 섰다. 이어 문이 열리고, 푸른 안개에 휩싸인 공간 너머 찬바람에 휩싸인 건춘문이 보였다.

봄이 시작된다는 경복궁의 동쪽. 걸음을 내디딘 그녀의 시야가 순식간에 환해지더니, 등 뒤로 차량 문 닫는 소리가 났다.

앞으로 한 걸음 떠밀리듯 걸어 나간 그녀의 눈앞에, 붉은 용포 자락이 스친다. 전신을 휘감는 익숙하면서도 청량한 향기와 함께 어깨를 감싸 안는 손길이 느껴졌다.

놀란 마음에 고개를 치켜든 유연은 내려다보는 건의 얼굴을 발견하곤, 저도 모르게 환하게 웃어 버렸다. 그에 사방에서 터지는 기자들의 플래시 세례. 어깨에 걸친 용포를 걷어 그녀의 얼굴을 가린 그가 나직하게 속삭인다.

"오늘도 늦었어. 조유연."

동궁전과 가장 가까운 동정문 앞에 선 우혁은 아주 오랜만에 울고 싶었다.

안경을 벗은 우혁이 뻐근한 눈을 비빈다. 벌써 노안은 아닐 텐데, 눈앞에 헛것이 보이기 시작했다. 동정문 너머 보이는 건 낙선재 후원에 자리한 승화루였다. 그리고 그곳에 펼쳐진 광경이야말로 지난번 호텔에서 시달렸던 동물농장의 연장선이나 다름없었다.

만월문 너머로 보이는 승화루 난간에 비스듬히 걸터앉은 망량과 장기를 두는 데 열중한 청송. 그리고 윤기 나는 흑갈색 털을 가진 거대한 곰 한 마리가 볕 아래 누워 잠을 청하고 있었다.

"그거 알죠? 왜놈들이 후원을 동물원으로 만들었던 거. 혹시, 그때 곰 한 마리가 궁 깊숙한 곳으로 숨었다는 설 있습니까?"

혼잣말 같은 우혁의 말에 덩달아 황당한 표정으로 곁을 지키던 익위 장은호가 눈을 깜빡였다.

"죄송합니다. 아는 것이 없습니다. 그런데…… 정말 곰인 겁니까?"

"제 대뇌에 이상이 생긴 게 아니라면, 곰 맞는 것 같네요."

"위험하진 않겠지요?"

"글쎄요. 곰이 왜 다가오는 건지 몰라도 문을 닫을까요?"

태연하게 물러선 우혁이 문을 닫으려 했다. 그런데 다가오던 곰의 형체가 어긋난 전파처럼 이리저리 뒤틀리더니, 찰나 간 성인 여성의 모습으로 변했다. 붉은 무복을 입고 긴 머리카락을 반 묶음 한 여자가 생긋 웃으며 다가오다 말고 또다시 곰으로 변한다.

우혁은 몇 번이고 고개를 저었다. 차라리 이대로 기절해 산재 처리라도 받을 수 있다면 그러고 싶었다.

"이 실장님, 제 뺨 한 대만 때려 주시면 안 될까요……?"

"미안하지만 사내 폭행 건은 고용노동부와 경찰서에 신고되는 관계로……."

하지만 말 끝나기 무섭게 장은호는 본인의 뺨을 스스로 때렸다. 짝 소리가 요란하게 울린다. 그 모습이 뭐가 그리 우스운지 다가오던 곰이 씩 웃었다.

그래, 곰이 웃었다. 그것도 숨 막히게 어여쁘게 웃었다.

곰이.

이게 바로 현타라는 건가?

우혁은 문지방 너머 눈앞에 서 있는 곰을 멍하니 바라보다가 흠칫 놀라 꾸벅 인사했다. 그러자 언뜻 여인의 웃음소리가 이명처럼 파고든다. 산뜻하면서도 호쾌한 느낌이 드는, 듣기 좋은 여인의 웃음소리였다.

난처한 기분을 느낀 우혁은 익위를 시켜 동정문을 닫았다. 완전히 문이 닫힌 뒤에야 맑아지는 시야. 마치 꿈에서 깬 것처럼 몽롱했던 머릿속이 환해지는가 싶더니 궐내의 소음이 들려왔다.

우혁과 은호는 귀신에 홀린 기분으로 서로를 물끄러미 바라보다, 누가 먼저랄 것도 없이 한숨을 내쉬었다.

"이만 가죠."

―저놈은 누군데 저리 귀여운 것이냐?

치웅이 호기심 어린 눈을 빛내며 묻자, 곰방대를 문 망량이 두 눈을 가늘게 뜬다.

"귀멸자의 벗이지. 웬일로 네가 인간에게 관심을 두느냐?"

치웅은 엉덩이를 씰룩이며 볕이 잘 드는 잔디 위로 올라갔다. 눈이 내려도 이상하지 않을 계절이지만, 그들이 있는 곳은 마치 봄처럼 따뜻하기만 하다.

 ―귀엽잖아. 주인만 귀여운 줄 알았더니, 아주 귀여운 덩어리가 둘이나 있네?

"어허, 어디 할망구가 어린놈들에게 관심을 둔단 말이냐. 양심이 있어야지. 쯧쯧."

 ―영감이 노망이 들었네, 노망이 들었어. 내가 어딜 봐서 할망구야? 망할 놈의 영감탱이.

"어쨌든 저 인간은 내가 먼저 귀여워하고 있었으니, 관심 끄시게나."

 ―어련하시겠어.

치웅이 걸음을 내디딜 때마다 그 모습은 수시로 바뀌었다. 주인이 그릇의 조각을 찾아가고 있다는 뜻이다.

늘어지게 기지개를 켜며 드러누운 치웅이 혼잣말처럼 중얼거렸다.

 ―궐이 그놈은 정말 염라의 영루를 얻을 셈이야?

그러자 장기 말을 움직이던 청송이 귀를 쫑긋 세운다. 어른들의 대화에 끼어들면 불호령이 떨어졌기에 망량과 치웅의 대화를 엿들기만 할 뿐이었다.

"그런 것 같더군."

−나야 세상에 미련이 없으니 균형의 날이 오길 기다렸지만, 놈은 아니잖아. 아주 지금도 제 주인에게 푹 빠져 있던데……. 어찌하려 그러는 거지?

"그만큼 주인에게 염라의 영루를 주고 싶은 것이야……. 오랜만에 술 상대가 생기나 했더니만……. 궐이 대신 청송이 저놈을 키워서 데리고 놀아야겠구나."

망량은 청송을 쳐다보며 껄껄 웃었다. 괜히 불똥이 튄 청송이 화들짝 놀라며 입술을 삐죽인다.

"형님이 귀멸자에게 흡수된다고 하여도, 소멸하는 것은 아닙니다. 그러니 그런 무서운 말씀 하지 마십시오! 형님은, 궐입니다."

어린애 같은 투정을 부린 청송이 순간 매로 변해 푸드덕 날아오른다. 그 모습을 시큰둥하게 응시하던 치웅이 눈을 감았다.

−그래, 놈은 궐이지. 궐이라 문제다, 이놈아.

피부로 느껴지는 볕을 쬐어 본 것이 대체 몇 년 만인지. 긴 세월을 차가운 어둠 속에서 시간의 흐름조차 느끼지 못한 채 그저 존재해 왔다. 치웅은 잠시나마 찾아온 이 평온과 햇살이 기꺼웠다.

−날이 좋구나, 영감아.

왕립 미술관 예화의 운영지원팀장인 김승연의 얼굴에 웃음꽃이 만발하였다. 그 이유는 바로 눈앞에 면접을 보러 온 세자빈 후보 조유연 때문이었다. 세자이자 대표인 이건의 총애를 받는 사람이 지원팀에 들어온다면, 이보다 더 좋은 뒷배는 없을 것이다.

김승연 팀장은 저 끔찍하게 잘난 껍데기 속 알맹이가 어떤지 너무도 잘 알고 있었다. 까탈스럽고, 독설을 서슴지 않으며, 반박할 수 없이 옳은 말만 해대는 데다가, 어찌나 예민하신지. 작품의 순서가 바뀌기라도 하는 날엔 잘생긴 악마의 강림을 라이브로 감상하는 기분이 들곤 했다.

물론 항상 그런 건 아니었다. 대체로 매너 좋고 젠틀한 대표이사의 쥐톨만 한 일부가 그렇다는 것이지.

"함께 일해 주셔서, 감사합니다."

승연은 절이라도 하고 싶은 심정으로 유연의 손을 덥석 잡았다. 그러자 대각선에 앉아 면접을 지켜보던 이건이 헛기침을 한다.

"감사합니다, 팀장님. 학예사 자격증은 있지만 실무 경험은 턱없이 부족합니다. 자격증을 따기 위한 최소 시간 이수가 다였어요. 그러니 많은 지도 편달 부탁드립니다."

생긋 웃으며 반듯하게 인사하는 유연의 태도에 나이스를 외친 김 팀장은 당장에라도 그녀를 실무에 투입하고 싶었다. 하지만 오늘은 면접으로 끝내라는 대표의 당부가 있었던 만큼, 미술관 곳곳을 소개하는 것으로 일정을 마칠 셈이었다.

"조유연 씨는 우리 운영지원팀의 사원으로 입사하시는 거지만, 내명부 소속의 빈 마마가 되실 분이기도 합니다. 그러니 일반적인 사원의 업무와는 조금 다른 업무도 도맡으실 것 같습니다."

"어떤 업무 말씀이신지⋯⋯."

"대표님과의 외부 일정은 이 시간부로 조유연 씨가 동행합니다.

또한, RSA에서 올라온 화물의 1차 검시 작업을 해 주셔야 합니다. 종류를 나누어 두 개의 수장고에 넣어야 하거든요. 그 부분은 이우혁 실장님이 잘 설명해 주실 테니 걱정 마세요."

이토록 환대받을 줄 예상하지 못했던 유연은 면접관의 자리에 앉은 건의 표정을 흘끔대며 살폈다. 주위의 다른 면접관으로 보이는 사람들이 굳은 자세로 정면만 바라보고 있는 것에 비해 역시나 태연한 그였다.

웃음이 나오려는 걸 꾹 참은 그녀의 귓가에 김 팀장이 불쑥 속삭였다.

"혹시, 실례가 되지 않는다면 부탁 하나만 드려도 될까요?"

"네, 그럼요."

"저기 뒤쪽에 앉아 저를 죽어라 노려보고 계신 분께, 신경 쓰여 업무에 방해가 되니 퇴장해 달라고 말씀 좀……."

"제가요?"

"저희 말씀은 귓등으로도 안 들으세요. 보세요, 저 이글이글."

처음엔 김 팀장의 농담인 줄 알았다. 하지만 기도하듯 꼭 맞잡은 손을 보자 무엇이 잘못되었는지 조금 알 것 같았다.

그럼 그렇지.

지금 이 자리에 이건은 초대받지 않은 상사였다. 유연은 어색하게 웃으며 일어나 건에게 다가갔다.

면접 도중 다가오는 그녀를 물끄러미 올려다보던 그의 입꼬리가 호선을 그린다. 그러곤 습관처럼 그녀를 향해 손을 뻗었지만 유연은 자연스럽게 그의 손목을 잡아 누르며 귓가에 속삭였다.

"방해되니까 나가 줘요, 저하. 끝나면 연락드릴게요."

"뭐?"

"부탁드리는 거예요. 민망하단 말이에요."

망연자실한 표정으로 그녀를 올려다보던 그가 슬그머니 자리에서 일어났다. 하지만 소리 없이 욕설을 뇌까리는 입술 모양을 읽었다.

"우리 저하 착하시네요? 소리 내지 않고 욕도 하시고."

"됐거든. 끝나자마자 전화해. 딴 곳으로 새지 말고."

어깨를 축 늘어트린 세자가 순순히 일어나 면접실 밖으로 걸어 나가는 모습에 다들 넋 나간 표정을 짓는다. 그러다가 문이 닫히는 순간, 누가 먼저랄 것도 없이 일어나 박수갈채를 쏟아냈다.

"드디어!"

"환영합니다, 세자빈 마마!"

놀란 그녀가 아직 세자빈이 아니라며 정정해 주었지만, 이미 그들에게 유연은 세자빈이나 다름없었다. 세상 어느 누가 이건을 저렇게 쉽게 다룬단 말인가?

김 팀장은 다짐했다. 한층 향상된 업무 환경을 위해서라도, 굴러들어 온 복덩이를 절대로 다른 부서에 넘겨주지 않을 거라고.

연봉 협상을 할 때보다 더욱 절실한 마음으로 유연의 손을 잡았다.

"제발, 오래오래 일해 주세요. 조유연 씨."

예화는 밖에서 보았던 것보다 훨씬 크고 복잡했다.

김승연 팀장은 조선 중기 역사관인 모란관 앞에 그녀를 남겨 둔 채 급한 회의에 불려 갔다. 그래서 유연은 김 팀장이 주고 간 직원용 내부조감도를 유심하게 살피며 모란관 내에 있는 다섯 개의 출구를 빙빙 돌았다.

'미로야?'

아니면, 내가 길치인가?

당황한 티를 내지 않기 위해 심호흡한 유연은 전시된 활판 앞에 서서 퀼이를 불렀다.

-길을 잃은 것이냐, 유연아.

'응. 여기서 어디로 나가야 하는지 넌 알아?'

-오른쪽이다.

그곳엔 왕실 혼례복이 전시된 거대한 유리관이 끝도 없이 이어져 있었다.

그녀는 퀼이를 믿어 보기로 했다. 오른쪽으로 자신 있게 걸음을 내딛던 시야에 한 남자의 옆모습이 들어왔다.

소헌군 이태였다. 수척한 얼굴로 멍하니 정면의 그림을 응시하던 이태가 기척을 느꼈는지 시선을 튼다. 순간, 놀란 그가 눈가를 비비 더니 반대 방향으로 걸어가기 시작했다.

혹시 울었던 건가?

"이봐요."

그러잖아도 한 번쯤은 만나 대화를 나누어 보고자 하였다. 유연은 빠른 걸음으로 이태를 따라갔다. 그러자 뒤를 흘끔 돌아본 그가 속도를 올린다.

"소헌군 마마!"

귀까지 막아 버린 태가 코너를 돌 때였다. 보이지 않는 힘이 그의 옷자락을 강하게 잡아당긴다. 균형을 잃고 엉덩방아를 찧기 직전 돌아본 이태는 제 옷을 물고 있는 검은 범의 모습에 오금이 저렸다.

"버, 범."

"궐아, 그만."

뛰어온 유연의 말에 범이 호박색 눈을 빛내며 물었던 옷을 놓았다. 그러곤 시퍼런 송곳니를 드러내며 그르렁거린다.

이태는 저 검은 범의 송곳니에 물어뜯기던 화매들의 고통을 기억하고 있었다. 차라리 죽여 달라며 신께 빌었던, 순간을.

"마마, 괜찮습니다. 해치지 않아요."

"대체 왜 날 부른 겁니까! 나, 나는……."

유연은 횡설수설하며 혼란스러워하는 이태와 눈을 맞추었다. 조심스럽게 어깨를 잡고 자신을 보게 하자, 창황하게 떨리던 눈빛이 서서히 평정을 찾기 시작했다.

"괜찮으세요……?"

"왜…… 왜 부른 겁니까."

"마마께서 저지른 일, 해결하셔야죠. 최설아요."

이태는 주먹을 말아 쥐며 두 눈을 부릅떴다. 하지만 시커먼 호랑이와 눈이 마주치는 순간 고개를 숙일 수밖에 없었다.

"어, 어쩌란 건데요. 본인이 원해서 영루를 먹은 겁니다."

"지금 설아 중환자실에 있어요. 마마는 방법을 아시잖아요. 방법만 알려 주세요. 나머지는 제가 알아서 할 테니까."

"중환자실에 있다니요?"

"모르셨어요? 갑자기 며칠 전에 중환자실로 실려 갔어요. 피를 토했대요."

이태의 몸이 떨리기 시작했다. 강박을 앓는 사람처럼 손톱을 물어뜯더니 미간을 구기며 믿기 어렵다는 듯 고개를 내둘렀다.

"설마, 이마무라가……."

불안한 듯 안절부절못하던 이태는 불안한 예감에 이마를 짚었다.

"영루를 회수해 간 것 같습니다……. 강제로."

'영루를 강제로 취한 겁니다.'

'이마무라가 누군데요?'

'그걸 왜 저한테 묻습니까……. 형님한테 물어보세요. 그리고 최설아인데 죽지는 않겠죠. 병원장 딸이니까.'

그런 무책임한 말이 어디 있냐고 묻고 싶었다. 하지만 뒤도 돌아보지 않고 도망치는 모습에 의지를 상실해 버리고 말았다.

퀄이의 도움을 받아 미로 같은 전시실에서 빠져나온 그녀는, 지난번과 달리 예화 내에서 그 어떤 도깨비의 냄새도 맡지 못했다는 걸 깨달았다.

혹시 제가 힘들어할까 봐 도깨비 그림들을 치워 둔 걸까? 설마, 세자 저하가?

'그럼 지난번엔 골려 주려 한 거 맞네.'

혀를 차며 배정된 자리에 앉은 유연은 서화제약 비서실과 크게 다르지 않은 사무실 풍경을 눈에 담았다.

푸릇한 잎을 펼친 화분 몇 개와 사군자를 품은 족자들이 눈에 띈다. 아직은 익숙하지 않아 모든 것이 낯설었지만, 금방 눈에 익을 풍경이었다. 새로운 직장이란 느낌은 크게 들지 않는다. 그래도 새로운 일을 하게 된다는 기대감이 입사 초기의 기억을 떠오르게 했다.

앞에 놓인 책자를 들춰 보며 앉아 있던 그녀의 자리로 산뜻한 단발머리가 인상적인 여자가 와 말했다.

"저기, 조유연 씨? 오늘은 이만 퇴근하시래요. 팀장님이 직접 업무지시를 내리셔야 하는데 회의가 길어지셔서요."

쾌활한 여자의 목에 걸린 사원증이 흔들린다.

"알려 주셔서 고맙습니다. 노가영 대리님. 그럼 내일 뵐게요."

여자는 자신의 사원증을 내려다보곤 멋쩍게 웃으며 자리로 돌아갔다.

후임 같지 않은 후임의 등장을 모두가 반기지는 않는다. 더욱이 상전처럼 모셔야 하는 후임이라면 더더욱. 총수 일가를 갑으로 모셔야 했던 고충을 알기에, 그녀는 몇몇의 불편한 시선을 이해했다.

핸드백을 챙겨 일어난 유연은 복잡한 심경으로 예화를 나섰다. 이태가 말한 이마무라는 누구이기에, 설아의 몸에서 영루를 회수했을까? 정말로 설아가 괜찮아진 거라면, 어째서 여전히 위독하다는 기사가 나오는 건지 납득하기 힘들다. 먼저 비밀을 만든 건 자신이었지만, 지금은 상황이 바뀐 것 같은 기분이 들었다.

유난히 붉은 저녁놀이 내려앉은 궐내를 가로지르며, 처음으로 여유로운 마음으로 주변을 살폈다.

'신기하네……'

북악산 공원에서 내려다보는 것으로 만족했던 궁궐이란 곳을 이토록 자연스럽게 거니는 날이 오게 될 줄이야. 아빠가 살아 계셨다면 잔소리부터 퍼부었겠지만, 그녀는 싫지 않았다.

소리 없이 뒤따르는 사람들과 함께 비현각 앞에 다다른 유연은 대기 중인 은호와 반갑게 인사했다.

"저하는요?"

"들어가 보세요. 조유연 씨 오시면 알리지 말고 들여보내라고 하셨습니다."

그 한마디에 가슴 한구석이 간질거린다. 그의 삶 전반에 허락 없이 침범해도 된다는 허락 같아서, 저라는 존재가 더욱 특별해진 기분마저 들었다.

막 시침이 6자 위를 지난 시각, 기척을 죽인 그녀는 비현각의 문을 열었다. 우아한 나무 살이 덧대어진 창 너머로 주홍빛이 스며든다. 고풍스러운 책상 바로 앞까지 닿은 빛은 아슬아슬하게 그의 발끝을 물들인 채였다.

유연은 책으로 얼굴을 덮은 채 고개를 젖힌 그에게로 살금살금 다가갔다. 업무를 보다가 잠시 눈을 붙인 건지, 가슴 앞으로 팔짱을 낀 그의 가슴팍이 일정하게 부풀었다. 거대한 책상을 가득 채운 서류와 쟁반 위에 놓인 에너지 드링크 몇 개가 보인다.

다가간 그녀는 그의 얼굴을 덮었던 책을 조심스레 걷어 냈다. 긴 속눈썹이 살짝 흔들렸지만, 눈을 뜨지 않았다.

'진짜 잠든 건가?'

그녀는 책상 가장자리에 걸터앉아 고개를 젖힌 채 잠든 그의 뺨을 만져보았다. 그러다가 짓궂은 마음에 양손으로 어깨를 잡아 뺨에 입 맞추자, 반듯한 그의 미간이 구겨진다. 건의 눈가가 움찔거릴 때마다 그녀는 뺨과 입술, 콧날 같은 곳에 입술을 눌렀다.

유연은 가슴 앞으로 팔짱을 끼우고 있던 그의 팔이 풀어진 것도 몰랐다. 그저 제가 입 맞출 때마다 약하게 신음하며 인상을 쓰는 모습이 귀여워 어쩔 줄 몰라 할 뿐.

책상 끄트머리에 걸쳐져 있던 그의 손이 숙여진 등을 쓸어 올린다. 목덜미까지 단번에 올라온 그의 손에 힘이 들어가는 순간 그녀는 눈을 크게 떴다. 살짝 벌어진 입술 사이로 붉은 혀가 언뜻 보였다가 사라진다.

목덜미를 움켜쥔 힘이 너무나 강했다. 입술도 모자라 코까지 뭉개져 숨을 쉴 수 없어진 그녀가 바동거렸지만, 허리 뒤를 감싼 그는 그대로 일어나 버렸다.

"꺅!"

그 덕에 책상 위로 드러누워 버린 그녀의 숨이 가쁘게 흘러나온다. 건은 잠에서 깬 사람답지 않게 멀쩡한 얼굴이었다.

"어디 겁도 없이 자는 남자를 건드려?"

비스듬히 웃으며 내려다보는 나른함에 압도되어 말문이 막혔다.

"아니, 내가 뭘 어쨌다고."

"뭘 어쨌는지는 이제부터 확인하면 되겠네."

넥타이 매듭에 손가락을 걸어 당겨 푼 그가 그녀의 손목을 잡아 누르며 입술을 붙여 왔다. 제법 자라나 빗장뼈 즈음에 닿는 그녀의 갈색 머리카락이 흐트러지고, 질끈 감은 눈가에 길게 늘어진 주홍빛이 번진다. 숨이 턱 막힐 만큼 아찔한 입맞춤에 두 사람의 입술이 촉촉하게 젖어 번들거렸다.

"서 상궁이 네 거처를 따로 만들었어. 이제 우린 9시 이후로 이산가족이나 다름없다고."

"저하는 내가 오늘 하루 어떻게 보냈는지보다 그게 더 걱정인 거예요?"

"네가 무슨 일을 했는지는 다 알아. 보고받았거든."

새치름한 입술 끝에 입 맞춘 그가 이번엔 손목을 잡아끌더니 맥박이 뛰어 대는 살결에 입 맞춰 왔다. 피부가 얼마나 약한지, 입술이 닿은 자리마다 붉은 흔적이 선명했다.

그는 몸 어딘가가 답답해졌다. 이곳이 궁이라는 것이 이토록 원망스럽게 여겨질 줄이야. 한숨 쉰 건이 그녀의 명치에 이마를 댄다.

유연은 이때다 싶어 그의 머리를 끌어안았다.

"그럼, 내가 소헌군 마마 만난 것도 알아요?"

"응."

투정 부리는 아이처럼 그녀의 가슴팍에 얼굴을 비비더니 몸을 낮춘 그가 안겨 온다.

"그럼, 무슨 얘기 했는지 안 궁금해요?"

"궁금해."

"그런데 왜 안 물어봐요?"

"네가 말해 줄 거잖아. 내가 보챌 필요 없지."

고개만 든 그가 무서우리만치 여유롭게 생긋 웃는다. 그녀는 근사하게 휜 그의 눈가를 엄지로 문질렀다. 그러자 그녀의 손바닥을 핥고 깨문 건의 입술이 붙었다가 떨어졌다.

"설아가 아파요."

"알아."

"근데 그게 이마무라라는 사람 때문이래요. 저는 그 사람이 누군지 모르는데, 저하는 아세요?"

"응, 알지."

"어떤 사람이에요?"

"음, 나쁜 사람?"

블라우스에 매달린 진주 단추를 이로 물어 버린 그가 어깨를 으쓱 올린다. 퀼이가 대답하기 싫은 질문에 시선을 피하듯, 건은 이렇게 어깨를 으쓱 올렸다.

"으음, 나쁜 사람이구나. 알겠어요."

"그놈한테는 관심조차 주지 마. 지지니까."

"지지?"

"더럽다고."

또르르, 그의 잇새에 끊어져 버린 진주 단추가 바닥을 구른다. 놀란 그녀가 고개를 돌리는 사이, 그의 입술이 비단결 같은 피부에 잇자국을 남겼다. 뜨겁고 부드러우며, 매끄럽고 하얗다.

"저하, 그만⋯⋯."

얼굴이 빨개진 그녀가 그의 뺨을 감싸 끌어당겼다. 흐트러진 숨을 흘리며 그녀와 눈을 맞춘 그가 뜨거운 유연의 뺨을 어루만졌다.

"유연아."

제 이름이 이렇게 간질거렸나 싶을 만큼 다정한 음성이었다. 유연은 떨림을 감추며 고개를 끄덕였다.

"네."

"유연아."

"불렀으면 말을 해요, 장난치지 말⋯⋯."

"사랑해, 유연아."

멍하니 눈만 깜빡이며 입술을 깨문 그녀의 귓가에 듣기 좋은 웃음소리와 함께, 다시 한번 심장 떨리는 고백이 뒤따랐다.

"사랑한다고, 조유연."

짜증스럽게 TV 채널을 돌리던 최우식은 결국 참지 못하고 리모컨을 내던졌다. 가까이에 있던 화병이 리모컨에 맞아 와장창 부서진다. 그 소리에 놀란 사용인들은 서재 앞에서 발만 구를 뿐, 막상 문을 열고 들어오지는 못했다.

최우식은 씩씩거리는 숨을 거칠게 몰아쉬며 주먹을 말아 쥐었다. 대한민국은 지금 경복궁에서 일어나는 삼간택과 서화제약 총수 자리에서 내쳐진 자신에게 모든 관심을 쏟아붓는 중이었다.

"버러지 같은 자식! 내가 저를 어떻게 키웠는데!"

최우식은 이를 갈며 선반에 놓인 가족사진을 내동댕이쳤다. 깨진 유리 아래 준일과 설아의 얼굴이 찢겨 나간다.

"못된 놈의 자식 같으니, 할 짓이 없어서 아비를 쳐!"

최우식은 '무능한', '무책임한', '살인자나 다름없는' 등의 말로 자신을 저격한 최준일을 용서할 수 없었다.

'박혜란 씨의 안락사를 사주하고, 과거엔 조경훈 씨를 살인 교사하셨죠. 아버지…… 인제 그만 조용히 내려오시죠. 그것이 회사를 위한 일이라고 생각됩니다.'

이게 다 누구 때문인데!

최우식은 어떻게든 원망할 상대가 필요했다. 서화의료원 앞에서 세자에게 치욕을 당한 것도 모자라, 자식이란 놈이 부모의 뒤통수를 쳤다.

이렇게 아비를 시궁창으로 내던져 놓고, 희희낙락 결혼식을 올려? 분을 참지 못해 서재 안을 맴돌던 최우식은 다짜고짜 골프채를 꺼내 들고 밖으로 나왔다. 그러곤 집안 전체를 때려 부수기 시작했다. 골프채를 휘두를 때마다 물건이 부서지고, 벽에 커다란 구멍이 생긴다.

위협을 느낀 사용인들은 너도나도 가방을 챙겨 도망쳤다. 그러자 2층에서 휴식하던 미란이 뛰어나와 최우식을 향해 고함쳤다.

"뭐 하는 짓이야, 당신!"

와장창, 소릴 내며 그릇장을 내리친 최우식이 시뻘게진 눈으로 미란을 노려본다.

"오, 그래. 당신이 그랬지! 당신이 준일이 들쑤셨지! 이 여편네를 아주 그냥!"

"살인자 주제에 어디서 큰소리야! 경찰에 신고하지 않은 것만으로도 감사히 여겨야지!"

"오냐, 경찰! 그래, 말 잘했다! 내, 이렇게 물러설 줄 알아? 아직 계열사는 다 내 밑에 있어! 한 푼도 못 주니까, 당장 이 집에서 나가!"

코웃음 친 미란이 방으로 들어가더니 핸드백 하나만 들고 계단을 내려온다. 우식은 어처구니없는 표정으로 두 눈을 부라렸다.

"정신 차려, 최우식. 당신은 지금 설아가 어떤 지경인지도 모르지? 나 같으면 설아 살려 달라고 유연이 찾아가서 빌었어!"

"어디 그 더러운 이름을 불러! 그 계집애 때문에 이렇게 된 건데! 내 가만히 있을 것 같아? 호락호락 세자빈 자리에 오르게는 못하지!"

"이빨 빠진 호랑이 주제에 입만 살아서는?"

"뭐!"

발끈한 최우식이 미란의 뺨을 후려치려 손을 내둘렀다. 하지만 우식의 손에 뺨을 맞은 사람은, 급박하게 뛰어든 서연아였다.

빨갛게 부어오른 뺨을 감싼 연아가 통증을 참는 표정으로 고개를 든다. 우식은 반쯤 넋이 나간 채로 자신을 올려다보는 서연아를 바라보았다.

"너, 너."

"아버님, 진정하세요. 이러신다고 해결되는 일 없습니다."

"너!"

"해외라도 다녀오시는 건 어떠세요? 아버님 상태 걱정돼서 와 본 건데……. 이렇게 이성 잃고 날뛰시면, 막아야 할 입이 너무 많아집니다."

최우식은 말문이 턱 막혀 입술을 벙긋거렸다. 뺨을 맞아 놓고도 아무렇지 않게 웃는 서연아의 모습에 소름이 끼칠 지경이었다.

"내가 연아, 너를 잘못 본 것 같구나. 하, 아주 끼리끼리……. 네가 준일이 휘두르려 하는 거 내 모를 줄 아냐. 어디 마음대로 해 봐! 내 이 자리에서 꼼짝도 안 할 거다!"

악에 받쳐 고래고래 소리친 우식은 골프채를 내던진 뒤 술장을 열어 스카치 한 병을 꺼냈다. 그러곤 컵도 없이 뚜껑을 열어 벌컥벌컥 들이켠다.

"연아야, 괜찮니?"

미란은 걱정스러운 표정으로 빨개진 연아의 뺨을 살폈다. 그러자 괜찮다며 생긋 웃어 보인 연아가 한숨을 내쉬더니 우식을 돌아본다.

"어머니, 그때 말씀하셨던 그 증거요. 그거…… 제가 좀 써도 될까요?"

"응?"

"조유연 씨는 세자빈이 될 거예요. 그럼, 우리 서화 입장에서는 더 좋은 거 아닌가 싶은데요."

"무슨 소리니 그게……."

"세자빈의 약점을 우리가 쥐고 있는 거잖아요. 그걸 십분 활용해야죠. 분명, 쓸모가 있을 거예요."

미란의 등 뒤로 오싹한 소름이 돋는다. 우리 서화라고? 감정의 고저 없이 담담한 연아의 태도에 온몸의 솜털이 곤두섰다.

"그럼 어머니께 집안사람들 단속을 부탁드려도 될까요? 사용인 고용 조항도 손보시는 게 좋겠어요. 저는 아버님 보내드릴 여행지 좀 알아볼게요. 아무래도 필리핀이 좋겠죠?"

밤 9시. 정확히 시침과 분침이 9와 12에 닿았을 때, 은은한 범종이 울렸다.

유연은 나무살이 격자로 드리운 반월창을 열어 범종의 묵직한 소리에 집중했다. 외부에선 들어본 적 없는 기묘한 종소리를 음미하던 그녀의 허벅지 위로, 부들부들한 털 뭉치가 불쑥 파고든다.

-주인아, 고뿔에 걸린다. 창을 닫아라.

"나 건강 체질이야. 감기 안 걸려."

-내가 걱정된다.

혀를 찬 그녀는 창문을 닫고 돌아앉았다.

오후 8시, 찾아온 서 상궁은 제법 커다란 규모의 객채로 그녀를 안내했다. 뒤쪽으론 아담한 정원도 있고, 지대가 높은 곳에 지어진

덕에 탁 트인 전경 또한 마음에 드는 곳이었다. 다만, 세자의 동궁과
는 지나치게 멀다는 것이 유일한 단점이다.

건은 그녀의 객체가 집옥재 근처에 마련되었다는 소식을 듣곤 마
뜩잖은 기색을 숨기지 않았다.

"누이! 이렇게 모여 있으니 너무 즐겁습니다. 헤헤."

침대가 마음에 드는지 뒹굴뒹굴하던 청송이 소복 바람으로 내려
와 퀼이의 등에 올라탔다. 그러자 망량 영감이 빈 곰방대를 물고 다
가와 청동거울 조각을 내민다.

"자, 어린애는 잘 시간이다. 그러니 어서 치웅의 그릇이 어디 있는
지 알아보자."

"치웅 언니는요?"

"곰은 잠이 많아. 게다가 고작 조각은 하나뿐이니 힘을 유지하기
힘들 게다."

유연은 고개를 끄덕이며 망량이 내민 조각을 받았다. 역시 이번에
도 많은 장면이 두서없이 머릿속을 스쳐 지나간다. 하지만 막연하게
조각이 있는 장소의 느낌과 분위기만 짐작할 수 있을 뿐, 명확하지
않았다.

-유연아, 찾는 건 우리가 한다. 그러니 너는 깊이 생각만 해라. 너
를 보내지 않는다.

언제 또 속을 읽은 것인지.

유연은 무릎을 모은 채 퀼이의 품에 기댔다. 습관이 되면 안 되지
만, 커다란 품은 어지간한 쿠션보다 훨씬 편안했다. 부들부들한 털,
적당한 체온. 그중에서도 제일 좋은 건 갸르릉거리는 울림이었다.

차갑고 매끄러운 물, 쿰쿰한 곰팡내, 건조하고 은은한 빛이 드리

운 실내. 그리고 낯설지 않은 여자의 얼굴이 반복적으로 스쳐 지나갔다. 하지만 각기 다른 장소였다.

조각을 움켜쥔 그녀가 눈을 뜨자, 호기심 가득한 청송의 얼굴이 코앞에 와 있었다.

"누이, 금강입니다. 강물 속에 있습니다."

"또 하나는 벽장이구나. 노인의 얼굴을 보았으니, 찾을 수 있겠지."

청송과 망량의 말을 들은 그녀는 고개를 끄덕이며 곰곰이 생각에 잠겼다. 그럼 은은한 빛이 드는 실내라면, 박물관이다.

"박물관이야. 근데 어딘지는 모르겠어."

-걱정하지 마라. 이 땅의 모든 박물관을 다 뒤져서라도 꼭 찾아올 테니.

귈이 몸을 좀 더 웅크리자 자연스럽게 몸이 더욱 파고들었다.

유연은 힘을 푼 채 마지막으로 보았던 여인의 얼굴을 상기해 보았다. 나이는 50대에서 60대 사이. 어딘가에서 많이 본 듯한 얼굴이고 검은 돌이 주위에 많은 것으로 보아 장소는 제주도였다.

"혹시 마지막에 보였던 사람. 누군지 알겠어?"

-안다.

"누구?"

-왕후다.

막연히 누군가를 닮았다고 생각했던 이유를 알 것 같았다.

귈이가 긴장하기 시작한 그녀의 어깨에 턱을 올리더니 까끌까끌한 혀로 뺨을 핥았다. 그제야 머릿속 상념들이 연기처럼 흐려졌다.

"마지막 조각은 내가 찾게 해 줘."

-괜찮겠냐.

"당연하지. 그리고…… 저한테 필요한 일인 거 같아서."

처음 치웅을 만난 날, 그는 편의점 앞에서 어머니와 나누고 싶은 첫마디가 무엇이냐고 물었다. 어쩌면 그것은 본인에게 하는 자문이었을지도 모른다. 아무리 오랜 세월이 흐르고 기억에서 잊힌다 한들, 어머니라는 이름은 항상 설명 못 할 감정을 불러일으키곤 하니까.

어느덧 자리를 털고 일어난 청송이 꾸벅 인사하곤 생긋 웃었다.

"그럼, 누이. 저는 이만 물러가겠습니다."

"잘 자, 청송아."

"저는 누이가 궁궐에 계시는 것이 너무 좋습니다."

"나도 좋아."

좋다는 말에 청송의 얼굴이 빨개진다. 혀를 찬 망량이 인사도 없이 홀연히 사라지더니, 청송이 그 뒤를 따랐다.

궐이와 둘이 남은 그녀는 기지개를 켠 뒤 청동거울 조각을 자신의 옷가지 사이에 잘 끼워 넣었다. 그러곤 객체의 불을 끄고, 노트북을 열었다. 어슬렁거리며 몸을 일으킨 궐이 침대 위로 올라간다. 매트리스 한쪽이 푹 가라앉았지만, 녀석은 개의치 않고 눈을 감았다.

"잘 자, 궐아."

-어서 이리 와라. 밤이 늦었다.

"먼저 자. 근데 너 호랑이 모습으로 계속 있을 거야?"

-인간의 모습을 귀멸자가 알고 있으니, 범의 모습을 하는 것이 네게도 좋을 것이다.

하긴.

노트북이 부팅되는 동안 그녀는 턱을 괴고 잠든 궐이를 가만히 바라보았다. 요즘 들어 사랑받는다는 것이 어떤 건지 온몸으로 느끼는 중이었다. 이렇게 받기만 해도 될까 싶을 만큼, 이들이 주는 애정은 순수했다.

'사랑한다고, 조유연.'

다시 생각해도 온몸에서 열이 날 만큼 부끄러웠다. 비현각에서 그토록 뜬금없고 당당히 사랑한다는 말을 한 이유가 뭘까? 밖에 있던 은호 씨가 들으면 어쩌려고. 아니지, 이제는 너무 당연한 거라 눈치 볼 이유는 없나?

그녀는 빨개진 뺨을 감싸며 모은 무릎에 이마를 댔다.

'그럼…… 나도 말해 줘야겠지?'

차라리 그 자리에서 바로 대답할 걸 그랬다. 나도 사랑한다고 말해 줄걸.

그녀는 어둠과 그림자, 궐이의 숨소리로 가득한 전각을 둘러보았다. 낯선 달이 뜨고, 낯선 공기가 흐른다. 오늘은 잠이 오지 않을 것 같았다.

잠을 설쳐 퀭해진 얼굴로 간신히 눈을 뜬 그녀의 주위로 서 상궁과 나인들이 분주하게 움직인다.

유연은 서 상궁의 지시대로 욕실에 들어가 샤워를 하고 경대 앞에 앉아 머리를 맡겼다. 그들은 마치 한 몸처럼 움직였다. 졸음을 이기지 못해 휘청대는 그녀의 잠옷을 벗기더니 연한 분홍빛이 도는 한복을 야무지게 입혔다.

"공식적으로 삼간택이 시작되는 날입니다. 오늘부터 한 달간, 특별한 일이 없는 한은 매일 아침 문안을 드릴 겁니다. 그러니 오늘부터 는 일찍일찍 주무시지요. 간밤에도 새벽까지 컴퓨터를 하셨지요?"

서 상궁은 가슴띠를 조이며 지그시 미소 지었다. 그에 유연은 억 지웃음을 지으며 머리카락을 귓바퀴에 걸어 넘겼다.

"그럴게요."

준비를 마친 그녀는 서 상궁과 함께 전각을 나섰다. 오전 6시 30 분. 파루가 울린 궁궐 안은 이른 아침 같지 않게 분주하고 활기찬 모 습이었다.

나인들을 이끌고 강녕전 방향으로 걷는 그녀에게로 궐내의 시선 들이 따라붙는다. 오늘부터 삼간택이 시작된다는 소식이 며칠 전부 터 언론사의 헤드라인을 차지한 덕분이었다.

"전하, 조유연 씨 도착하셨습니다."

멍하니 앞만 보고 걷다 보니 어느새 강녕전 앞이었다. 유연은 긴 장을 애써 털어 내며 침전의 문이 열리길 기다렸다.

"드시게."

허락이 떨어진 뒤 유연은 신발을 벗고 마루 위로 올라갔다. 궁궐 의 웃어른이자, 경복궁의 주인인 이숙. 그녀는 지금껏 언론으로만 접했던 주상 전하의 모습을 떠올리며 뻣뻣한 걸음으로 문지방을 넘 어섰다. 그런데 시선을 내리깐 그녀의 눈에 두 명의 웃자락이 보인 다. 주상의 오른쪽에 앉아 찻잔을 드는 남자의 웃음소리와 익숙한 향기가 그녀의 긴장을 사르르 녹였다.

"문안드립니다. 조유연입니다, 주상 전하."

유연은 서 상궁에게 배운 대로 공손하게 인사한 뒤 고개를 들었다.

"반갑습니다, 조유연 씨. 이제야 내 이렇게 그대 얼굴을 보는군요."

예상대로 정면에 앉은 이숙이 인자하게 웃으며 그녀를 맞았다.

"나는 안 보입니까?"

이것 봐, 바로 알은체 안 했다고 얄밉게 굴기는. 유연은 웃음을 꾹 참으며 자신을 올려다보는 건에게도 짐짓 초면인 양 단정히 고개를 숙였다.

"세자 저하께서도 밤새 안녕하셨습니까?"

시치미를 떼며 물은 말에 어깨를 으쓱 올린 그가 찻잔을 내려놓으며 두 눈을 치켜든다.

"안녕 못 했지만, 컨디션은 나쁘지 않네요."

뻔뻔하게 느껴질 만치 얄밉게 입꼬릴 올린 그가 자신의 맞은편을 가리켰다.

유연은 준비된 다과상 앞에 앉았다. 건은 유연을, 그녀는 건의 얼굴을 뚫어지게 바라보며 무언의 대화를 나누었다. 그런 두 사람의 태도에 상선과 서 상궁이 엄한 표정으로 헛기침을 한다.

"기억이 바래 얼굴을 알아보진 못하겠으나, 참으로 곧은 기운을 가진 아가씨로군요."

살가운 말과 함께 이숙이 찻잔을 든다. 눈이 참 닮은 두 남자다. 피는 못 속인다더니, 나란히 앉은 두 남자를 번갈아 본 그녀가 무구하게 웃었다.

"그리 긴장하지 마시오. 오늘은 그저 얼굴을 보고 싶었을 뿐이니, 무리하지 말고 가끔 놀러 와 말동무나 해 주면 좋지."

"그러겠습니다."

이숙은 유연에게서 눈을 떼지 못하는 건의 얼굴을 보며 시선을 내리깔았다.

"내 아들의 부족한 점을 채워 주고, 보듬어 주고, 많이 아껴 주게. 그 외에는 바라는 것이 없네."

다소 어려운 자리였지만, 건이 함께 있어서 편안하게 차를 마신 뒤 일어설 수 있었다.

그녀가 먼저 강녕전을 나서자 뒤이어 나온 건이 팔을 잡아챈다. 그는 헛웃음을 지으며 그녀를 보았다.

"이런 걸 입을 거란 보고는 못 받았는데."

"왜요? 음, 너무 화려하죠. 좀 어색한가?"

"아니, 예뻐. 뭘 해도 예뻐."

유연은 조금의 망설임 없이 나온 답에 귀 끝까지 새빨개졌다. 이 남자가 얼마나 직진 성향인지 잠시 잊어버린 탓이다. 그녀는 밤새 고민했던 이야기를 해야겠다고 마음먹었다. 하지만 지금은 보는 눈이 너무 많았다. 드넓은 전각 앞마당에 수십 명의 궁인이 흥미로운 눈빛으로 두 사람을 살핀다. 왕후마마와 관련된 대화를 나누기엔, 때가 좋지 않다.

"저하."

"응?"

손을 잡은 그가 걸음을 내디딘다. 한숨 쉰 서 상궁과 나인들이 뒤를 따르고, 사정전 방향에 대기 중이던 익위들이 길을 냈다.

"퇴근하고 저한테 시간 좀 내주세요."

"그런 건 굳이 허락받지 않아도 되잖아."

"둘만 있고 싶어요. 아무도 없이, 둘만이요."

결연함이 깃든 말투에 멈춰 선 그가 의아한 표정으로 고개를 기울였다. 급속도로 가까워진 그의 얼굴. 건의 손끝이 그녀의 뺨에 닿는다. 뺨을 타고 내려간 손이 턱 아래를 누르자, 그녀의 고개가 들렸다. 그가 입 맞추는 것을 막아 내지 못했기에, 사방에서 탄식이 쏟아졌다. 콧날이 교차한 거리에서 억눌린 음성이 귓전을 간질인다.

"퇴근 말고, 지금 같이 있으면 안 될까? 나 지금 시간 많은데."

—누님, 조각을 찾았습니다! 역시 금강 하류에 있었지 뭐예요?

유연은 머릿속으로 밀려드는 청송의 말에 하던 일을 멈추었다.

수호부들은 동이 트자마자 각자 정해진 장소로 향했다. 청송은 금강 하류인 군산으로 날아갔고, 망량은 이북 평양에 있는 노인의 벽장을 뒤졌다.

자다 깬 노인은 망량을 저승사자인 줄 착각해 노잣돈을 쥐여 주었다고 한다. 하지만 망량은 그 돈을 조각이 있던 자리에 그대로 두고 돌아왔다. 놀란 노인이 걱정되었는지, 무심하게 말하는 망량의 목소리가 언뜻 다정하게 들렸다.

마지막으로 궐이가 향한 곳은 서울에 있는 모 대학 소유의 박물관이었다. 밤사이 잠이 오지 않아 사이트를 뒤져 건진 몇 곳을 찾아가 어렵지 않게 조각을 물고 돌아왔다.

'다들 수고했어. 그럼, 이따 봐.'

—누님, 아이스크림 사 주실 거지요?

'알았어. 우리 청송이는 멜론 맛.'

—누니임, 하루가 너무 깁니다. 누님이 보고 싶어요.

청송의 어리광에 생글생글 웃던 그녀의 곁으로 노 대리가 다가와 파티션을 톡톡 두드렸다.

유연은 머릿속에서 울리는 소릴 지워 내곤 벌떡 일어났다.

"네?"

"아, 못 들으셨구나. 1수장고 하차장으로 내려가 보세요. 조금 전에 해남에서 컨테이너 올라왔거든요."

"수장고 하차장이 어디죠?"

"3번 승강기 타고 지하 7층으로 내려가시면 돼요. 같이 가 드릴까요? 길 잃어버리는 거 아닌가?"

노 대리가 짓궂게 웃으며 파티션에 기대선다.

"아뇨, 혼자 가 볼게요. 이번에도 길 잃으면 미아 방지 추적기라도 달아야 할 것 같아요. 그럼, 다녀오겠습니다."

"길 잃으면 전화해요, 사무실로."

"네, 걱정하지 마세요."

휴대 전화 하나만 챙긴 유연은 노 대리가 알려 준 승강기에 올라 지하 7층을 눌렀다. 그러고 보니 유일하게 지하 7층까지 이어진 승강기였다. 1수장고에서는 무슨 일을 하는 걸까? 해남에서 올라온 컨테이너라는 게 무슨 의미인지 아직은 들은 게 없었다.

지하 7층에 도착한 승강기의 문이 열린 순간이었다. 지독한 이취가 훅 끼쳐 와 그녀의 숨통을 움켜쥐었다. 검은 정장을 입은 RSA 직원들 사이로 물건 하차를 돕는 우혁이 보인다. 그리고 그들 중심에 서 있던 건이 재킷을 벗더니 주머니에서 가죽 장갑을 꺼내 끼운다. 평소 알고 있던 그의 모습이 아니었다. 물건들을 내려다보는 건조하고도 싸늘한 눈빛에 오싹한 소름이 돈다.

간신히 승강기 문을 잡고 선 그녀가 걸음을 내딛자, 모든 이의 시선이 그녀에게 향했다.

"빌어먹을."

돌아본 건은 그대로 유연에게 뛰어왔다. 그러곤 새파랗게 질린 그녀의 코와 입을 손으로 틀어막으며 승강기 문을 열었다. 커다란 손에 숨이 막힌 그녀의 눈가에 그렁그렁한 눈물이 고인다. 당황한 그가 안절부절못하며 우혁에게 소리쳤다.

"당장, 컨테이너 문 닫아!"

컨테이너 문이 급히 닫히자마자 두 사람을 태운 승강기 문 역시 닫혔다.

유연은 제 코와 입을 막은 그의 손을 잡아 내렸다. 그러자 장갑을 벗은 건이 그녀의 얼굴을 바삐 살피며 어찌할 줄을 몰라 한다.

"괜찮아? 대체 여긴 왜 왔어!"

"왜긴요! 내려오라는 업무 지시가 있었으니까 갔죠. 그런데……뭐였어요? 거기 뭐 하는 곳이에요?"

"말 그대로 수장고야. 환동 상태의 이매들을 봉인한 그림들이 들어오는 거지. 그러니까 올라가. 네가 있을 곳 아니니까."

그는 식은땀이 맺힌 그녀의 이마에 입 맞춘 뒤 한숨을 내쉬며 승강기 문을 열고 내렸다. 수장고 앞에 모여 있던 사람들 모두 아연한 표정으로 두 사람을 바라보며 서 있었다.

유연은 양손으로 코와 입을 가린 채 열린 문 너머를 노려보았다. 잠깐 사이에 이취에 익숙해지기라도 한 것인지 숨을 참으니 조금은 살 것 같았다. 그래도 이 소름 끼치는 불쾌함은 잘 떨쳐지지 않았다.

다시 컨테이너 문이 열리고, 나무 상자에 봉인된 것들이 레일을 타고 빠져나온다. RSA의 직원들은 그것을 두 종류로 분류해 거대한 철문 앞에 세웠다.

유연은 승강기에서 내렸다. 언제까지 도망칠 수는 없다. 그리고 이건 꿈이 아니라 현실이었으며, 제가 마주해야 할 평범한 일상 중 하나일 것이다.

유연은 굳은 결심을 하곤 멀찍이 서서 그들을 관찰했다. 그녀가 승강기를 타고 올라가지 않자 마뜩잖은 건의 눈길이 계속해 닿았지만, 아랑곳하지 않았다.

검은색 가죽 장갑을 낀 그가 사천왕 그림이 그려진 벽 앞에 선다. 이어 돌아서는 그의 눈동자 색은 검정이 아니었다. 은은한 안광이 흘러나온다. 퀼이의 것과도 비슷한 금안에서 위협적인 살기가 피어올랐다.

비스듬히 기울인 시선이 그녀에게 닿는다. 건은 자신에게서 눈을 떼지 않는 유연을 보며 한숨을 내쉬곤, 고개를 끄덕였다.

"열어."

그러자 주위에 대기 중이던 RSA 직원 몇몇이 수장고의 문을 연다. 문이 열리자마자 블랙홀 같은 어둠이 기다렸다. 그 안으로 묵직한 나무 상자를 밀어 넣은 직원들이 물러서고, 주먹을 몇 번 쥐락펴락한 그가 목덜미를 주무르며 그 안으로 걸어 들어간다.

'대체 뭐야, 저긴……'

그 안에서 흘러나오는 힘은 보통의 것이 아니었다. 마치 차원의 틈처럼 시간의 흐름이 느껴지지 않는 곳. 지친 기색의 직원들은 건의 모습이 완전히 사라진 뒤에야 수장고의 문을 닫았다.

쿵, 소리를 내며 닫힌 묵직한 철문. 그제야 안도의 숨을 내쉰 이들이 진중한 표정으로 각자의 자리로 돌아간다.

유연은 여전히 수장고 앞에 뒷짐 진 채 대기 중인 우혁에게 다가갔다.

"실장님."

유연의 부름에 돌아본 우혁이 싱긋 웃으며 관자놀이를 긁적인다.

"저하께옵서 조유연 씨를 사무실로 올려 보내라고 하셨습니다만."

"제 업무 구역은 여기라고 들었어요. 그러니까 알려 주세요. 여긴 뭘 하는 곳이에요?"

"수장고입니다. 저 안에서 이매들의 봉인을 풀고, 소멸시키실 겁니다. 그중 쓸모가 있다고 생각되는 놈들은 저하께서 직접 봉인하신 뒤 수정전 지하로 옮기죠."

그녀에게 수정전 지하는 썩 좋지 않은 기억으로 남은 곳이었다.

입술 안쪽을 잘근 깨문 그녀는 건이 들어간 문을 노려보았다. 제 아무리 힘주어 노려본다 해도 바뀌는 것은 없을 테지만, 홀로 들어 간 그가 걱정되었다.

"다치시는 건 아니겠죠……?"

걱정에 눈물까지 그렁그렁 차오른 유연을 내려다본 우혁이 당황한 표정으로 고개를 저었다.

"그건 모릅니다. 단, 오늘은 많이 지치실 겁니다. 평소보다 양이 많은 편이라 시간도 오래 걸리실 테고요."

"다치기도 하신다는 거예요?"

"아무래도 싸움이니까요……?"

당연한 질문을 하냐는 듯한 태도에 유연의 눈에 불꽃이 튀었다.

"그런 무책임한 말이 어디 있습니까! 왜 혼자 들어가시는 거죠? 아무도 안 돕는 거예요? 여기 계신 분들은요?"

"저, 조유연 씨. 진정하세요."

"어떻게 진정해요! 지난번에도 그렇게 크게 다치실 뻔했는데!"

"귀멸자는 저하 한 분뿐입니다. 수장고에 들어갈 수 있는 힘을 가진 자가 인간 중에는 저하 외엔 없단 뜻이고요."

우혁은 갖고 있던 손수건을 건넸다. 그것을 받아든 유연은 맵고 시큰한 눈가를 누르며 불안해했다. 아무리 그가 강하다 해도, 인간일 뿐이다. 죽음의 공포를 느끼고, 홀로 하는 싸움에 지쳐 버릴 터. 유연은 손수건을 우혁에게 돌려준 뒤 건이 들어간 문 앞에 섰다.

-걱정하지 마라, 유연아. 내가 귀멸자를 돕겠다.

천장 방향에서 들려온 음성에 고개를 들자 검은 연기가 일렁이더니 철문 안으로 쓱 흡수된다. 유연은 두 눈을 크게 떴다.

'궐아?'

-다치게 하지 않는다.

'너도 다치지 마!'

-……나도 다치지 않는다.

궐이의 목소리는 그대로 끊어졌다. 쿵쾅쿵쾅 뛰어 대는 심장 박동이 몸 전체를 울리는 기분이다.

그때였다. 문 안쪽에서 엄청난 폭발음이 연이어 들려온다. 다들 익숙한 소리인지 몇 번 문 방향을 돌아볼 뿐, 별다른 조치를 취하진 않았다.

우혁이 말한 일상. 귀멸자로 태어났다는 이유만으로 그는 삶을 선택하지도, 자유롭지도 못했다. 당연한 일을 행하듯 본인의 욕망을 누르고 본래 그러하듯 자신을 희생한다.

유연은 어금니를 강하게 눌러 물었다. 이토록 불공평한 삶을 본 적이 있던가?

"이 실장님."

차갑게 가라앉은 유연의 말투에 우혁이 다가와 곁에 선다.

"저하가 나오시면, 어디로 가시나요?"

"휴식이 필요한 경우가 대부분이라, 곧장 처소로 가십니다."

그녀는 천천히 고개를 끄덕이곤 돌아섰다.

"알려 주셔서 감사합니다. 그럼, 처소에서 기다리고 있겠다고 전해 주세요."

유연은 우혁의 말을 듣지 않은 채 그대로 돌아섰다. 우혁은 차마 유연에게 말을 걸지 못한 채 슬그머니 고개를 숙였다. 예를 갖춰 인사한 그를 따라 다른 직원들도 고개를 숙인다. 마치 그래야만 할 것 같은 다정한 위압감에 절로 고개가 숙어졌다.

사인검의 빛이 어둠을 가르자 머리 여덟 개가 달린 늑대가 연기처럼 사라졌다. 이어, 건에게 달려들던 사마귀의 목이 범의 송곳니에 댕강 꺾인다. 이매들의 괴성이 귀가 아프도록 쩌렁쩌렁 울린다.

건과 궐은 가뿐한 표정으로 마주 섰다. 사인검을 회수한 건이 땀에 젖은 머리카락을 쓸어 넘기며 피식 웃었다.

"덕분에 수월하게 끝냈어, 고양아."

―주인이 슬퍼하지 않았다면, 돕지 않았다. 이까짓 거 네 상대가 되진 않을 테니까.

"이봐, 이거 안 보여? 까졌잖아. 나도 피를 본다고."

-흥, 보이나? 내 잇몸에서 피가 난다. 뼈가 단단한 지네 놈 때문이었다.

"그 정도는 침 바르면 나아."

-사양하지. 밤새 주인이 잠을 설치는 바람에 옆에 있는 나 역시 잠을 설쳤다. 이제 정리 끝냈으니 가서 좀 쉬어야겠구나.

밤새?

여유로웠던 건의 미간에 깊은 주름이 새겨진다.

"혹시 털 뭉치인 상태로 옆에 있었나?"

-오늘도 그리할 것이다.

"이봐."

-귀멸자야.

건은 자신을 부르는 궐이의 목소리가 평소와 다른 것을 눈치챘다. 스르륵, 인간이 형태를 갖춘 궐이가 다가오더니 건과 마주 섰다. 비슷한 키, 비슷한 눈매. 피부색은 달랐지만, 같은 색의 안광을 흘리는 두 남자의 시선이 날카롭게 교차한다. 가슴팍이 닿을 만큼 가까운 거리에서 궐이 먼저 말문을 열었다.

-나를 삼켜라.

"뭔 개소리야."

-지금 삼키라는 것이 아니다. 봄이 되기 전에 염라의 영루를 품은 놈이 현신한다. 나는 네 힘의 한 조각이다. 그러니 네가 나를 흡수해야 놈을 해치우고 염라의 영루를 얻어낼 수 있다.

두 눈을 가늘게 뜬 건이 궐이의 턱을 불쑥 잡아챘다. 힘이 들어간 손등에 핏대가 섰지만, 김궐은 조금의 통증도 느끼지 못하는 듯 태연하다.

"이렇게 삼켜? 널 흡수하라고? 아주 조유연을 말려 죽이려 작정했군?"

–소멸이 아니다. 나는 궐이다. 궁궐이 존재하는 한, 나는 소멸하지 않는다.

"그런데 흡수를 하라는 건 무슨 뜻인데!"

버럭 소리친 건은 내동댕이치듯 궐의 턱을 놓았다. 그러자 무심하게 턱 끝을 매만진 궐이 씁쓸하게 웃으며 다가와 건을 품에 안는다.

–말 그대로다. 나를 흡수해 너의 힘으로 만들어라.

"다른 방법이 없나? 난 입맛이 까다로워. 너 같은 거 안 먹는다."

–편식은 나쁘다.

"이 자식이!"

피식 웃은 궐이 순식간에 연기로 화한다. 그에게 주먹을 날리려던 건은 너절한 기분에 휩싸였다. 흡수하라는 것은 소멸을 택한다는 뜻이다.

짜증이 극에 달해 버럭 소리 지른 건은 사나운 표정으로 수장고의 문을 열었다. 입구에 대기 중이던 우혁과 직원들이 열기와 함께 걸어 나오는 건에게 꾸벅 고개를 숙였다. 역시나 건의 팔에 길게 난 상처를 발견한 우혁의 한숨이 짙어진다.

"저하, 혼나실 것 같습니다."

김궐이 던지고 간 폭탄 발언에 혼란스럽던 건이 인상을 쓰자, 승강기로 안내한 우혁이 집무실이 아닌 로비 층을 누르며 재킷을 건넸다.

"빈 마마 되실 분께서 걱정이 많으십니다. 일 마치는 즉시 저하를 처소로 안내하라는 명 받았습니다."

"유연이가?"

"예."

건은 자신의 팔에 난 상처를 내려다보며 우혁이 건넨 재킷을 받아 걸쳤다. 김궐이 무슨 생각을 하는지 몰라도, 놈의 뜻대로는 되지 않을 것이다. 소멸을 핑계로 밤마다 그녀와 한 침대를 쓴다는 것 또한 용납하지 않을 생각이었다.

로비 층에 다다른 승강기에서 내려선 건은 담담한 투로 우혁에게 지시했다.

"오늘 나 찾지 마. 대통령이 불러도 안 돼. 알았나?"

걸음을 내딛는 그의 입매가 부드럽게 휘어진다. 기필코 오늘은 그 입에서 그날의 대답을 듣고 말 작정이었다.

"수장고 일 마무리 짓고 돌아가겠습니다."

그녀의 말에 김승연 팀장은 되레 고맙다는 투로 답했다.

[물건 들어오는 날이 제일 힘든데, 고생했어요. 일 마무리하고 곧장 퇴근하셔도 됩니다. 오늘 힘드셨죠?]

"아뇨, 아직 일 마무리를 못 해서요. 금방 돌아갈게요, 팀장님."

김 팀장은 '안 그래도 되는데…….'라며 말끝을 흐리곤 나중에 보자며 전화를 끊었다.

통화를 마친 유연은 조용한 침실 문을 노려보며 생각에 잠겼다. 지금껏 제가 할 수 있는 일은 한정적이었다. 물론, 지금도 마찬가지다. 평생을 평범한 사람으로 살아왔기에 갑작스러운 변화에 빠르게 적응하지도, 모든 걸 내던지고 멋대로 살아가는 법도 모른다.

자신은 돈이 무섭고 사람이 두려운. 미움받고 싶지 않으며 누군가와 부딪치는 것보다는 합리적인 방법으로 해결하고 싶은 평범한 사람이었다. 하지만 어느 순간부터 제가 살아온 방식이 부정당하기 시작했다. 먼저 물어뜯지 않으면 멍청하게 당하고, 상대의 본심이 선하다고 믿는 마음을 배신당했다.

그럼 그는?

지금껏 그는 당연함을 강요받으며 살아왔을 것이다. 왕세자의 자리에 있으니, 귀멸자의 힘이 있으니, 세자 이건이니 당연히. 어쩌면 그는 저보다 더한 지옥을 견뎌 왔을지도 모른다.

불투명한 문 앞에 커다란 그림자가 졌다. 이어 문이 열리더니 살짝 지친 표정의 세자가 부드럽게 웃으며 들어선다. 유연은 일어나 그에게 다가갔다. 그러곤 그의 허리춤을 먼저 끌어안으며 가슴팍에 얼굴을 묻었다.

"다치고 온 거면…… 가만 안 둘 거예요."

유연은 제 뒷머릴 다정하게 쓰다듬는 손길에 묘하게 울컥한 마음이 들었다. 머리카락을 만지작거리던 그가 상체를 기울여 그녀의 눈가에 입술을 누른다.

"근데 어쩌나. 나 다쳤는데. 정말 가만 안 둘 거야?"

"정말요? 어디!"

"여기."

그는 재킷에 가려진 팔을 가리켰다. 그저 제가 다쳤단 소식에 안절부절못하는 그녀의 모습이 보고 싶었다. 못된 마음이었다. 걱정은 끼치고 싶지 않지만, 자신을 걱정하며 보이는 반응 하나하나가 사랑스러워 통제되지 않았다.

그는 자신의 재킷을 벗기려는 그녀의 입술을 삼키며 침대 방향으로 뒷걸음질 치게 했다. 한 줌도 안 되는 양쪽 손목을 움켜쥐고 짓궂게 입술을 붙였다가 뗄 때마다 그녀의 표정이 바뀐다. 난처해하다가 금세 울상이 되더니, 귀 끝을 빨갛게 붉히며 소리라도 지르고 싶은 표정을 지었다.

"으음!"

결국 그는 그녀를 침대 위에 눕히는 데 성공했다. 시트에 쓸린 팔꿈치가 따끔거렸지만, 이 정도는 상처 축에도 들지 않았다.

"걱정했어?"

"다칠 수도 있다고 했어요, 이 실장님이."

"이우혁이 헛소리한 거야. 그리고 이 정도는 다치는 것도 아니고."

"그럼 평소엔 대체 얼마나 많이 다치는데요?"

"글쎄. 궁금하면 직접 확인해 보든지."

그녀의 손을 잡아 자신의 가슴에 대자 열이 올라 붉어진 뺨이 사랑스럽다.

그는 탄식 같은 한숨을 내쉬며 그녀를 꽉 끌어안았다. 그녀의 목덜미에 얼굴을 묻은 채 커다란 품 안으로 있는 힘껏 끌어안아 가두었다. 숨 참기를 반복해야 할 만큼 욕심껏 부둥켜안고 목덜미에 키스했다.

"치료해요. 응?"

다그치는 말투에 그는 고개를 저었다.

피로가 밀려든다. 지금은 그저 품 안에 갇혀 잠을 청하고 싶었다.

"그냥 자자."

"지금요?"

"응. 나도 밤새 한숨도 못 잤어."

"그래도 피가……."

유연은 필사적으로 그의 상처를 확인하려 했지만, 건의 힘을 이기지 못했다. 결국 상처를 치료하길 포기한 그녀는 피식피식 웃으며 파고드는 그의 목덜미를 끌어안았다. 셔츠 너머 맡아지는 익숙한 체향에 나른함이 밀려든다. 노곤하지 않다고 생각했던 건 착각이었나 보다.

꽉 끌어안은 품의 안온함을 느끼는 순간, 절로 눈이 감겼다.

"그러니까…… 왜놈이 그랬다?"

송재익이 최우식을 만난 곳은 설아의 병실에서였다. 다행히 고비는 넘겨 중환자실에서 일반병실로 올라온 지 만 하루. 코빼기도 안 비치던 최우식이 경호원들을 잔뜩 이끌고 병원을 방문했다. 그것도 설아의 병실엔 들르지도 않은 채 김 원장만 만나고 돌아가려는 걸 재익이 발견해 붙들었다.

재익은 이가 갈렸다. 설아의 일이라면 자다가도 벌떡 일어날 만큼 최우식의 딸 사랑은 각별했다. 하지만 설아가 아프기 시작한 이후, 최우식은 변했다. 설아를 방치했고, 오로지 세자빈이라는 감투에만 매달려 세자의 눈 밖에 났다는 사실에 분노했다.

"예. 일본 사람이었습니다. 켄이치 이마무라라는 사람인데, 얼핏 종친이라고 그랬던 것 같습니다. 그 사람이 설아를 병원으로 옮기라고 했습니다."

"켄이치 이마무라? 허, 그자구먼."

이름을 들은 최우식은 담배를 비벼 끄며 침을 탁 뱉었다. 재익은 요즘 심상치 않은 서화제약 상황을 알기에 최우식의 대답을 기다렸다. 아무리 이빨 빠진 호랑이라도 호랑이는 호랑이 아니던가? 재익은 설아를 이렇게 만든 모든 이들이 저주스러웠다.

"그 사람이 설아의 목을 졸랐단 말입니다! 그리고 나서 설아가 피토하며 쓰러진 거예요."

"뭐?"

험악하게 두 눈을 치켜뜬 우식이 한 대 칠 사람처럼 재익을 노려본다. 재익은 도착한 119차량에 설아를 옮길 때 보였던 일본 남자의 표정을 상기하며 어깨를 떨었다.

"회장님, 설아를 이렇게 두면 안 될 것 같습니다. 무슨 수라도 써야……."

"쓱, 시끄러워. 생각하고 있잖아. 설아를 이렇게 만든 게 종친이라……. 종친도 엄연히 왕족 아닌가?"

최우식의 눈이 빛난다. 경영권은 뺏겼지만, 여전히 그는 서화의 대주주였고 경제인 연합의 끈을 움켜쥔 상태였다. 제아무리 명예 왕실의 힘이 막강하다고 한들, 머니 파워를 이길 수는 없다. 그런데 왕실이 간택이란 명분을 내세워 경영인의 핏줄인 설아를 해치려 했다? 더불어 서화제약의 뒤통수를 치기 위해 불법으로 자료를 모으고 누명을 씌우려 한다면…….

아니, 그 사실이 퍼져 나간다면. 왕실이 힘을 키워 대한민국의 경제권과 주권을 탐하려 한다는 공식이 성립할 수도 있다. 잘만 하면, 자신은 희대의 피해자로 변모해 이 사달을 일으킨 조유연에게 모든 것을 뒤집어씌울 수도 있는 일.

최우식의 두툼한 주먹에 힘이 들어간다. 조유연의 뒷배가 왕실만 아니었어도 이렇게 당하고만 있지는 않았을 것이다.

"일단…… 그 계집애 입부터 막아야겠어."

혼잣말을 뇌까린 우식이 히죽히죽 웃으며 돌아섰다. 재익이 설아를 보고 가라며 막아섰지만, 최우식은 냉정하게 그를 밀어냈다. 어차피 이보다 더한 바닥은 없다. 이미 제 인생의 바닥에 다다랐으니, 그는 무서울 게 없었다.

차에 오른 우식은 조수석에 오르는 경호실장에게 지시했다.

"거, 박혜란이 간병인. 그 아줌마 좀 파 봐."

식은땀을 흘리며 잠에서 깼다.

무거운 눈꺼풀을 든 이건은 제 품에 안겨 있는 유연을 발견하곤 힘없이 웃었다. 마치 못다 잔 잠을 몰아 잔 느낌이다. 너무 푹 쉬어서 몸에 힘이 들어가지 않을 지경이었다. 창문 너머 내려앉은 어둠이 지금의 시각을 얼핏 가늠하게 한다.

건은 침대 옆 보조 등을 켠 뒤 몸을 일으켰다.

'미치겠군……'

이번에도 상처가 사라졌다. 건은 아무렇지 않은 팔을 들여다보며 이마를 짚었다. 혹시 그녀의 힘을 이용해 상처를 회복하는 거라면 어떻게든 막아야 한다.

그녀의 힘을 양분 삼아 움직이는 수호부들. 김궐은 이런 상황에 치웅까지 현신하면 유연의 체력에 문제가 생길 거라고 경고했다. 그녀가 무사할 방법은 하루빨리 세상의 균형을 찾는 것뿐이다.

건은 온후한 미등에 비친 그녀의 얼굴을 어루만졌다. 버선코처럼 우아하게 솟은 콧날과 거스러미 없이 불그스름한 입술이 참으로 탐스러웠다.

뺨을 타고 흐른 머리카락을 걷어 넘겨 준 그가 그녀의 이마에 입술을 누를 때였다. 문밖에서 기척이 넘어온다. 식사도 거른 채 잠든 탓에 벌써 밤 9시에 가까워진 시각이었다.

건은 대충 벗어둔 장의를 걸치고 앞을 여민 뒤 침실 문을 열었다. 그러자 문 앞에 서성이던 나인들이 흠칫 놀라 고개를 숙인다. 반면서 상궁만은 고개를 꼿꼿하게 들곤, 부드럽게 미소 지었다.

"이제 객체로 옮기셔야 할 시간입니다. 아가씨를 깨워 주십시오, 저하."

"깊게 잠들었으니 오늘은 여기서 재우죠."

"저하. 왕실의 법도에 어긋납니다. 아직 혼례도 올리지 않은……."

"혼례는 처음부터 중요하지 않았다는 거 아실 텐데요."

"저하."

"서 상궁님, 나 잠 좀 제대로 잡시다. 사람 하나 살리는 셈 치고 모른 척 넘어가 주면 안 되나?"

서 상궁의 눈동자가 침대에 몸을 웅크린 유연에게로 움직인다. 건은 문을 좀 더 닫아 틈을 없애곤, 뻔뻔한 미소로 앞을 막아섰다.

"나 이제 유연이 없인 잠 못 듭니다. 내가 수면 부족으로 고생하길 바라는 건 아니죠?"

"저하, 무슨 말씀을 그렇게…… 알겠습니다. 하지만 오늘만입니다.

적어도 삼간택 기간에는 보는 눈이 많으니 체통을 지켜 주시지요."

"그놈의 체통. 어쨌든…… 제가 부탁한 건 알아보셨습니까?"

건의 질문에 서 상궁은 넓은 소매 안에서 엽서 크기의 사진 한 묶음을 꺼냈다.

"출궁한 김 상궁과 양 상궁의 행적입니다."

"사람을 붙이셨군요."

"궁에서의 일을 함부로 입에 올리면 안 되기에, 출궁한 이들은 1년 이상 지켜보고 있습니다. 하지만 이 자들은 죄를 지은 자들이라 3년의 감시령을 내린 상태이옵니다."

"흠, 그래서 여기가 어딥니까?"

사진 속 두 여자는 어느 거대한 대문 앞에 서 있었다. 건은 이곳이 어디인지 단번에 알아보았지만, 일부러 서 상궁에게 물었다.

"그들은 곧장 성북동으로 갔사옵니다. 하지만 문전박대를 당하였고, 이후로도 몇 번 더 찾아갔으나 누구도 만나지 못했습니다."

그는 받아든 사진을 한 장씩 넘기며 고개를 주억였다. 예상했던 대로다. 출궁하는 날까지 당당하게 굴던 이들이 믿는 건 서화제약이라는 패였다.

건은 일부러 RSA가 아닌 상궁부에 처분을 맡겼다. 그래야 이들이 마음 놓고 사주한 인물을 찾아가 책임을 물을 거라고 생각했고, 성공했다.

"하나만 물읍시다. 서 상궁님, 혹시…… 어머니께서 가례를 올리실 때 이미 태기가 있었다는 거, 알고 계셨습니까?"

미동 없이 잠잠했던 서 상궁의 눈빛이 흔들린다.

"저하, 어디서 그런 말을 들으셨습니까? 대체 어느 치가 그런 말을!"

"어디서 들었느냐가 중요한 게 아닙니다. 태기가 있었음에도 할머님과 아버지는 경합을 열었고, 자칫 다른 이가 중전의 자리에 오를 수도 있었다. 진실은 이거 같은데."

서 상궁은 감정 기복 없이 태연한 건의 말투에 더욱 경악하였다.

"말도 안 됩니다, 저하!"

"만약 어머니가 경합에서 승리하지 못하셨다면 어찌하시려 했는지 궁금하네요. 아이까지 임신한 여인을 내치셨을까요?"

나직하면서도 서늘하게 읊조린 건은 언제 그랬냐는 듯 싱긋 웃으며 방문을 열었다.

"그 질문에 답은 듣지 않을 테니, 서 상궁님도 오늘 일은 눈감아 주시죠. 오늘 나 피곤합니다."

서 상궁은 더 이상 그를 붙잡지 않았다. 그저 충격에 빠진 사람처럼 두 눈을 힘주어 감았다.

침실로 돌아온 건은 그녀가 잠든 침대 위로 올라갔다. 서 상궁을 곤란하게 할 의도는 아니었다. 그녀와의 밤을 방해하려 극구 찾아온 고지식함에 심술이 났달까. 하지만 막상 내뱉고 나니 입안이 쓰다.

쿠션 몇 개로 등받이를 만들어 비스듬히 기댄 채 보들보들한 뺨을 어루만지거나 머리카락을 걷어 넘겨 주며 잠든 그녀를 괴롭혔다. 조유연은 왜 이렇게 예쁠까? 이토록 다정하게 사랑해 주고 싶다가도, 불쑥불쑥 그녀의 연약한 면을 마주할 때면 억눌러 놓았던 가학성이 고개를 내민다. 제 것이라는 표식을 남기고 싶고, 눈가가 빨개지도록 괴롭히고 싶을 때도 있었다. 하지만 막상 눈물을 보면, 또 세상이 무너지는 기분이 들겠지.

"유연아, 일어나 봐."

말랑한 그녀의 귓불을 깨물며 속삭였다. 세게 깨물고 싶었지만, 그랬다간 자국이 남을 것이다. 당연히 조유연은 화를 낼 테고.

"밥은 먹고 자야지."

밥이란 말에 그녀의 미간이 반응했다. 어깨를 움츠렸던 그녀의 눈꺼풀이 스르륵 들린다. 아직 잠이 묻어 몽롱한 표정으로 '밥?'이라고 중얼거리는 목소리가 꽉 끌어안고 싶을 정도로 사랑스러웠다.

그는 비스듬히 누워 그녀와 시선을 맞추었다.

"응, 밥 먹으러 가자."

"지금 몇 시예요……?"

"밤."

"밤?"

시간이 이렇게 흘렀는지 몰랐을 것이다. 건은 그녀의 동그란 이마에 입 맞추며 머리카락을 쓸어 넘겨 주었다.

"응, 밤이야."

저녁 식사를 하기엔 다소 늦은 시간이었다.

잠에서 완전히 깨는데 10분, 준비를 하고 밀린 메일 같은 걸 확인하는데 30분 이상이 소요되었다. 그래서인지 대부분의 식당이 문을 닫거나 마감을 준비하는 시각. 둘은 오래된 국숫집을 찾았다. 모자를 푹 눌러쓰고 두툼한 점퍼로 얼굴의 반 이상을 가려서인지 누구도 두 사람을 알아보지 못했다.

낡고 오래되어 곳곳이 세월로 가득 한 곳. 둘은 뜨거운 잔치 국수

두 그릇과 매콤하게 무친 비빔만두를 주문한 뒤 뽀얀 막걸리 뚜껑을 열었다.

"막걸리 한 잔 정도는 괜찮겠죠?"

마스크를 조금 내린 그녀가 소곤대며 묻는다. 건은 어깨를 으쓱 올리곤 작은 놋그릇에 막걸리를 따라 주었다.

"한 잔만이야. 지금도 간신히 참는데, 술 취하면 답 없어."

"나 주사 없거든요?"

"다들 그러더라. 자긴 주사 없다고."

"뭐야, 밖에서 사람들이랑 술 많이 마셔 본 것처럼 말씀하시네요?"

"뭐, 이우혁이 술을 좀 좋아하거든. 이 실장의 술 상대는 나밖에 없고."

"어? 정말요? 그럼 실장님 부르는……."

"아니. 싫어."

단호하게 말한 그가 생긋 웃으며 그녀의 마스크를 벗겼다. 가게 안의 열기 때문인지 발긋해진 뺨이 어여쁘다.

둘이 앉은 자리는 주방이 보이는 카운터 테이블이었다. 그가 그녀가 앉은 의자 등받이에 팔을 걸고 품으로 감싸며 잔을 든다.

"너랑 둘이 마실 거야. 데이트니까."

"우리 맨날 데이트하는 거 같은데."

"그런 이유라면, 나는 하루의 절반을 이우혁과 함께 보내. 그러니 공평하려면 나머지 절반은 너와 보내야지. 안 그래?"

실소가 새어 나왔지만, 그녀에겐 오히려 기회였다.

잔을 짠, 하며 부딪치고 달콤 쌀싸래한 막걸리를 꼴깍꼴깍 삼켰다. 막걸리 한 잔에 취할 리는 없겠지만, 용기를 내기엔 충분했다.

얼굴이 빨개질수록 모자를 더욱 깊게 눌러쓰고 그의 어깨에 기댔다. 그가 등받이를 짚은 손으로 반쯤 안아준 덕분에, 외부에서는 그녀의 얼굴이 보이지 않았다.

놋그릇 가득 담긴 뽀얀 탁주가 찰랑인다. 유연은 서비스 안주로 나온 오이를 한입 깨어 물며 혼잣말처럼 말문을 열었다.

"오늘 다친 곳 보여 줘요."

"거짓말이었어. 안 다쳤어, 하나도."

태연하게 대꾸하며 술을 한 모금 삼킨 그의 목울대가 느릿하게 움직인다.

그럴 리가 없잖아. 분명 다친 걸 봤는데?

유연은 믿지 못하겠다는 표정으로 건의 손목을 잡았다.

"봐 봐요. 못 믿겠어."

"진짜라니까."

콧날로 그녀의 뺨을 비비며 목덜미에 입술을 묻은 그가 마음껏 하라는 듯 손을 내밀었다. 유연은 의심스러운 표정으로 커프스를 풀어 소매를 걷었다. 분명 걱정시키지 않으려 거짓말을 한다고 생각했건만, 푸릇한 혈관이 도드라진 팔엔 정말로 생채기 하나 없이 깨끗했다.

"아까는 다쳤다면서요."

"네가 걱정하는 표정이 좋아서."

"일부러?"

"응. 어리광부리고 싶었어."

그녀는 약오른 얼굴로 건의 팔을 꼭 붙들어 안았다. 그러곤 단단한 어깨에 턱을 누르며 눈을 치켜떴다.

"으음, 우리 저하 안 되겠네."

"너도 나한테 어리광 부려 봐. 들어줄게."

"정말요?"

"응."

부드럽게 웃어 보인 그가 눈을 맞추며 고개를 끄덕인다. 그러고는 무엇이든 들어주겠다는 듯 술이 남은 잔을 기울였다. 유연은 유난히 붉은 그의 입술을 빤히 보다가 모락모락 김이 나는 국수 그릇으로 시선을 내렸다.

"싫어요. 어리광 부리는 거 안 할래요. 평소에 이미 충분히 그러고 있으니까. 대신, 오늘은 저하 어리광 투덜대지 않고 들어드릴게요."

젓가락으로 살포시 올라간 고명을 살살 흩트리고 머리 위에서 들려오는 숨소리에 집중했다.

수장고 안으로 들어서던 뒷모습이 눈앞에 아른거린다. 그 무거워 보이는 어깨와 담담히 현실을 받아들이던 표정이 너무나 슬펐다.

"진짜예요."

목덜미를 덮은 색이 연한 잔머리를 만지작거리던 그가 생각에 잠긴다. 그녀는 스테인리스 컵에 비친 얼굴에서 시선을 떼지 못했다.

"내가 무슨 말을 해도 다 들어줄 거야?"

"네."

"내가 무슨 짓을 해도?"

"무섭게…… 그럴 거예요?"

"아니."

"그럼요?"

"같이 여행 가고 싶어."

뜻밖의 말에 그녀의 갈색 눈동자가 흔들린다. 할 말을 준비하던 사이, 잘게 채를 썬 채소가 듬뿍 올라간 비빔만두 한 접시가 나왔다.

"싫어?"

재차 묻는 그의 질문에, 마른침을 삼킨 그녀가 되물었다.

"어디로요?"

"제주도."

비밀이야기라도 하는 것처럼 귀에 대고 속삭이는 그로 인해 그녀의 목덜미가 빨개졌다.

혹시, 내 머릿속에 들어왔다가 나간 거 아닐까?

궐에게 치웅의 마지막 조각을 가진 사람이 왕후마마라는 말을 들은 뒤부터 고민했다. 그에게 남은 어머니라는 존재가 어떤 형태와 온도, 질감을 가진 존재인지 알 수 없어서 쉽게 말문을 열지 못했었다.

그런데 왜 갑자기 먼저 제주도 여행을 가자는 걸까?

"저는 좋지만, 이렇게 갑자기요……?"

빨간 양념이 고루 묻은 만두를 반으로 가른 그가 반쯤 남은 막걸리 병을 가볍게 흔든다.

"꼭, 봐야 할 사람이 있는데 혼자는 용기가 안 나서. 만일 나 혼자 찾아가면, 도망쳐 버릴 사람이기도 하고. 그래서 예쁘고 다정한 네가 필요해. 널 앞세워서 이득을 취해 보려고."

네가 필요하다고 말해 주는 그에게 고마웠다. 그는 짐짓 속물 같은 단어를 썼지만, 나직한 목소리에 듬뿍 담긴 그리움의 온도가 느껴진다.

그녀는 오목한 그릇에 국수와 고명, 국물을 가득 담아 그 앞에 놓아 주었다.

"필요한 만큼, 얼마든지 이용해요. 기꺼이 이용당해 줄게요. 뭐 어때, 나 잘못될 일은 없을 텐데."

"음, 오늘따라 왜 이렇게 관대하지?"

"난 저하한테는 항상 관대했어요. 저도 저한테만큼은 더없이 관대하잖아요."

"나야 당연히 네가 너무 좋으니까. 참 신기하지, 내가 가진 걸 다 주어도 아깝지 않다는 생각이 들 수도 있다는 것이."

취한 건 자신이 아니라 그였다.

그 달콤한 말에 가슴이 두근거리기보다는 쓰라리고 따끔거린다. 그녀는 눌러쓴 모자를 조금 들추어 그의 뺨에 입술을 눌렀다.

"키스하고 싶지만 참을게요."

생긋 미소 지은 그녀는 태연히 젓가락을 들었다. 그러자 의자를 감쌌던 손으로 그녀의 어깨를 잡은 그가 고개를 기울이며 모자를 벗겼다.

남자의 붉은 입술이 턱 가까이 닿는 순간, 주위의 온도가 올라갔다. 뺨에 한 번, 입가에 한 번, 다시 뺨에 입 맞추고 누구에게도 보이고 싶지 않은 사람처럼 품 안으로 꼭 끌어안았다.

"예쁘게 울어 줄 거야? 그럼, 나도 참아 볼게. 유연아."

-오른쪽이다.

퀼이의 말에 생긋 미소 지은 그녀는 코너를 돌았다.

유연은 평소보다 일찍 출근해 예화의 길을 외우는 중이었다. 현재의 업무는 비서실에서 보던 업무와 크게 다르지 않았지만, 하루라도 빨리 도슨트 과정을 이수해 실무에 투입되고 싶었다.

'제주도 같이 갈 거지?'

근대관을 지나 현재의 역사관에 도착한 유연은 이숙의 어진이 걸린 유리관 앞에 섰다. 그 아래로 주상이 세자 시절 사용했던 물건들이 귀하게 전시된 것이 보인다.

신기한 일이었다. 현재를 함께 살아가는 누군가가, 역사가 되는 과정을 지켜본다는 것은.

-생각해 보겠다.

은근히 튕기는 말투에 픽 웃어 버린 그녀가 말했다.

'제주도 가 본 적은 있어?'

-탐라는 가 본 적 있다. 까만 돌과 시퍼런 물. 바람이 불고 따뜻하지만, 외로운 곳이다. 좋지 않다.

'예전엔 그랬을 수도 있겠다……. 지금은 진짜 살기 좋은 곳인데.'

-좋으냐. 여행이란 것.

'당연하지. 수학여행 이후 처음이나 다름없거든.'

-수학여행이 무엇인지 모르겠지만, 네가 좋으면 나도 좋다. 하지만 귀멸자와 함께다. 주인아, 귀멸자의 성격을 모르느냐?

'알아, 알아.'

웃음이 새어 나온 입술에 힘을 주며 몇 걸음 더 나아간 그녀는 건의 사진을 발견했다. A0 크기의 패널에 인화된 사진은 앳된 얼굴을 하고 있었다. 십 대? 아니면 이십 대? 학생이라도 해도 믿을 법한 얼굴을 한 그의 모습이 낯설지 않다. 어쩌면 제가 잊은 기억 속 그의 모습이 바로 이 사진 속 얼굴일지도 모른다.

유연은 반가운 마음에 그 앞에 진열된 물건들을 찬찬히 훑었다. 작은 놋그릇, 그보다 더 앙증맞은 수저로 시작해 온갖 상패와 수상 경력 같은 것들이 유난히 가지런하다. 전시를 맡은 담당자의 애정이 느껴졌다.

말없이 감탄하던 그녀는 먼 곳에서 시작된 사람들의 말소리에 상체를 세웠다. 미술관을 방문한 관람객들은 도슨트와 함께 예화를 투어 중이었다. 막 현대관으로 들어서는 관람객들을 피해 옆으로 물러선 그녀에게 흥미로운 시선이 닿았다가 멀어진다. 하루가 멀다고 삼간택의 기사가 헤드라인을 차지하는 요즘, 그녀는 이제 자신을 알아보는 사람들이 불편하지 않았다.

호기심의 눈빛을 자연스럽게 흘리고, 전시계획서 초안을 완성해 사무실로 걸어갈 때였다. 가슴이 울렁거리고, 묵직한 감각이 어깨를 누른다. 약간의 두통과 함께 본능적으로 가야 할 방향이 떠올랐다.

그녀가 향한 곳은 미술관과 연결된 돌담을 따라 전시된 그림들 앞이었다. 서울시에서 주최하고, 만 6세 이하 어린이들이 참여한 행복 그리기 사생대회. 약 100여 점의 그림을 천천히 훑던 그녀의 걸음이 멎는다.

알록달록한 코끼리가 도화지를 가득 채운 그림 액자 속, 아기 주먹만 한 이매가 고개를 빼꼼히 내민 게 보였다. 커다란 눈, 뾰족한 송곳니와 생쥐처럼 자그마한 귀를 가진 털북숭이 짐승이었다. 막 그림에서 태어난 것인지 그녀를 보고도 놀란 기색 없이 신기한 듯 주위를 둘러본다.

'궐아.'

그녀는 더듬거리며 궐이를 불렀다.

"나 여기 있다."

불쑥 들려온 목소리에 돌아본 유연의 뒤로 오랜만에 사람 모습을 한 궐이가 붙어 선다. 두꺼운 스웨트 셔츠에 청바지, 코트를 걸친 궐이의 입술 새로 하얀 입김이 새어 나왔다.

그녀는 최대한 멀리 대기 중인 경호원 두 명과 궐이를 번갈아 보며 물었다.

"사람 모습으로 있어도 돼?"

궐이가 대답 대신 고개를 끄덕이더니 그녀가 들여다보던 그림으로 시선을 옮겼다.

"혹시, 이매가 숨어 있는 것이냐."

유연은 영문을 모른 채 고개만 갸웃거리는 이매를 보며 한숨을 내쉬었다.

"응. 나 이제…… 조금 알 거 같아."

"보이는구나."

바람이 불어와 가지에 매달려 있던 붉은 단풍잎이 사방으로 흩날린다. 겉옷을 여민 사람들의 걸음이 빨라진다.

"이제 어떻게 해야 해?"

"막 태어난 이매는 아무런 힘도 갖고 있지 않다. 송아지가 태어나는 것을 본 적 있느냐?"

"아니, 실제로는 없어."

"송아지는 태어나 얼마 지나지 않아 스스로 네발로 일어선다. 이매도 마찬가지, 태어나 얼마간은 아무런 힘없는 미물일 뿐이지만 본능적으로 해야 할 일을 깨우치지. 인간처럼 두 발로 서는데 이토록 오랜 시간이 필요한 존재는 없다."

그 말은 잠신한 이매가 환동하기까지의 시간이 얼마 남지 않았다는 것이나 마찬가지였다. 하지만 이상하게 전처럼 두렵거나 마음이 조급하지 않았다. 어쩐지 답을 눈앞에 둔 기분에 머뭇거릴 때였다. 치웅의 목소리가 불쑥 머릿속으로 파고든다.

-주인아, 꼬맹이의 머릴 쓰다듬어 주면 돼. 다른 건 필요 없어.

'……치웅 언니?'

-말 들어. 청송, 이 어린놈이 날 장기로 이겨 먹으려 들어서 한 수 가르쳐 주는 중이거든.

한마디로 더 이상 말 걸지 말라는 뜻이나 다름없다. 용기를 얻은 그녀가 손을 뻗었다. 초롱초롱하게 눈을 빛낸 이매의 북슬북슬한 머리에 그녀의 손이 닿았다. 그러자 아무것도 모른 채 까르르 웃던 이매의 형체가 흐트러지더니 뿌연 연기로 화한다.

그것은 가벼운 솜사탕을 어루만지는 느낌이었다. 깃털처럼 가벼운 그 감각이 손끝으로 흡수돼 사르륵 녹아 없어졌다. 이어 조금 전까지만 해도 두통을 자아내던 통증마저 씻은 듯 사라지고, 유연은 믿기 힘든 표정으로 자신의 손과 그림을 번갈아 보았다.

혹시 지금껏 이유 없이 머리가 아팠던 이유가, 잠신한 이매들 때문이었던가? 그러자 궐이가 어리둥절하게 서 있는 그녀의 머릴 쓰다듬어 주었다.

"하나 배웠구나."

"이게……."

"네가 할 수 있는 일들의 극히 일부겠지."

그녀는 가만히 서서 그림 하단에 붙은 아이의 이름을 읽어 보았다. 다행히 아이가 그려낸 행복은 무사하다. 알록달록한 코끼리는 제 손으로 지켜낸 누군가의 행복이자 마음이었다.

"궐아. 제주도에는 말이야, 흑돼지 삼겹살이 엄청 유명해."

천천히 돌아서며 말하자, 궐이의 눈이 순간 커진다.

"……그것을 왜 이제 말하냐, 주인아!"

"아니, 너무 당연해서 까먹고 있었지……?"

"그래서. 맛이 있는 게 확실하고?"

"맛이 없으면 어떻게 유명하겠어? 전에 먹은 삼겹살보다 최소 5배는 더 맛있을 거야. 내가 장담할게."

궐이는 반짝거리는 그녀의 눈을 내려다보며 난처한 표정을 지었다. 어떤 이유에서인지 제주도에 함께 가자는 제안을 몇 번 튕겨 볼 요량이었던 것 같았다. 하지만 귀신을 속여야지. 여자의 촉은 그렇게 만만히 볼 게 아니었다. 게다가 묘하게 궐이와의 거리감이 생긴 것 같아서 기분이 이상했다.

"너 말고도, 청송이랑 치웅 언니랑 가능하면 망량 영감님도 같이 갈까?"

고민하던 궐이의 고개가 불쑥 들린다.

"유연아, 그것은 아니 된다. 분명, 고깃집의 고기가 부족하게 될 것이다. 나는 그러고 싶지가 않다."

"에이, 무슨? 얼마나 먹는다고."

"귀멸자의 벗이 말하였다. 궁의 기둥을 뽑아 먹을 셈이냐고 화를 냈다."

"아……."

혹시 이 실장님이었을까?

그 심정이 이해되면서도 웃음이 났다. 유연은 궐문 방향으로 걸음을 내디뎠다.

"걱정하지 마. 우리 저하 삼겹살 정도는 충분히 사 주실 수 있으니까. 아니면 내가 사 줄게. 단, 1인당 10인분 이상은 안 된다? 그러니까 같이 갈 거지?"

병실의 문을 열고 유연이 들어섰다. 환기하려고 했는지 한 뼘 정도 열린 창문 틈으로 차가운 바람이 불어 든다.

아주머니는 자리를 비우셨는지 보이지 않았다. 유연은 핸드백을 내려놓고 모자를 벗었다. 세자빈에 관한 기사가 몇 번 나간 이후 뒤쫓는 사람들이 몇 명 생긴 터라 모자 없이는 외출하지 못하는 상황이었다.

유연은 도톰한 이불을 끌어 올려 엄마를 덮어 준 뒤 의자를 꺼내 앉았다. 서화의료원에서 나온 이후 엄마는 빠르게 건강을 회복해 나갔지만, 여전히 눈을 뜨지는 못했다. 그리고 이따금 상태가 나빠질 땐 이틀씩 집중치료실로 옮겨 가 치료를 받기도 했다.

모든 것이 느리고 가야 할 길은 멀기만 하다. 하지만 그 길이 멀다고 포기할 이유는 없었다.

"으이구, 우리 엄마 눈 뜨면 피부 관리부터 해 줘야겠네. 피부가 이게 뭐야."

잠든 엄마의 바늘 자국이 남은 손등을 만지작거리는데, 엄마의 손가락이 움찔하더니 유연의 손등을 감싸 쥔다. 유연은 너무 놀라 아무런 말도 하지 못한 채 굳어 버렸다. 숨을 꾹 참은 채로 엄마의 손과 얼굴을 번갈아 보는데 문을 열고 간병인 아주머니가 들어오셨다.

"어머, 유연 씨 왔어요?"

귤 한 봉지를 내려놓은 아주머니는 손을 꼭 붙든 두 사람을 보며 놀란 표정을 지었다.

"어머머머! 깨어나셨어요?"

유연은 입술만 벙긋거리며 고개를 저었다. 그러자 '에그그.' 하며 혀를 찬 아주머니가 와서 어깨를 감싼다.

"너무 걱정 마요, 점점 좋아지고 계시니까 금방 눈뜨시겠지."

"그러시겠죠……? 저 없는 동안 혹시라도 눈 뜨시면 꼭 연락 주세요. 바로 올 테니까."

"그럴게요, 걱정 마요. 우리 혜란 씨 가끔 웃기도 하고 찡그리기도 해요."

"아주머니가 계셔서 다행이에요……."

그녀는 한참 동안 엄마의 손을 잡고 있었다. 병원을 나서면 곧장 공항으로 향해야 했다. 그곳에서 업무를 마친 건과 합류해 제주도행 비행기에 오를 예정이었다.

하필, 왜 오늘일까. 이상하게 엄마가 눈을 뜰 것 같은 예감에 쉽게 몸을 일으키기 힘들었다.

"그런데 세자빈 되는 거 맞지요?"

아주머니가 조심스럽게 질문하며 껍질 깐 귤을 건넸다. 상큼한 시트러스 향이 훅 번진다.

"글쎄요. 아직 결정 내려진 건 없어요."

"우리 딸이 기사에 나온 거 유연 씨 맞다고 하는 통에 숨기느라 혼났거든. 아무래도 함부로 말하면 안 될 것 같아서."

"감사해요. 항상 도움만 받는 거 같아요."

"나야 유연 씨가 월급 꼬박꼬박 주는 게 더 고맙지. 혜란 씨가 하필 질병 분류가 안 돼서 보험금도 하나 못 타고, 지금까지 유연 씨가 번 돈으로 다 했잖아. 나는 아주 대단하다고 생각해. 우리 같은 사람들은 아마 금방 포기해 버렸을 텐데."

이제 정말 움직여야 할 시각이었다. 그녀를 데리러 온 경호원 두 명이 병실 밖에 서 있다. 마지못한 듯 일어난 유연은 어머니를 잘 부탁드린다는 말을 남기곤 병실을 나섰다.

그녀를 승강기 앞까지 배웅한 뒤 돌아온 아주머니는 병실 문 앞에 서 있는 낯선 여자를 발견했다. 짧은 쇼트커트를 한 여자는 단정한 정장을 입고 있었는데, 반듯한 자세하며 흐트러짐 없는 표정이 예전의 유연을 떠오르게 했다.

"누구세요?"

아주머니는 겉모습에 현혹되지 말자고 다짐하며 여자에게 말을 걸었다.

"혹시, 박혜란 씨 간병인 되시나요?"

"그런데요?"

"아, 인사가 늦었습니다. NV 호텔 대표님의 비서입니다. 조유연 씨께 할 말이 있는데……. 혹시 안 계시는가요?"

"유연 씨는 방금 갔는데요? 어머, 전화해서 불러 드릴까요?"

아주머니가 급히 휴대 전화를 꺼내려 하자 자연스럽게 막은 여자가 명함을 건네준다.

"그러지 않으셔도 돼요. 저희 대표님께서 유연 씨에게 큰 빚을 지셨는데, 요즘 좋지 않은 소문을 들으셨다고 해서요. 서화제약 쪽에서 조유연 씨 상대로 거액의 소송을 준비 중이라고 합니다."

"어머, 서화에서요? 별꼴이야?"

"도둑이 제 발 저리다고 하지요?"

"그래서요? 조유연 씨에게 알릴까요?"

"그러지 마시고 만약 누군가 찾아와서 불쾌하게 하거나 문제를 일으키면 이 번호로 연락해 주세요. 저희가 돕겠습니다. 상황을 지켜본 뒤 조용히 돕는 편이 좋을 것 같습니다."

"알겠어요. 일단 잘 갖고 있을게요. 어휴, 그러잖아도 요즘 누가 자꾸 따라다니는 것 같더라니."

여자는 명함과 함께 고급 과일바구니를 쥐여 준 뒤 안쓰러운 표정으로 그 자리를 떠났다.

승강기를 타고 1층 버튼을 누르는 여자의 얼굴에 미소가 지워졌다. 핸드백 안에 넣어둔 휴대 전화를 꺼내 1층에 다다르길 기다렸다. 어느덧 멈춰 선 승강기 문이 열리고 휴대 전화 전파가 살아났다. 여자는 곧장 자신의 상관에게 전화를 걸었다.

[앞이에요.]

"이동하겠습니다."

로비를 가로질러 로터리 형식의 정문 앞으로 나간 여자는 대각선에 세워진 왕실의 호위 차량을 발견했다. 막 통화를 마치고 차에 오르는 조유연이 보인다. 그 주위로 기자와 경호원들이 일정한 규칙을 갖고 뒤따르는 중이었다.

조수석에 올라탄 여자는 뒷좌석에 앉아 바깥을 응시하는 자신의 상관에게 꾸벅 인사했다.

"간병인에게 경고하는 방향으로 접근했습니다. 서화제약 쪽에서 조만간 공격이 있을 테니 주의하라고요. 잘 알아듣는 눈치입니다.”

“수고하셨어요. 그 정도만 해도 충분할 거예요.”

서연아는 유연이 탄 차에서 이만 시선을 떼어 냈다.

모두가 손해 보는 결혼이라고 한다. 그리고 저 역시도 그렇게 생각했다. 하지만 이제 와 파혼을 할 수는 없는 일. 되돌리기엔 너무 많이 와 버렸기에, 더는 망가지면 안 된다는 생각뿐이었다. 그러기 위해선 시아버지가 더 이상 서화의 명예를 실추시키는 상황을 막아내야 한다.

이왕 손해 보는 결혼을 하게 될 이상, 받을 건 제대로 받아낼 생각이다. 그것이 회사의 경영권이라면, 이 정도 문제는 어쩌면 아주 사소한 해프닝으로 결론지을 수도 있을 것이다.

“어제 보여 준 필리핀 별장 계약하고, 항공편 준비하는 거 서두르죠. 조만간 사고 치실 거 같은데.”

[NV 호텔 대표래요. 아는 사람이에요? 서화제약, 그 나쁜 놈들이 고소한다던데. 괜찮겠어요?]

유연은 공항으로 이동하는 내내 흥분한 아주머니를 달래는데 진을 뺐다.

그럴 수밖에. 서화제약에서 제중원으로 엄마를 옮길 때 받은 수모와 불쾌함은 두고두고 잊히지 않을 지경이었으니까. 그리고 NV 호텔은 서연아 집안의 계열사 일부였다.

그렇다는 건 아주머니께 접근한 인물은 서연아의 사람이라는 뜻.

어째서 자신을 드러내 가며 접근해 온 걸까? 적이 아니라는 걸 증명하기 위해서? 그것도 아니면 다른 뜻이 있을 테지만, 유연은 여전히 손바닥에 남은 엄마의 체온을 더듬으며 쓴웃음을 지었다.

"그러지 마시고 무슨 일 있으면 저한테 연락하세요, 아주머니."

[그래요, 잘 다녀와요.]

결국 비행기에 오른 뒤에야 전화를 끊은 그녀의 앞에 시원한 음료가 놓인다. 차를 타고 급히 이동한 덕분에 목이 마르던 차였다.

"감사해요."

고개를 든 유연은 깜짝 놀랐다. 조금 늦을 거라고 했던 건이 직접 음료를 내려놓더니 그녀와 마주 앉는다.

"전용기 탑승한 소감이 어때."

어느새 비행기 안에는 그녀를 비롯해 RSA의 직원들과 익위들로 가득했다. 건의 재킷을 받아 걸던 우혁이 고개 숙여 인사했다.

"신기하고 어색해요. 그런데 이런 걸 함부로 써도 될까요?"

"함부로라니. 제주도에 가면 공식적인 왕실 업무가 있어. 제주에 체류 중인 영국 총리와 비밀 회담할 거야. 기사는 회담이 끝난 뒤 발표될 거고."

당황한 그녀의 입술이 벌어졌다. 그는 마치 점심 식사 메뉴를 정하듯 태연했지만, 그녀는 아니었다. 대한민국 각계의 고위급 관료들을 상대해 본 적은 있어도, 총리라니.

긴장한 그녀가 마주 앉은 그의 방향으로 상체를 기울인다.

"혹시, 저도 같이요? 아니죠?"

"왜 아니라고 생각해. 어디든 같이 다녀야지, 안 그래?"

그의 미간이 삐딱하게 기운다. 유연은 낭패란 표정으로 마른세수를 했다. 조용하고 프라이빗한 여행이 되진 않을 거란 걸 알고 있었지만, 왕실 회담장에 동행하게 될 줄 몰랐다.

그럼 궐이는? 청송이랑 치웅 언니랑 망량 영감님은?

"아, 그리고 말이야……. 혹시 김궐한테 연락 왔어?"

저 태연자약한 얼굴이 근사하지만 않았어도 이렇게 약이 오르진 않았을 것이다.

"궐이한테 무슨 연락이요?"

"제주도에 있다던데. 나한테는 연락이 왔거든. 네가 삼겹살을 사 주겠다고 했다며."

"제, 제가요? 뭐…… 사 주는 건 어렵지 않죠."

"뷔페 음식을 거덜 낼 뻔한 놈한테?"

그녀는 잠시 멈칫했지만 뻔뻔하게 시선을 피하지 않으며 생긋 웃었다.

"그러고 보니 오늘 제주도 가는 거 업무의 연장이네요? 추가 수당 있습니까?"

금세 업무 모드로 돌변한 그녀가 두 눈을 부드럽게 휜다. 실소한 그가 불쑥 상체를 기울이더니 그녀의 코끝을 꽉 깨물었다.

"추가 수당으로 김궐에게 고기를 먹이겠다?"

"정확하게는 궐이 외 3명이요."

"흐음, 나한테 말도 안 하고?"

"그냥 조용히…… 고기만 먹이려 했는데, 안 되나요?"

아픈 코끝을 만지작거리는 그녀의 손목을 잡은 그가 두려울 만치 부드럽고 감미롭게 웃으며 시선을 맞춰 온다.

유연은 저도 모르게 마른침을 꼴깍 삼켰다. 하필 서 상궁님의 감시 때문에 업무 시간과 정해진 스케줄 외에는 둘만의 시간을 보내지 못한 터였다. 그래서인지 투정이 늘어났던 요 며칠을 떠올리며 슬그머니 시선을 피했다.

"좋아, 추가 수당으로 삼겹살은 원 없이 먹여 줄게. 단, 그 자리에 우린 불참이야."

"네? 왜요?"

같이 바닷바람도 쐬고, 귀여운 청송이도 원 없이 주무를 생각이었다. 그런데 왜?

상체를 젖혀 시트에 기댄 그가 우혁이 가져온 음료를 받아 시원하게 들이컨다. 속이 타들어 가는 건지 음료 한 병을 말끔하게 비우고는 나른하게 미소 지었다.

"내 식성은 삼겹살이 아니라서. 다른 거 먹을 거니까, 우리 조유연 씨는 상관인 나와 동행하는 거로. 알겠습니까?"

정신이 하나도 없었다. 건이 말했던 대로 전용기에서 내리기 전, 누군가 그녀의 복장을 점검하곤 머리를 다시 빗겨 주었다. 그러곤 그의 손을 잡고 내리는데, 건이 귀에 대고 다정하게 속삭였다.

"고개 숙이지 말고, 이왕이면 까딱까딱. 알았어?"

"저기…… 꼭 제가 동행해야 하나요?"

"대한민국 국민이 다 알아. 네가 세자빈 될 거라는 거. 그러니까 확인 사살 제대로 하자고."

이 사람이, 그게 얼마나 무서운 말인지 알고 하는 소린지.

그녀는 다양한 국적의 기자들이 들이댄 카메라를 보며 시키는 대로 움직였다. 고개를 까딱여 인사하거나, 악수하고 영국 총리를 눈앞에 두고도 전혀 놀라지 않은 표정으로 포옹했다. 하지만 얼마나 긴장을 심하게 했던지, 종아리에 쥐가 나거나 손이 떨려 찻잔도 제대로 들지 못했다. 그래도 다행인 건 그들의 대화를 모두 알아듣고 정리할 수 있었다는 것이다.

왕실을 보유한 두 나라는 5차 산업에 관한 대화를 하거나, 오랜 역사에 대해 자료를 나누고 각국에서 소실된 유물에 관하여 오랜 대화를 나누었다.

'가끔은 덜 멋있어도 되는데.'

일하는 모습도 멋지면 어쩌자는 건지.

유연은 회담이 이루어지는 두 시간 내내 모든 신경을 건에게 집중했다. 혹시라도 놓치는 게 있을까 싶어 매끄러운 입술에서 시선을 떼지 않았다.

손 닿지 않는 곳의 연예인을 보는 기분이다. 멋있고 근사해서 낯설기도 했다. 저렇게 근사한 남자가 제게만 입 맞춰 주고, 저만을 안아 준다는 것이 새삼 가슴 떨렸다.

"잠시."

건이 그렇게 말하며 불쑥 돌아본 탓에 그녀의 얼굴이 새빨개졌다. 유연은 딸꾹질이 나올 것 같은 입을 가리며 두 눈을 크게 떴다. 그러자 상체를 옆으로 기울인 그가 미소 띤 얼굴로 귓가에 속삭인다.

"그렇게 핥듯이 보면, 나더러 어쩌자는 거야. 응? 일을 할 수가 없잖아, 유연아."

유연은 제주 서량 호텔에 마련된 프라이빗 빌라 앞에서 궐이와 만났다. 정확하게는 궐이와 청송, 해먹에 누워 있는 망량 영감과 치웅까지 합세해 바비큐 파티 준비가 한창인 곳에서 유연을 기다리는 중이었다.

그녀는 당장에라도 뛰어가고 싶었지만, 건이 손을 꼭 붙든 탓에 앞으로 뛰어 나가지 못했다. 그러자 왕실 직원으로 보이는 사람들이 사방에서 나타나 수호부가 모인 외부 테라스에 테이블을 설치한다. 그 위에는 산처럼 쌓인 삼겹살과 각종 바비큐용 고기들이 가득했다.

어지간한 뷔페 수준을 뛰어넘는 양에 놀란 그녀는 1인 1불판이라는 단호한 지침 아래 움직이는 이들을 안쓰럽게 쳐다보았다. 직원들도 상황이 낯선 만큼 서로 눈치를 보며 숯을 달군다.

'맛있게 먹어, 궐아.'

-같이 먹자.

'난…… 너희 삼겹살 사 주는 대신 저하랑 약속한 게 있어서. 같이 그거 먹으러 가야 해.'

그녀의 말에 홱 돌아선 궐이가 건에게 손을 흔든다. 째려볼 줄 알았는데, 궐이의 얼굴엔 뿌듯함이 깃들어 있었다. 마치 입 하나를 줄여 홀가분하다는 듯한 표정에 유연이 버럭 소리쳤다.

'너!'

-치웅의 식사량을 무시하면 안 된다. 나의 고기를 치웅에게 빼앗길 수는 없지. 굽는다! 유연아, 귀멸자는 너를 은애한다. 그러니 분

명 좋은 음식을 먹일 것이다. 걱정하지 말아라.

누가 그런 걸 걱정한다 그래. 내가 걱정하는 건 그게 아니거든?

한숨 쉰 유연은 휴대 전화를 꺼내 즐거운 표정의 수호부들을 사진으로 남겼다. 신기하면서도 재미있는 광경이었다.

"안 돼."

궐이의 모습을 사진으로 남기던 그때, 건이 그녀의 휴대 전화를 툭 빼앗는다.

"어? 왜 안 돼요?"

"아직 우리도 같이 찍은 적 없는데, 남사친 사진으로 네 사진첩을 채운다는 게 영 못마땅해."

진짜, 있는 놈이 더하다더니. 유연은 입안에 바람을 잔뜩 넣곤, 까치발을 들어 그가 빼앗아 간 휴대 전화를 되찾았다.

"우리 사진은 별개죠."

"이우혁, 이리와."

건의 부름에 막 빌라 안으로 들어서던 우혁이 잰걸음으로 다가왔다.

"예, 전하."

숙소 문제를 해결하고 돌아온 우혁은 순간 멀리 보이는 수호부 무리를 발견하곤 당혹스러운 표정을 지었다.

"설마, 제게……."

차마 말을 잇지 못하는 우혁이 안경을 벗으며 눈을 비빈다. 그에 생긋 미소 지은 건이 고개를 끄덕였고, 우혁은 급 무릎을 꿇으며 세자의 바짓가랑이를 잡았다.

"저하!"

"너밖에 없어. 미안하다."

"이럴 수는 없습니다. 분명, 약조하셨지 않습니까!"

"이 실장, 대의를 위해서야. 네 노력과 희생을 절대 잊지 않을 것이야."

"저하!"

웬 대하사극의 중반부를 보는 기분이다. 우혁은 어떻게든 건의 마음을 돌리려 했지만, 그는 요지부동이었다. 결국 눈물을 머금고 일어난 우혁이 수호부들의 방향으로 돌아선다.

주먹을 말아 쥔 채 눈을 감는 모습이 얼핏 비장하기까지 했다.

"이 실장님 왜 저러시는 거예요?"

의아한 마음에 건의 귀에 속삭이자 어깨를 으쓱 올린 그가 웃는다.

"육아가 얼마나 힘든지 알아서 그래."

"육아라니, 혹시 쾰 사람들 말하는 거예요?"

"응. 저 정도면 동물농장 수준이지. 사람의 힘으로 커버할 수 있는 텐션이 아니야. 보면 알아."

이해한다. 처음 자신도 정신이 하나도 없었으니까. 그럼 더더욱 우혁을 도와줄 인력이 필요한 것 아닌가? 하지만 유연은 제법 점잖아진 수호부들이 대체 어떻게 사고를 치는지 이해되지 않았다. 남의 애는 다 천사라던 누군가의 말이 불쑥 뇌리를 스쳤다.

"그럼, 여긴 이 실장에게 맡기고 우린 가자."

걱정하지 않아도 된다는 투가 못 미더웠지만, 수호부들은 우혁을 반기며 기뻐하고 있었다. 제일 의외였던 건 치웅이었다.

치웅이 다가온 우혁의 팔짱을 끼우며 귓가에 무언가를 속삭였다. 그러자 우혁이 진지하게 고개를 끄덕이고 부드럽게 웃는다. 역시 비서실장다운 면모였다.

"그것 봐, 걱정할 거 없다니까."

건은 그녀의 손을 잡고 빌라 출입문 방향으로 걸음을 옮겼다. 절로 감탄이 새어 나오는 곳. 제주도답게 화산석이 깔린 바닥과 야자수가 심어진 오솔길을 걸어 출입구에서 제일 먼 빌라까지 걸었다.

두 사람이 향하는 곳은 개인 해변까지 딸린, 완벽한 휴양을 위한 곳이었다. 어디서 왕실 파파라치가 튀어나올지 모르니, 이제 모든 외부 숙소는 최고의 보안 시설을 갖춘 곳이어야만 했다. 그래서 다 같이 어울리지 못한다는 것이 너무나 아쉽기도 했다. 이렇게 먼 곳까지 왔는데, 어쩌면 제주도 구경을 제대로 하지 못할 거란 생각도 들었다.

"그런데 오늘 일정은 이대로 끝인가요?"

업무의 연장선인지를 묻는 그녀에게 얼굴을 가까이한 그가 고개를 젓는다.

"아니, 말했잖아. 맛있는 거 먹으러 갈 거라고."

짭조름한 바닷바람이 불어온다. 남쪽의 바람은 북쪽보다 무겁고 따뜻했으며 짙은 습기를 품고 있었다.

다른 곳보다 담장이 높은 숙소 앞에 다다랐을 때, 유연은 바다 방향으로 서서 파도치는 터키색 바다를 응시했다. 사방 어디를 보아도 물이 있는 곳.

감회가 새롭다. 이곳에 온 이유는 왕후마마를 만나 치웅의 마지막 조각을 되찾는 것이었으나, 더 중요한 것은 이 남자가 어머니를 어떤 마음으로 마주하느냐였다. 가장 예민한 사춘기 시절, 연기처럼 사라져 버린 중전. 사람들은 많은 유언비어를 퍼트렸으나 그것 중 단 하나도 진실은 없었다.

"왜, 바다가 예뻐?"

누가 가져다준 것인지 도톰한 블랭킷을 받아든 그가 그녀를 뒤에서 감싸 끌어안는다.

"네. 바다도 예쁘고, 바람도 좋고. 좋은 일이 생길 것 같아요."

"어머니의 상태도 많이 호전되셨다던데."

"응, 내 손을 꽉 잡아 주셨어요. 그때 간병인 아주머니가 안 계셨으면, 아마 펑펑 울어 버렸을걸요?"

"잘 안 울더니, 점점 눈물이 늘어."

"그건…… 어리광 부릴 상대가 없었잖아요. 그런데 지금은 받아 주는 사람들이 생기니까, 자꾸 약해져요. 아니, 마음 놓고 울고 싶어져요."

"울어. 넌 우는 것도 예뻐서, 나는 좋거든."

그녀는 얼굴이 새빨개져 그의 품에서 벗어났다. 그러곤 서둘러 현관을 열고 안으로 들어갔다. 그 모습을 지켜보며 웃음을 참은 그가 조금 전 그녀가 응시하던 바다를 바라보며 청송에게 물었다.

'그래서, 어머니는 지금 어디 계시지?'

-귀멸자야! 먹고 얘기하면 안 되냐? 역시, 넌 정말 정말 좋은 사람이다! 내 300년 인생 중 이토록 맛있는 고기는 처음이다.

'제주도 흑돼지 씨 말리지 말고, 적당히 먹어. 1시간 안으로 말해. 움직일 거니까.'

-쳇, 알았다. 기다려라.

유연이 어머니를 찾는 이유는 모른다. 그녀도 알려 주지 않았고, 그도 묻지 않았다. 그럼에도 불구하고 모든 것을 다 아는 듯한 느낌은 왜일까.

건은 새삼스러운 기분을 느꼈다. 누군가로 인해 용기를 낸다는 것. 처음으로 '나'를 위한 결정을 내린다는 것. 그리고 누군가에게 기대고 싶어지는 것. 그것은 비단 그녀 혼자만의 변화는 아님을……

서연아는 고급 펜트하우스의 문을 열고 안으로 들어갔다. 그러자 주방일을 보던 사용인이 나와 공손하게 주인을 맞는다.

"사모님, 다녀오셨어요?"

"그이는요?"

"조금 전에 들어오셨어요. 옷 갈아입고 계십니다."

서연아는 실내용 슬리퍼로 갈아 신고 복층 계단을 올랐다. 그러자 침실과 연결된 워킹 클로젯에서 편안한 옷으로 갈아입은 준일이 나오는 게 보였다.

"아, 왔어."

준일의 표정이 좋지 않다. 연아는 생글생글 웃으며 준일을 끌어안았다.

"응, 왔어. 그런데 오늘 표정이 왜 이렇게 안 좋아?"

최준일의 기분이 바닥을 치는 이유는 알고 있다. 하지만 부러 모른 척했다. 조유연이 세자와 함께 제주도에서 영국 총리를 만났다는 것과 그녀를 세자빈으로 확정하는 기사들 때문이겠지. 그것도 아니라면 최우식의 필리핀행이 못마땅할지도.

"연아야, 아버지를 너무 만만히 보는 거 아닌가 싶다. 아버지 필리핀 별장으로 보내 드린다며."

"응. 아버님은 휴식이 필요하실 거야."

연아는 준일의 품에서 빠져나와 입고 있던 옷을 벗으며 드레스룸 옷장을 열었다. 그러자 문설주에 기대선 준일이 가슴 앞으로 팔짱을 끼며 진지한 투로 묻는다.

"그렇게까지 할 필요는 없잖아. 아버지가 가진 계열사 운영에 차질이 생겨. 문제가 있는 건 알지만, 아버지의 인맥이 아직은 중요해."

"준일 씨, 아버님 말이야…… 오늘 누구 만났는지 알아?"

"뭐?"

"경제인연합회 동문 만나셨어. 발효된 안건은 왕실의 권한 축소 및 완전 폐지. 세금만 축내는 기생충이라고 하시더라? 우리 삼촌이 그 소속이시거든. 얼마 전까지만 해도 딸을 세자빈 만든다며 그렇게 열성이던 인간이 이상해졌다며 혀를 내두르셨어."

"인간? 서연아, 말이 심한데?"

"그럼, 뭐라고 해? 쪽팔리고 창피해. 직원들 보는 것도. 자기가 이제 대표야. 아직은 임시지만 곧 서화제약의 얼굴이 될 건데, 언제까지 아버님이 망치는 걸 봐야 하지? 정신 차려, 최준일. 나는 뒷바라지할 남편이 필요한 게 아니라, 내 뒤 봐줄 남편을 원해."

준일은 헛웃음을 내뱉으며 이를 악물었다. 물론, 잘못을 저지른 건 맞지만 일에는 순서가 있는 법이다. 하지만 이미 장인의 돈을 제법 끌어다가 쓴 탓에 연아에게 큰소리칠 수 없었다.

"그래, 네 마음대로 해. 단, 어머니한테는 손대지 마. 어머니한테 일본인을 소개했다며? 화가라고 했던가?"

"아, 켄이치 이마무라 씨. 그분 유명한 작가셔. 사업도 하시고. 어머니 사업에 도움이 될 것 같아서. 왜? 안 돼?"

연아는 무구하게 웃으며 다가왔다. 실내복 안으로 보이는 여자의 뽀얀 피부에 자꾸 눈이 간다. 그걸 아는 것인지, 꼼지락거리며 그의 허리를 감싸 안은 서연아가 턱 끝을 준일의 가슴팍에 댔다.

"싸우지 말자. 지금 우리 정신 제대로 차리지 않으면, 무서운 것들 한테 잡아먹혀. 예감이 좋지 않아. 이건은 진짜 똑똑한 편이거든."

"세자를 말하는 건가?"

준일이 그녀의 등을 감싸 침실 방향으로 이끈다. 자연스럽게 침대 위로 올라간 연아가 고개를 끄덕였다.

"몰랐어? 나도 왕립고등학교 출신이야. 아주 잘 알지. 이건이 누 군지, 어떤 인간인지."

진저리칠 만큼 좋다. 이토록 뜨거워도 될까 싶을 정도였다. 그래 서 건은 자꾸만 그녀의 이마에 입술을 대고 체온을 확인해야 했다.

땀에 젖은 관자놀이와 뺨에 입을 맞추며 몸을 뒤로 뺐다. 외부의 온도가 가파르게 내려가서인지, 바다가 보이는 창에 뿌연 성에가 낀다.

그는 시트를 짚으며 상체를 조금 들었다. 제 아래 깔려 있던 그녀 의 붉은 입술이 촉촉하게 부어올라, 자꾸만 입 맞추고 싶어진다. 그 래서 짓궂게 입술을 깨물면, 아프다며 앓는 소릴 내는 것조차도 사 랑스러워 견디기가 힘들었다.

"유연아, 한 번만 더."

눈을 크게 뜬 그녀가 고개를 저었지만, 이미 늦었다.

깊게 몸을 묻어 버린 그는 테이블 위에 올려진 쪽지를 흘깃 보며 한숨을 내쉬었다. 그것은 청송이 보내준 장소를 토대로 만들어 낸 다섯 곳의 주소였다.

"배고파요."

"나도."

"우리 밥 먹으러 가요."

"뭐 먹을까?"

탁한 숨을 내쉬며 그녀의 귓불을 깨물었다. 그녀는 잠시 할딱이며 그의 목덜미를 끌어안고 단단한 살갗을 깨물었다.

"처음 먹어 보는 거."

"그럴까?"

"예쁜 카페도 가 보고 싶어요."

"그러자."

"근데 가능할까요?"

"응, 가능해. 네가 원하는 건 뭐든."

지나치게 행복해 불안할 지경이다. 지금이 행복의 꼭대기에 서 있는 건 아닌지, 자꾸만 아래를 내려다보곤 했다.

건은 열 오른 그녀의 뺨에 입 맞춘 뒤, 발끝으로 시트를 밀었다. 푸르스름한 파도가 일렁인다. 오싹한 절정이 정수리를 꿰뚫는 순간, 빌어먹을 목소리가 들렸다.

-고기가 없다, 귀멸자야.

'하, 입 좀 다물지?'

-눈은 감고 있으니 걱정하지 마라. 그러니 어서 고기를······.

'이우혁이 있잖아!'

－아, 그렇군. 그래, 나의 주인을 더는 괴롭히지 말길 바라는 마음에 말을 걸었다. 적당히 굴어.

건은 눈을 부릅떴다. 차마 제 귀는 막지 못하고, 그녀의 귀를 양손으로 감싼 뒤 마구 입술을 눌렀다.

'너, 진짜로 삼킬 테니까 각오해. 김궐!'

> 3권에서 계속

더 캐슬 2

초판 발행 2023년 7월 26일

지은이 진소예
펴낸이 최재호
총괄 전지영
펴낸곳 주식회사 에이템포미디어

편집 디자인 이준규, 김현경 **표지 디자인** UDDC studio
교정 교열 에이템포미디어 출판부 **삽화** DELTA

출판등록 2019년 2월 27일 제 2019-000012호
주소 경기도 부천시 조마루로385번길 92 부천테크노밸리U1센터 726호
대표전화 070-4100-0600 **팩스** 070-4758-0640

전자우편 atempo_media@naver.com
블로그 atempomedia.com
인스타그램 @atempomedia_books
트위터 @atempomedia
카카오톡 @에이템포미디어 출판사

ISBN 979-11-6963-254-6
       979-11-6963-252-2(**SET**)